HOMÉLIES SUR SAMUEL

SOURCES CHRÉTIENNES

N° 328

ORIGÈNE

HOMÉLIES
SUR SAMUEL

ÉDITION CRITIQUE,
INTRODUCTION, TRADUCTION ET NOTES

PAR

Pierre et **Marie-Thérèse NAUTIN**

Ouvrage publié
avec le concours du Centre National des Lettres

LES ÉDITIONS DU CERF, 29, Bd de Latour-Maubourg, PARIS 7ᵉ
1986

La publication de cet ouvrage a été préparée avec le concours
de l'Institut des « Sources Chrétiennes »
(U.A. 993 du Centre National de la Recherche Scientifique)

AVANT-PROPOS

En dehors des *Homélies sur Jérémie* précédemment éditées (*SC* 232 et 238), une seule homélie d'Origène nous est parvenue en grec, qui traite de l'épisode biblique de la nécromancienne d'Endor (*I Samuel* 28, 8-25). Il convenait de faire sur elle le même travail de révision du texte que sur les autres, de manière à fournir une édition complète et améliorée des prédications d'Origène conservées en langue originale.

Cette pièce a été peu étudiée jusqu'ici. Nous souhaitons que les lecteurs découvrent comme nous l'intérêt qu'elle présente pour l'histoire doctrinale, puisqu'elle fait écho à une controverse qui divisait alors les théologiens sur le sort de l'âme des justes après la mort : descend-elle dans les enfers en attendant la résurrection finale ou va-t-elle tout de suite au Ciel? C'est grâce à cette homélie que nous connaissons la position d'Origène sur la question. Elle révèle d'autre part des aspects nouveaux d'Origène prédicateur, qui compléteront l'étude publiée dans *SC* 232.

Il nous a paru utile de joindre les fragments grecs de quelques homélies perdues sur le même livre de Samuel et surtout, à cause de son intérêt propre, l'homélie sur le Cantique d'Anne (*I Samuel* 2), perdue en grec mais heureusement conservée en version latine.

Ce livre est dans toutes ses parties une œuvre commune, comme le rappellera l'emploi constant du «nous» dans l'introduction et l'apparat critique. Cependant l'un de nous a travaillé surtout l'homélie grecque, l'autre s'est consacrée davantage à l'homélie latine et y a découvert notamment un indice décisif prouvant qu'elle a été traduite par Rufin d'Aquilée.

14 juin 1984   P.N.

ABRÉVIATIONS ET SIGLES

AEHE   *Annuaire de l'École pratique des Hautes Études,* Paris.

CCL   Corpus Christianorum, Series Latina, Turnhout.

CSEL   Corpus Scriptorum Ecclesiasticorum Latinorum, Vienne.

EUSTATHE   EUSTATHE D'ANTIOCHE, *De engastrimutho contra Origenem* (éd. E. KLOSTERMANN, *Origenes, Eustathius von Antiochien und Gregor von Nyssa über die Hexe von Endor,* Kleine Texte 83, Bonn 1912, p. 16-62).

GCS   Die Griechischen Christlichen Schriftsteller der ersten (drei) Jahrunderte, Berlin-Leipzig.

LAGARDE   P. DE LAGARDE, *Onomastica sacra,* Göttingen, 1870.

RAC   Reallexikon für Antike und Christentum, Stuttgart.

R Ben   *Revue Bénédictine,* Maredsous.

RHR   *Revue de l'Histoire des Religions,* Paris.

SC   Sources Chrétiennes, Paris.

ST   Studi e Testi, Rome.

VChr   *Vigiliae Christianae,* Amsterdam.

WUTZ   F. WUTZ, *Onomastica sacra (TU* 41), Leipzig 1914.

INTRODUCTION

PLAN DE L'INTRODUCTION

CHAPITRE PREMIER

LA TRANSMISSION DU TEXTE

I. L'homélie sur la nécromancienne

1. La tradition directe.

Jusqu'en 1941, le texte de l'homélie n'était connu en tradition directe que par un manuscrit de Munich, le *Monacensis graecus 331,* et par ses copies. Puis la découverte de papyrus chrétiens faite à Toura en 1942 a fourni un autre témoin. Ce papyrus est plus ancien que le parchemin de Munich, mais comme il ne contient que des extraits de l'homélie, il sera plus commode d'examiner d'abord le texte complet fourni par le *Monacensis.*

a) Le Monacensis gr. 331

Ce manuscrit du Xe siècle, bien conservé, contient à la suite trois pièces concernant la nécromancienne d'Endor : l'homélie d'Origène, le traité d'Eustathe d'Antioche *Sur la nécromancienne* et une lettre de Grégoire de Nysse à un évêque Théodose sur le même sujet[1] :

f. 174 Ὠριγένους εἰς τὴν τῶν Βασιλειῶν α'.
D'Origène, sur le premier livre des Règnes.

---

1. Cf. *Origenes Werke,* 3 Bd, *Jeremiahomilien, Klageliederkommentar, Erklärung der Samuel- und Königbücher,* hg. von Erich KLOSTERMANN; 2. bearbeitete Auflage hg. von Pierre NAUTIN, Berlin 1983, p. XLV-XLIX (cité désormais : *GCS Origenes* 3).

f. 179 Τοῦ ἁγίου Εὐσταθίου ἀρχιεπίσκου Ἀντιοχείας κατὰ Ὠριγένους διαγνωστικὸς εἰς τὸ τῆς ἐγγαστριμύθου θεώρημα.

De saint Eustathe archevêque d'Antioche, critique d'Origène au sujet de la nécromancienne.

f. 201 Τοῦ ἁγίου Γρηγορίου ἐπισκόπου Νύσης ἐπιστολὴ διὰ τὴν
ἐγγαστρίμυθον πρὸς Θεοδόσιον ἐπίσκοπον.

De saint Grégoire évêque de Nysse, lettre sur la nécromancienne à Théodose évêque.

Ces trois pièces sont précédées du traité de Cyrille
d'Alexandrie *Sur la sainte et consubstantielle Trinité* et suivies
de l'ouvrage de Théodote d'Ancyre sur le symbole de
Nicée : deux écrits dont le sujet est totalement étranger à
l'épisode de la nécromancienne et qui ne se trouvent dans
le même manuscrit que par les hasards de la transmission
des textes.

Par contre, le fait de rencontrer côte à côte l'homélie
d'Origène et le traité d'Eustathe n'est pas fortuit. Eustathe
signale en effet au début de son ouvrage qu'il a joint à
celui-ci une copie de l'homélie d'Origène[1]. Il n'est pas
étonnant de retrouver les deux pièces dans le *Monacensis,*
puisque celui-ci dépend nécessairement de l'exemplaire
original du traité d'Eustathe : les copistes qui ont transcrit
le traité d'Eustathe ont copié à la suite l'homélie d'Origène
qui lui était annexée, puis l'un d'eux, pour rétablir l'ordre
chronologique, a interverti les deux pièces, et le même
copiste ou un autre a ajouté en troisième position la lettre
postérieure de Grégoire de Nysse sur la même question.

Du *Monacensis gr. 331* dépendent plusieurs manuscrits du
XVIᵉ siècle, notamment le *Vaticanus gr. 1073,* d'après lequel

---

1. EUSTATHE D'ANTIOCHE, *De Engastrimutho,* 1 (éd. E. KLOSTER-
MANN, *Origenes, Eustathius von Antiochen und Gregor von Nyssa über die
Hexe von Endor,* Kleine Texte 83, Bonn 1912, p. 16; 19) : «Pour ne pas
avoir l'air d'introduire un débat judiciaire pour des motifs subjectifs, je
pense qu'il n'est pas déplacé de joindre l'interprétation d'Origène aux
présentes notes sur cet écrit.»

a été faite la première édition de l'homélie, parue à Lyon en 1629.

b) Le papyrus de Toura

Parmi les papyrus trouvés à Toura figurent les restes de deux codex qui contenaient des œuvres d'Origène. L'un de ces codex donnait le texte intégral de l'*Entretien avec Héraclide* et du traité *Sur la Pâque;* l'autre ne renfermait que des extraits, tirés de trois autres ouvrages[1] :

1. Depuis le premier cahier jusqu'à la page 11 du quatrième cahier : extraits des livres I et II du *Contre Celse;*
2. Depuis le haut de la p. 12 du quatrième cahier jusqu'au bas de la p. 14 du même cahier : extraits de l'*Homélie sur la nécromancienne* précédés du titre :

ϙβ εἰς τὴν τῶν βασιλειῶν α̅· περὶ τῆς ἐγγαστριμύθου.
ϙβ Sur le premier (livre) des Règnes. De la nécromancienne.

La page 14 se termine avec les mots διὰ τοῦτο περιέμενον οἱ μακάριοι ἐκεῖ (**9,** 60). Les deux dernières pages, 15 et 16, du même cahier n'ont pas été retrouvées. Voici la liste des passages de l'homélie conservés dans le papyrus :

	Homélie	Pap.
2,27-29	ἐξουσίαν − ἀληθῆ	1-2
3,1-8	τινὰς − προστασσόμενον	2-7
9-12	ταῦτα − θεῷ	8-10
25-28	Σαμουὴλ − ᾅδου[1]	10-11

1. Description du Papyrus et étude des procédés du copiste-excerpteur dans O. GUÉRAUD, *Note préliminaire sur les papyrus découverts à Toura, RHR* 131, 1946, p. 85 et 108; J. SCHERER, *Extraits des livres I et II du Contre Celse d'Origène dans le Papyrus n° 88747 du Musée du Caire,* Le Caire, Institut Français d'Archéologie Orientale, 1956, p. 1-29; ID., *Le Commentaire d'Origène sur Rom. III.5 - V.7 d'après les extraits du Papyrus n° 88748 du Musée du Caire et les fragments de la Philocalie et du Vaticanus gr. 762,* Le Caire, même éditeur, 1957, p. 1-18. Pour l'histoire de la découverte, on lira les pages d'Octave Guéraud dans O. GUÉRAUD et P. NAUTIN, *Origène,* t. 2, Paris 1979, p. 15-21.

3,31-33	ἵνα – σε[2]	12-14
4,6-7	ἢ – γεγραμμένοις	14-15
8-18	καὶ – σοι	15-24
32-37	αὐτὸς – Σαμουὴλ	24-29
6,14-16	ἀποκρινάσθω – Χριστός	30-31
58-60	ὁ δὲ – θεραπεύει	31-33
62-64	μὴ – ἐπιδημίαν	33-35
7,3-18	καὶ – συναναβεβηκότες	35-47
31-32	πέμψας – ἐρχόμενος	47-48
41-48	νῦν – μου	48-53
52-59	οὗτος – οὐρανοῖς	53-58
62-75	ἰδοὺ – προσδοκῶμεν	59-63
8,5-8	ὅπου – τόπῳ	68-70
9,3-18	οὐκ – ἁμαρτήσας	71-84
52-60	περιέμενον – ἐκεῖ	84-90

3. Avec le cinquième cahier commencent des extraits du *Commentaire de l'Épître aux Romains.*

La question se pose de savoir si les extraits de !'*Homélie sur la nécromancienne* se poursuivaient sur les pages 15 et 16 du quatrième cahier? Les derniers mots qui se lisent à la page 14 ne permettraient pas à eux seuls de le savoir, car ils offrent un sens complet. Mais si l'on observe les habitudes du copiste dans le même codex, on constate qu'il marque la fin de chaque ouvrage d'Origène en répétant le titre. Comme nous ne trouvons pas de titre semblable au bas de la page 14, il est légitime de penser que les extraits de l'homélie se continuaient en page 15, mais ils ne pouvaient pas aller très loin, puisqu'au bas de la page 14 on est déjà presque à la fin de l'homélie.

Tous ces extraits ont été faits par le copiste lui-même qui a écrit le papyrus de Toura. J. Scherer l'a démontré pour les extraits du *Contre Celse*[1] et O. Guéraud en a relevé aussi un bon indice dans l'homélie[2] : à la ligne 33 du papyrus (= 6, 60), après αὐτὸς θεραπεύει, le copiste écrit le premier

1. J. SCHERER, *Extraits*, p. 25-26.
2. O. GUÉRAUD, *Note préliminaire*, p. 103.

mot, ἥτις, de la phrase suivante de l'homélie, puis, se ravisant, il exponctue ce mot et omet le reste de la phrase.

Ce copiste travaillait à la fin du VIe siècle ou au VIIe, à en juger par son écriture, dont on trouvera de bons spécimens dans les deux ouvrages de J. Scherer où sont publiés les extraits du *Contre Celse* et du *Commentaire de l'Épître aux Romains*.

Le texte des extraits de l'homélie a été publié une première fois en 1946 dans la *Note préliminaire* d'O. Guéraud déjà citée[1] et une deuxième fois en 1983 dans la réédition de *GCS Origenes 3*[2], à laquelle nous renvoyons.

c) Comparaison des deux témoins

Si l'on compare le texte du papyrus (T) avec celui du *Monacensis* (M), on peut faire trois observations :

1. T a des fautes dont M est exempt

Elles sont de deux sortes : les unes, qui trahissent un désir d'abréger, sont dues au copiste-excerpteur qui a écrit le papyrus ; les autres, qui sont de simples fautes de copie, peuvent avoir figuré déjà dans son modèle.

a. Altérations dues au désir d'abréger :

Le copiste de T est fidèle en ce sens qu'il n'introduit rien de son cru dans le texte d'Origène, mais le désir de faire court le conduit parfois à remanier légèrement l'ordre des mots ou à en supprimer quelques-uns. Les premières lignes en offrent un bon exemple (**3**, 1 s.) :

---

1. *Supra,* p. 13, n. 1. Octave Guéraud, alors au Caire, n'a pas pu corriger lui-même les épreuves de son article, en sorte que le mot εἰ de la ligne 43 (= 7, 14) s'est trouvé omis.
2. *GCS Origenes* 3, p. 354-356.

M	T 3-4
Καὶ μὴν γοῦν ἴσμεν τινὰς τῶν	τινὲς τῶν
ἡμετέρων ἀδελφῶν ἀντιϐλέψαντας	ἀδελφῶν
τῇ γραφῇ καὶ λέγοντας· Οὐ	λέγουσι· Οὐ
πιστεύω τῇ ἐγγαστριμύθῳ ·	πιστεύω τῇ ἐγγαστριμύθῳ ·
λέγει ἡ ἐγγαστρί-	ψεύδεται λέγουσα
μυθος ἑωρακέναι τὸν Σαμουήλ,	ἑωρακέναι τὸν Σαμουήλ.
ψεύδεται.	

Nous savons bien que certains parmi nos frères résistent à l'Écriture et disent : Je ne crois pas à la nécromancienne; quand la nécromancienne dit qu'elle a vu Samuel, elle ment.	Certains des frères disent : Je ne crois pas à la nécromancienne; elle ment en disant qu'elle a vu Samuel.

Dans ce passage l'excerpteur a omis plusieurs mots qui n'étaient pas indispensables, en transformant la désinence de ceux qu'il conservait pour garder un sens à la phrase (τινάς/τινές; λέγοντας/λέγουσι) et il ne se fait pas scrupule de supprimer l'asyndète λέγει... ψεύδεται en disant plus simplement ψεύδεται λέγουσα.

Le même désir de simplification paraît expliquer plusieurs autres cas, où une formule de M se trouve raccourcie dans T :

3, 10 τὴν ἱστορίαν ταύτην M : τὴν ἱστορίαν T.

4, 16 τὸ πνεῦμα τὸ ἅγιον M : τὸ ἅγιον πνεῦμα T.

6, 64 τοῦ Χριστοῦ τὴν ἐπιδημίαν M : τὴν Χριστοῦ ἐπιδημίαν T.

9, 60 ὥστε διὰ τοῦτο M : διὰ τοῦτο T.

On pourrait hésiter à la ligne 10 (= **3,** 12) où M porte ἀνακείμενος τῷ θεῷ et T ἀνακείμενος θεῷ, car Origène emploie indifféremment l'une ou l'autre formule[1], mais

---

1. Avec l'article : *Hom. Jér.*, 8, 2 (*SC* 232, p. 358, 18); *Com. Matth.*, XI, 9 (*GCS Origenes* 10, p. 48, 20); XVI, 12 (p. 540, 28). Sans l'article : *Com. Jn*, I, 2(4), 12 (*SC* 120, p. 64); *Com. Matth.*, XI, 9 (*GCS Origenes* 10, p. 48, 19); *Lettre au pape Fabien*, fragment (dans P. NAUTIN, *Lettres et écrivains chrétiens des IIe et IIIe siècles*, Paris 1961, p. 250).

d'après les exemples précédents il est plus plausible de supposer l'omission de l'article par l'excerpteur de T que son addition par un copiste du côté de M.

b. Fautes de copie :

En plus de ces menues retouches destinées à raccourcir le texte, T présente quelques fautes caractérisées qui ne figurent pas dans M :

3, 6 οὕτως M : οὗτος T.

3, 31 ἵνα τί M : διὰ τί T; nul doute qu'Origène avait écrit ἵνα τί comme dans M, car cela explique que dans cette phrase la négation soit μὴ et non pas οὐχὶ comme dans les phrases précédentes.

6, 63 καὶ οἱ M : καινοὶ T.

7, 7 προφητεύσων M : προφητεύων T.

7, 72 ἀμφέβαλλεν M : ἀμφέβαλεν T; l'emploi de l'imparfait est confirmé par le verbe coordonné ἠπίστει (M et T).

2. M a des fautes dont T est exempt

En revanche, M a d'autres fautes dont T est exempt :

2, 27-28 τί εἴπω; ἐγ[γέγρ]απται ταῦτα T : τί εἴπομεν; γέγραπται ταῦτα M; Eustathe d'Antioche, qui cite ce passage[1], s'accorde avec T contre M;

3, 5 λέγοντες · «τάδ[ε λέγ]ει κ(ύριο)ς» καὶ ὁ κύριος οὐκ ἐλάλησεν T. L'article ὁ est omis dans M. Comme O. Guéraud le fait remarquer[2], T a raison d'employer l'article devant le second κύριος, car il ne s'agit plus d'une citation de l'Écriture (qui emploie couramment ce mot sans article pour traduire le *Iahweh* hébreu), mais d'une remarque d'Origène, lequel dit généralement ὁ κύριος, « le Seigneur », avec l'article;

1. EUSTATHE, 16 (p. 42, 10).
2. O. GUÉRAUD, *Note préliminaire*, p. 105.

4, 39 ἔδει γεγράφθαι · καὶ ἐνόμισεν Σαμουὴλ εἶναι αὐτὸν Σαμουὴλ T, *om*. M. Ces deux propositions sont attestées par Eustathe d'Antioche (qui porte toutefois Σαοὺλ au lieu du premier Σαμουὴλ, lequel est une faute de T)[1].

3. T et M ont aussi des fautes communes

7, 3 s. Σαοὺλ λέγει ἑωρακέναι ἡ γυνὴ ψυχήν, οὐ λέγει ἑωρακέναι ἄνθρωπον M. Selon cette version «la femme dit à Saül qu'elle a vu une âme» (ou «dit que Saül a vu une âme»). T supprime ἡ γύνη, en sorte que la phrase signifie «Saül dit avoir vu une âme». Or, dans le texte biblique, ni la femme ni Saül ne disent que l'un ou l'autre a vu une âme. Il y a certainement une erreur, comme Klostermann l'a observé, et elle est commune aux deux témoins. La correction proposée est appelée par le contexte et explique la genèse des fautes (confusion entre Σαμουὴλ et Σαοὺλ comme en T 29 et sauts du même au même).

7, 13-18. La phrase est incohérente dans T comme dans M. Le εἰ de la ligne 14 attesté par T suggère la restitution adoptée.

7, 72. M et T écrivent διὸ pour εἰ ὁ, rétabli à bon droit par Klostermann.

9, 54 οὕτως, commun à M et T, est visiblement, d'après le contexte, une altération de οὗτος, corrigée par Klostermann.

Ces observations permettent de situer M et T l'un par rapport à l'autre. T ne dépend pas de M : la chronologie s'y oppose et nous venons de constater en outre que T est exempt de plusieurs fautes qui obèrent M. D'autre part, M ne dépend pas de T, puisque M conserve le texte intégral de l'homélie dont T ne fournit que des extraits, et qu'il est exempt de plusieurs fautes qui déparent T. Mais les deux

---

1. EUSTATHE, 7 (p. 24, 23).

manuscrits dépendent d'un même ancêtre qui avait déjà les fautes communes à l'un et à l'autre.

2. La tradition indirecte

En plus du manuscrit de Munich et du papyrus de Toura, nous disposons des citations de l'homélie qui ont été faites au début du IVᵉ siècle par Eustathe d'Antioche dans son traité *Sur la nécromancienne*. Étant donné sa date, ce témoignage est précieux. Il doit toutefois être utilisé à bon escient. En principe, Eustathe cite textuellement, mais il lui arrive de comprimer un peu la phrase pour éviter des répétitions de mots :

Homélie 7, 22	*Eustathe* 17 (p. 44,11-12)[1]
Τί φοβῇ εἰπεῖν ὅτι πᾶς τόπος χρῄζει Ἰησοῦ Χριστοῦ; Χρῄζει τῶν προφητῶν ὁ χρῄζων Χριστοῦ.	Τί φοβῇ εἰπεῖν ὅτι πᾶς τόπος χρῄζει αὐτοῦ τοῦ Χριστοῦ καὶ τῶν προφητῶν;
Pourquoi as-tu peur de dire que tout lieu a besoin de Jésus-Christ? Il a besoin des prophètes celui qui a besoin de Jésus-Christ.	Pourquoi as-tu peur de dire que tout lieu a besoin du Christ lui-même et des prophètes?

Pour un autre passage (**2**, 28), Eustathe cite d'abord le texte exact (16, p. 42, 10) : ἐγγέγραπται ταῦτα; ἀληθῆ ἐστιν ἢ οὐκ ἔστιν ἀληθῆ; et quelques lignes plus loin (p. 42, 25) il le reprend librement en le glosant : γέγραπται ταῦτα ἢ οὐ γέγραπται; Nous devons évidemment nous en tenir à la citation non glosée.

Enfin il faut considérer que le traité d'Eustathe a pu subir des fautes par la négligence des copistes entre

---

1. Rappelons que nous citons le traité d'Eustathe d'après l'édition des *Kleine Texte;* cf. *supra,* p. 8 et p. 12, n. 1.

l'original du IVe siècle et le manuscrit du Xe à travers lequel le texte nous parvient[1].

Voici donc les passages de l'homélie cités par Eustathe :

Homélie	Eustathe		Homélie	Eustathe
2, 14	16 (p. 41, 30-31)		**4,** 41	7 (p. 25, 8)
25-27	16 (p. 42, 4-7)		57-58	23 (p. 51, 14-15)
28-31	16 (p. 42, 10-15)		**5,** 20-21	23 (p. 51, 22-23)
3, 1-4	16 (p. 42, 17-20)		**7,** 14-15	20 (p. 47, 12-13)
4, 10	3 (p. 19, 16-17)		17-19	20 (p. 47, 14-15)
12-15	4 (p. 21, 3-6.18)		23-24	17 (p. 44, 11-13)
36-37	5 (p. 22, 3-4)		**8,** 10-11	17 (p. 44, 14-16)
38-43	5 (p. 22, 5-11)		12-14	17 (p. 44, 20-23)
	6 (p. 23, 17-19)		15-18	24 (p. 53, 1-5)
39-41	7 (p. 24, 23-24)			

Lorsque Eustathe a composé son ouvrage, le texte des passages qu'il citait ne devait pas être différent du texte de l'homélie annexée au traité, puisque l'un et l'autre étaient pris au même modèle, à savoir l'exemplaire entré dans sa bibliothèque. Mais, par la suite, plusieurs fautes de copie ont été commises dans l'homélie (M) sans l'être dans les citations correspondantes du traité (Eust.) et *vice versa*. La confrontation des deux textes permet alors de remarquer et corriger ces erreurs.

Dans trois cas, la faute est dans le traité d'Eustathe :

2, 25 εἰ M, *om.* Eust.

3, 1 γοῦν M, *om.* Eust.

5, 7 τοῦ κυρίου M : κυρίου Eust.

Plus souvent, la faute est dans l'homélie; grâce au traité d'Eustathe elle peut être repérée et réparée :

2, 26 ἦν Eust., *om.* M (par haplographie).

---

1. Le même *Monacensis gr. 331* qui nous transmet l'homélie d'Origène; cf. *supra*, p. 11. Notre sigle *M* correspond donc à la partie de ce manuscrit qui renferme l'homélie d'Origène et le sigle *Eust.* à celle qui contient le traité d'Eustathe.

2, 27-28 τί εἴπω; ἐγγέγραπται Eust. : τί εἴπομεν; γέγραπται M ; le témoignage de T confirme celui d'Eust.

4, 39-42 lacune de M ; le texte conservé par Eust. l'est aussi partiellement par T.

8, 11 ὤν Eust., *om.* M.

8, 11 τῇ Eust., *om.* M ; cf. **8,** 13.

8, 13 ἐν τῷ Eust., *om.* M ; cf. **8,** 11.

8, 13 μὲν Eust., *om.* M.

8, 16 ἵνα προφητεύῃ Eust. : ὅτι προφητεύει M ; dans le cas présent un copiste était plus tenté de transformer ἵνα en ὅτι que l'inverse[1].

3. Les étapes de la transmission du texte

Grâce à toutes ces remarques, nous pouvons poser les jalons principaux de l'histoire du texte. Après l'archétype *a* établi par le calligraphe d'Origène, nous avons trouvé un exemplaire dans la bibliothèque d'Eustathe vers 320 : cet exemplaire, que nous appellerons *b,* a servi d'une part aux citations de l'homélie qui ont été incluses par Eustathe dans son traité (Eust.), d'autre part à la copie intégrale de l'homélie qu'Eustathe annexa à cet ouvrage comme pièce jointe (*c*). C'est à cette copie *c,* nous l'avons vu[2], que se rattache le texte de l'homélie qui figure dans le *Monacensis gr. 331* (M). Il reste à déterminer à quel endroit de cette lignée se situe le plus proche ancêtre commun de M et du papyrus de Toura (T). Nous avons constaté que cet ancêtre contenait des fautes qui rendaient la phrase inintelligible. Il nous paraît exclu qu'elles aient existé dans la copie envoyée par Eustathe au dédicataire de son ouvrage, Eutrope. Eustathe était un lettré distingué, comme le montre son

---

1. Ἵνα a souvent à cette époque un sens consécutif qui répond dans le cas présent à τηλικαύτην de la même ligne.

2. Cf. *supra,* p. 12.

style. Nul doute que lorsqu'il envoyait une lettre ou un ouvrage à un ami, un collègue ou un protecteur, il tenait à ce que l'exemplaire soit non seulement bien écrit mais sans faute. Les pièces jointes devaient bénéficier des mêmes soins que l'ouvrage lui-même, et s'il y avait des fautes dans les modèles sur lesquels elles étaient copiées, la réputation d'homme cultivé dont jouissait Eustathe lui faisait un devoir de les corriger de son mieux. Nous pensons donc que les fautes qui figuraient dans le plus proche ancêtre commun de M et T se sont introduites après la copie c, et dans ce cas le stemma des manuscrits s'établit comme suit :

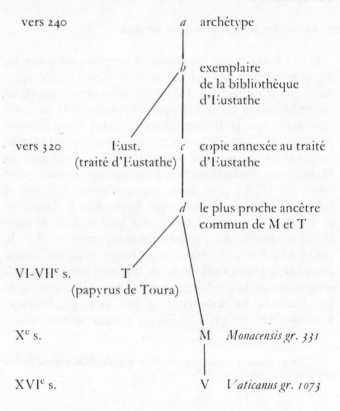

vers 240	a	archétype
	b	exemplaire de la bibliothèque d'Eustathe
vers 320	Eust. (traité d'Eustathe) c	copie annexée au traité d'Eustathe
	d	le plus proche ancêtre commun de M et T
VI-VIIe s.	T (papyrus de Toura)	
Xe s.	M	*Monacensis gr. 331*
XVIe s.	V	*Vaticanus gr. 1073*

Un des enseignements qui ressortent de ce stemma est que le papyrus de Toura (T) dépend lui aussi de la copie annexée à la lettre d'Eustathe. Cela n'est pas pour nous étonner, car nous pouvons en trouver la confirmation dans le titre même que l'homélie porte dans le papyrus aussi bien que dans M :

M : Ὠριγένους εἰς τὴν τῶν βασιλειῶν α′.

T : Ὠρ(ιγένους) εἰς τὴν τῶν βασιλειῶν α′   περὶ τῆς ἐγγαστριμύθου.

En effet, la partie du titre qui est commune à M et à T : «D'Origène, sur le 1er (livre) des Règnes», n'est pas conforme à la manière dont les copistes d'Origène intitulaient ses homélies. Ils avaient l'habitude d'indiquer le début du passage commenté et sa fin sans préciser le livre biblique, par exemple :

Εἰς τὸ «Καὶ εἶπεν κύριος πρὸς μὲ ἐν ταῖς ἡμέραις Ἰωσίου» μέχρι τοῦ «ἐδικαίωσε τὴν ψυχὴν αὐτοῦ Ἰσραὴλ ἀπὸ τῆς ἀσυνθέτου Ἰούδα».

Sur la parole : «Et le Seigneur me dit sous le règne de Josias» jusqu'à : «Israël a justifié son âme en comparaison de la perfide Juda[1]».

Le titre que nous lisons dans les deux manuscrits de notre homélie ne remonte donc pas à l'archétype, mais il reflète la façon dont Eustathe, dans son traité, désignait l'homélie d'Origène : elle concernait, disait-il, l'histoire de la nécromancienne racontée «dans le premier livre des

---

1. Titre de l'*Homélie 4 sur Jérémie*. Plus tard, quand les homélies furent réunies en corpus, on ajouta au titre primitif le numéro de l'homélie dans le recueil : ὁμιλία δ′. Voir l'Introduction à l'édition des *Homélies sur Jérémie* (*SC* 232), p. 49-53.

Règnes», ἐν τῇ πρώτῃ τῶν βασιλειῶν[1]. Un copiste a simplement transposé en titre de l'homélie l'indication fournie par Eustathe, puis un autre copiste, dans la branche T, a ajouté l'objet de l'homélie : «Sur la nécromancienne[2]».

4. Les éditions imprimées

L'histoire des manuscrits nous a conduits jusqu'au XVIe siècle. Alors commence l'ère des éditions imprimées. Elle peut être divisée en trois périodes selon les manuscrits utilisés par les éditeurs.

1. L'homélie sur la nécromancienne fut publiée pour la première fois par Leo Allatius, à Lyon en 1629, d'après le *Vaticanus gr. 1073,* qui est une copie assez fautive descendant du manuscrit de Munich, mais Allatius corrigea d'une manière heureuse un bon nombre de fautes (parmi lesquelles plusieurs remontaient au *Monacensis*). Il accompagna le texte grec d'une traduction latine, reprise par la plupart des éditeurs suivants jusqu'à Migne, et d'une longue dissertation sur les différentes interprétations de l'épisode de la nécromancienne dans l'Église ancienne, étude qui, elle aussi, a beaucoup servi, directement ou indirectement, aux travaux postérieurs parus sur le sujet.

L'édition d'Allatius est à la base de celles de J. et R. Pearson (Londres 1660), P. Huet (Rouen 1668), C. de la

---

1. EUSTATHE, 1 (p. 16, 11) : «Tu veux que je précise clairement ma pensée sur la nécromancienne dont l'histoire est racontée *au premier livre des Règnes,* car tu n'es pas satisfait, dis-tu, de ce qu'Origène a publié sur cette question.»

2. Le titre commun à *M* et *T* est donc postérieur à *c.* Qu'y avait-il auparavant en tête de l'homélie? Il suffisait de Ὠριγένους ou même simplement d'Ἀντίγραφον, puisque la nature de cette pièce était précisée dans le traité d'Eustathe auquel elle était jointe.

Rue (Paris 1733), A. Galland (Venise 1768), C.H.E. Lommatzsch (Berlin 1841), J.P. Migne (Paris 1862).

2. La première édition qui utilisa le *Monacensis gr. 331* fut celle d'Albert Jahn, publiée à Leipzig en 1886 dans les *Texte und Untersuchungen* (II, 4) de Gebhardt et Harnack. Les fautes et lacunes propres au *Vaticanus* furent alors éliminées. Mais il restait encore beaucoup à faire pour corriger les passages altérés du *Monacensis*.

Un net progrès fut réalisé dans ce sens par les deux éditions d'Erich Klostermann. La première parut en 1901 dans le tome 3 des *Origenes Werke* du Corpus de Berlin[1]; elle apportait un grand nombre de corrections nouvelles dues à Blass, Koetschau, Lietzmann et Klostermann lui-même, et dont plusieurs doivent être retenues, même si d'autres apparaissent superflues ou inadéquates[2]. Puis, en 1912, Klostermann édita dans les *Kleine Texte* de Lietzmann les trois ouvrages sur la nécromancienne contenus dans le manuscrit de Munich, dont le premier est l'homélie d'Origène[3]; il profita de cette occasion pour retirer quelques-unes des conjectures qu'il avait admises dans la première édition et pour en introduire quelques autres, dont l'une est excellente (9, 46).

3. En 1946, Octave Guéraud publia pour la première fois les extraits trouvés dans le papyrus de Toura.

5. La présente édition

L'édition qu'on trouvera ci-après offre le texte complet de l'homélie en y intégrant naturellement l'apport du

---

1. Cf. *supra*, p. 11, n. 1.
2. Une autre série a été proposée par P. WENDLAND dans les *Göttingische gelehrte Anzeigen,* 1901, p. 777-787.
3. Cf. *supra*, p. 12, n. 1.

papyrus de Toura. Mais, si intéressant qu'il soit, ce nouveau témoin ne résout pas toutes les questions qui se posent, non seulement parce qu'il ne couvre qu'un quart de l'homélie, mais encore parce qu'il a subi lui-même, comme les autres papyrus origéniens trouvés à Toura, d'assez nombreuses altérations. C'est le texte entier de l'homélie tel qu'il nous parvient par ses différents témoins qui demandait un nouvel effort critique.

L'édition de Klostermann doit être, en effet, améliorée de deux façons. D'une part, sous l'influence de Blass, Klostermann a opéré au nom de la grammaire un certain nombre de corrections qui ne paraissent plus nécessaires quand on tient davantage compte du style d'Origène et des facilités que s'octroie la langue parlée. D'autre part, en plusieurs endroits où le texte est sûrement altéré, la solution proposée par Klostermann n'est pas pleinement satisfaisante ; il faut essayer d'en trouver une meilleure.

Pour ces deux raisons notre édition s'écarte des deux siennes sur une trentaine de points. La plupart d'entre eux ont été déjà indiqués et discutés dans les «Compléments et corrections» imprimés à la fin du volume *GCS Origenes* 3 lors de sa réédition de 1983[1] ; les lecteurs désireux de connaître les motifs de nos choix pourront s'y reporter. Mais la présente publication a été l'occasion d'un nouvel examen qui nous a conduits à faire trois autres retouches aux éditions de Klostermann :

2, 28 ἐγγέγραπται ταῦτα. Klostermann considère cette proposition comme affirmative. Deux raisons nous font penser qu'elle est interrogative : le verbe précède le sujet et Eustathe l'a comprise ainsi (16, p. 42, 25).

---

1. *GCS Origenes* 3, p. 365-368.

4, 29 « Καὶ εἶπεν αὐτῷ · 'Ανὴρ πρεσβύτερος ἀναβαίνων καὶ
αὐτὸς περιβεβλημένος διπλοΐδα» ἐφούδ. Le mot ἐφούδ est
étranger au contexte tant par son contenu que du point de
vue grammatical. En effet : 1° Le verset biblique cité dans
cette phrase (*I Sam.* 28, 14) ne parle pas de l'éphod et
n'avait pas à en parler, puisque la nécromancienne ne
pouvait voir que le manteau de Samuel, qui recouvrait ses
autres vêtements; 2° Grammaticalement, le mot n'est relié
par rien aux précédents. Si c'était Origène qui l'avait
ajouté, il ne l'aurait pas introduit comme une apposition à
διπλοΐδα, car il savait que les deux vêtements étaient
différents (cf. **3**, 14); il aurait mis au moins une conjonction
de coordination. Il nous faut donc ou suppléer un καὶ ou
voir dans ἐφούδ une note marginale passée dans le texte. Un
copiste ou lecteur surpris de ne pas trouver ici mention de
l'éphod dont il avait été question plus haut a pu indiquer
dans la marge l'objet de son étonnement. Nous croyons
plus prudent d'éliminer provisoirement le mot superflu.

6, 24 et 31 ἐν ᾅδου καταβεβηκέναι (καταβέβηκεν 31) M.
Klostermann remplace les deux fois ἐν par εἰς, parce que
Ps. 15,10 est cité en **6**, 27 avec εἰς ᾅδου, mais il arrive assez
souvent qu'Origène cite une parole de l'Écriture sous la
forme gravée dans sa mémoire puis la commente dans son
style propre, qui emploie assez fréquemment ἐν pour εἰς[1].
Nous conservons donc ici, les deux fois, le texte de M.

Il convient en outre de signaler la présence de plusieurs
fautes dans le texte de *I Sam.* 28, 11-20 dont Origène donne
lecture dans les paragraphes **4** et **5** de l'homélie. Nous
avons vu dans les homélies sur Jérémie qu'il avait en main
une bible personnelle, qui n'était pas une copie de la

---

1. Cf. *Hom. Jér.*, 10, 2, 8 (*SC* 232, Introduction, p. 77) et les exemples
cités par J. BORST, *Beiträge zur sprachlich-stilistischen und rhetorischen
Würdigung des Origenes*, Diss. Munich 1913, p. 58.

Septante, mais dont il avait établi lui-même le texte en se
servant des autres traductions grecques d'Aquila, de Symmaque et de Théodotion faites directement sur l'hébreu et
nous constaterons plus loin qu'il en va de même dans les
homélies sur Samuel. Or, dans quatre cas, il est certain que
le texte de M n'est pas fidèle au texte original du traducteur
utilisé par Origène, car il ne correspond ni à l'hébreu ni à la
Septante. Dans le dernier cas, la modification, qui se réduit
au déplacement d'une phrase, correspond visiblement à
une intention d'Origène, mais dans les trois autres il s'agit
d'une modification de la finale d'un mot, d'une inversion et
de deux courtes omissions, toutes fautes qui ressemblent
tout à fait à celles que les copistes commettent par accident,
en sorte que l'on serait porté à corriger. Mais le copiste
responsable, s'il s'agit d'un copiste, est-il postérieur ou
antérieur à Origène? Car il n'est pas prouvé que l'exemplaire des autres traductions venu aux mains d'Origène ait
été sans faute. Origène lui-même n'en a-t-il commis aucune
en copiant ces traductions dans les Hexaples? Et ne lui
est-il jamais arrivé, à l'ambon, comme à quiconque donne
lecture d'un texte, d'avoir des moments de moindre
attention? Trop de questions restent en suspens pour que
nous puissions intervenir à coup sûr. Aussi avons-nous
préféré laisser sur ces quatre points le texte en l'état, en
indiquant toutefois au lecteur le problème qu'ils posent et
la seule certitude que nous ayons personnellement à leur
sujet, à savoir que le texte original de la traduction y est
altéré :

4, 26 τί γάρ ἐστιν; μὴ φοβοῦ · τί ἑώρακας M. Citation de
I Sam. 28, 13. A l'endroit où ils sont placés, les trois mots
τί γάρ ἐστιν n'ont rien qui leur corresponde dans l'hébreu
ni dans la Septante, et corrélativement le mot hébreu qui
précède «qu'as-tu vu?» n'est pas traduit. Mais si ces trois
mots grecs sont placés après μὴ φοβοῦ et non avant, tout
rentre dans l'ordre :

ORIGENE   LXX

אַל־תִּירָאִי	μὴ φοβοῦ ·	μὴ φοβοῦ ·
כִּי	τί γάρ [1] ἐστιν;	εἰπὸν [2]
מָה רָאִית	τί ἑώρακας;	τίνα ἑώρακας.

4, 28 τί τὸ εἶδος αὐτοῖς M. Ces mots correspondent à
l'hébreu du verset 14, sauf que dans l'hébreu le pronom
n'est pas au pluriel (αὐτοῖς) mais au singulier (αὐτῷ). À en
juger par le soin que le traducteur suivi par Origène
apporte ailleurs à coller à l'hébreu, la faute ne peut lui être
imputée, mais c'est quelqu'un d'autre, venant plus tard, qui
a transformé le singulier en pluriel sous l'influence du
pluriel θεοὺς qui précédait.

4, 51 <καὶ> ἐκάλεσά <σε>. Telles sont les deux
corrections qu'il conviendrait de faire dans cette citation de
I Sam. 28, 15 pour la rendre conforme à l'hébreu aussi bien
qu'à la Septante. La chute d'un καὶ abrégé en κₛ est un
accident facile, comme aussi la chute de σε à côté de -σα.

5, 19 αὔριον καὶ σὺ καὶ οἱ υἱοί σου μετ'ἐμοῦ M. C'est la
deuxième partie du verset 19, et elle se trouve ici placée
après la troisième partie du même verset et les deux

---

1. כִּי , «parce que», est traduit par γάρ, qui lui correspond
exactement pour le sens; mais comme cette particule grecque ne peut
pas s'employer au début d'une proposition, le traducteur juif suivi par
Origène a ajouté τί... ἐστιν, qui lui a été visiblement suggéré par מָה ,
«quoi?», qui suit. On pourrait même croire qu'il a lu ce mot deux fois
dans le texte hébraïque, mais cette hypothèse n'est pas nécessaire; il
suffit qu'il ait voulu conserver dans le grec l'ordre des mots hébreux;
dans ce cas, en effet, il ne pouvait pas se contenter d'écrire τί γάρ
ἑώρακας, mais il devait trouver une autre tournure grecque, comme par
exemple celle qu'il a prise en utilisant par anticipation le mot suivant.

2. Il n'est pas indispensable de conjecturer avec R. KITTEL, Biblia
Hebraica, (ad locum, apparat), que l'exemplaire hébreu traduit dans la
Septante portait ici le mot «parle». Après une proposition négative, כִּי a
souvent un sens adversatif, qui a pu être rendu de cette façon : «Ne
crains pas, mais dis, qu'as-tu vu?»

premiers mots du verset 20. La glose qui suit ces mots prouve qu'Origène a bien cité le texte dans l'ordre où nous le trouvons dans M. Il semble qu'il ait fait lui-même le déplacement au cours de la lecture du texte de manière à grouper d'abord tout ce qui concernait le royaume d'Israël : «(19 a) Le Seigneur laissera Israël aux mains des étrangers; (19 c) le Seigneur livrera le camp d'Israël aux mains des étrangers», puis ce qui concernait le sort de Saül et de ses fils : «(20 a) Hâte-toi Saül; (19 b) demain toi et tes fils vous serez avec moi.»

Ces quelques hésitations concernent l'état du texte biblique utilisé par Origène, mais le texte d'Origène lui-même paraît maintenant suffisamment assuré pour être étudié avec confiance.

II. L'homélie sur Anne

1. Les manuscrits

L'homélie sur Helcana et Anne conservée en traduction latine a fait l'objet d'une édition critique dans la collection de l'Académie de Berlin par les soins de W.A. Baehrens (GCS Origenes Werke 8). Le texte y est établi d'après onze manuscrits dont les deux plus anciens, les codd. Lyon 402 et Laon 299, sont du IXe siècle[1]. Baehrens a montré que ces onze témoins ont un même ancêtre qui avait déjà des fautes comme on le voit par ce passage :

> 5, 60-63 Vis autem euidentiorem tibi ostendam et in euange-
> liis huiusmodi intelligentiae formam, quae in lege quidem
> adumbratur per uxores, in euangeliis uero iam prius descri-
> bitur per sorores? Vide Martham et Mariam...

---

1. Origenes Werke, 8. Bd, Homilien zu Samuel I, zum Hohelied und zu den Propheten, Kommentar zum Hohelied, in Rufins und Hieronymus Uebersetzungen (GCS 33), Leipzig 1925, p. 1-25.

Les mots *iam prius,* qui figurent dans tous les manuscrits, sont évidemment fautifs, car l'histoire évangélique de Marthe et Marie n'est pas antérieure à celle des deux femmes d'Héli dans le livre de Samuel. Baehrens rétablit avec beaucoup de vraisemblance *amplius,* bien adapté au contexte : «Veux-tu que je te montre aussi dans les Évangiles un cas plus clair d'une idée semblable qui, dans la Loi, est esquissée par des épouses, mais qui, dans les Évangiles, est décrite *plus amplement* par des sœurs. Vois Marthe et Marie...»

A cet exemple de faute commune à tous les manuscrits décelé par Baehrens, nous pouvons en ajouter deux autres :

4, 56-57 «... sitis autem perfecti in eodem sensu et eadem *scientia*» (*I Cor.* 1, 10).

Les manuscrits portent tous *scientia,* mais le texte biblique a γνώμη qui signifie «avis», *sententia,* et le fait est que, à la ligne 65, le traducteur latin reprenant cette citation traduira par *sententia.* Il ne nous paraît pas douteux qu'il avait fait de même ici. La confusion entre les deux mots était facile après un saut du même au même entre les deux groupes *ent* et *ent* : *sent[ent]ia.*

15, 1-2 «Et non emendauerunt occasiones» (*I Sam.* 2, 3), sicut et *ibi* dictum est : «Non declines cor meum in uerba mala» (*Ps.* 140, 4).

«Ici» (ἐνταῦθα, *ibi*) s'emploie ordinairement pour le passage qu'on est en train de commenter et l'on dit en citant un autre passage : «ailleurs» (ἐν ἄλλοις ou ἀλλαχοῦ, *alibi*), comme le traducteur le fait lui-même en **10,** 48 : *et alibi.* Il avait sans doute employé la même formule ici et un copiste inattentif a écrit *et ibi.*[1]

---

1. Une autre faute se trouve dans tous les manuscrits, mais n'a pas à être corrigée. En **5,** 85, dans une citation de *I Cor.* 14, 24, le latin porte *imperitus,* «inexpérimenté», qui correspond au grec ἄπειρος, alors que le mot authentique de Paul est ἄπιστος, *infidelis,* qui revient dans les autres

Depuis l'édition de Baehrens, I. Fransen a découvert dans le cod. Paris, B.N., lat. 11.997, du IXᵉ siècle (= P), un sermon attribué à Augustin et formé en réalité de très larges extraits de notre homélie. Il l'a publié en 1968[1]. Nous avons comparé très attentivement ce texte avec l'édition de Baehrens dans l'espoir d'y trouver des leçons intéressantes, mais en vain. Comme l'avait déjà remarqué I. Fransen, ce manuscrit offre une dizaine de variantes qui se retrouvent dans un des manuscrits collationnés par Baehrens, le cod. Subiaco 36, du XIIIᵉ siècle (= G) :

5, 6 fructifer : fructiferus P G
7, 20 compellatos : appellatos P G
15, 1 occasiones : excusationes[2] P G
16, 14 emittit : mittit P G
17, 8 ergo + mea P G
17, 9 testamento + Dei P G
18, 11 septenarium + scilicet P G
18, 16 parit : peperit P G

Ces leçons attestent que P est parent de G et qu'il dépend donc comme lui du même ancêtre commun que tous les autres. Mais il se distingue d'eux tous par un grand nombre de leçons particulières, dont beaucoup sont d'évidentes bévues, et, parmi celles qui offrent un sens, aucune ne nous a paru s'imposer de préférence à la leçon attestée par

citations de *I Cor.* 14, 24 chez Origène. La confusion entre les deux mots, étant plus facile en grec qu'en latin, doit être antérieure à Rufin, qui l'aura trouvée dans son manuscrit grec. Nous devons donc conserver *imperitus* dans la traduction latine, puisqu'il figurait, semble-t-il, dans l'original de celle-ci ; mais dans la traduction française, qui vise à rendre la pensée d'Origène, nous nous conformons au terme qu'il a sûrement employé : ἄπιστος, infidèle.

1. I. FRANSEN, « Un nouveau témoin latin de l'homélie d'Origène sur le livre des Rois », *R Ben* 78, 1968, p. 108-117.

2. Citation de *I Sam.* 2, 3 : *occasiones*, qui correspond à προφάσεις de Symmaque, a été remplacé par *excusationes* de *Ps.* 140, 4 cité à la ligne suivante.

l'ensemble de la tradition. Ainsi, malgré son âge, ce manuscrit s'avère le plus fautif de tous ; il est l'œuvre d'un copiste à la fois peu attentif (dès la première phrase par exemple, au lieu de *de libro regnorum* il écrit *de regno librorum* !) et peu scrupuleux, qui n'hésite pas à ajouter des mots, à en omettre d'autres et parfois à récrire un membre de phrase qu'il n'a pas compris : par exemple en 10, 54, au lieu de : « Exaltatum est ergo cornu *et* ius*tae huius* Gratiae et omn*is* iusti in Domino », il écrit : « Exaltatum est cornu *eius*. Iust*e haec* Gratia *est* et omn*es* iusti in Domino ». Ce témoin n'apporte en réalité aucun élément utile à l'établissement du texte.

Pour l'édition présente, nous n'avons pas cru nécessaire de collationner à nouveau les manuscrits qui l'avaient été par Baehrens. Nous avons travaillé sur son apparat critique et nous avons abouti au même texte que le sien sauf dans les deux cas de restitution indiqués plus haut et dans les quatre passages suivants, où nous avons adopté une autre leçon que celle qu'il a choisie :

Titre De Helchana et Fennana et Anna et Samuele et de Heli et Ofni et Fi*nee*.

Baehrens écrit Fi*nees,* mais les deux manuscrits les plus anciens s'accordent sur Fi*nee,* et plus loin, au témoignage de tous les manuscrits, le même nom propre est encore décliné : **7,** 20 Fi*neem* illum.

1, 1-5 Non tunc tantummodo Deus « plantauit paradisum », sed donec *statuta* mortalium, donec salus hominum diuinis institutionibus procuratur, semper fiunt ea quae iusti uox orat in psalmis, cum dicit : « Inducens planta eos in monte hereditatis tuae. »

A la place de *statuta,* un seul manuscrit, du XIIIe siècle, porte *stat uita* préféré par Baehrens. Mais *statuta* se comprend bien, si on se réfère au commentaire qu'Origène a donné, dans *Hom. Ex.,* 6, 10, de la parole citée ici : « Conduis-les et plante-les sur la montagne de ton héritage »

(*Ex.* 15, 17). Origène explique dans cet autre passage que le mot «planter» fait allusion à l'enseignement que Dieu dispense aux hommes pour les faire habiter sur «la montagne de son héritage», c'est-à-dire au ciel, et il évoque à ce propos la déclaration de l'Apôtre : «Notre cité (πολίτευμα) est dans les cieux» (*Phil.* 3, 20)[1]. Le mot πολίτευμα a des sens divers : 1° citoyenneté; 2° constitution d'un état (ensemble des lois qui le régissent); 3° état, cité; 4° mode de vie. Rufin le traduit ici par *statuta* d'après le sens n° 2, mais si on le traduit par «cité» selon le sens n° 3, la phrase est très satisfaisante : «Ce n'est pas seulement autrefois que Dieu 'a planté le Paradis'; mais aussi longtemps que les enseignements divins font accéder les mortels à leur *cité* et les hommes au salut, la parole : 'Conduis-les et plante-les sur la montagne de ton héritage', ne cesse de se réaliser», ce qui correspond tout à fait au commentaire d'Origène dans *Hom. Ex.,* 6, 10.

9, 28 Sed *nec* dormiendi aut aliquid aliud humani usus agendi ueniam secundum istud praeceptum oratio communiter intellecta concedit.

Baehrens retient la leçon *ne* de la plupart des manuscrits. Le contexte nous paraît exiger *nec* comme dans le *Vaticanus 212* et l'édition de Delarue.

10, 49-52 Oportet ergo nos habere ista *cornua,* quae *iustis* de crucis Christi apicibus conferuntur, ut in his destruamus et deiciamus aduersarias uirtutes de anima nostra.

---

1. ORIGÈNE, *Hom. Ex.,* 6, 10 début : «*Conduis-les et plante-les :* cela ne te semble-t-il pas parler d'enfants qui sont conduits à l'école, conduits pour apprendre à lire, conduits pour toute sorte d'instruction? Comprends donc par là, si tu as *des oreilles pour entendre,* quelle est la façon pour Dieu de *planter...* Il ne *plante* pas dans les vallées mais sur des *montagnes* élevées : ceux en effet qu'il fait sortir d'Égypte, ceux qu'il conduit du monde à la foi, il ne veut pas les placer de nouveau dans des lieux bas, mais il veut que leur *cité* (conuersationem = πολίτευμα, cf. *Phil.* 3, 20 Vulg.) soit dans les hauteurs.»

Il faut donc que nous ayons ces *cornes* qui sont données aux *justes* à partir des extrémités de la croix du Christ, pour pouvoir grâce à elles détruire et chasser de notre âme les puissances adverses.

Le manuscrit de Lyon, suivi par Baehrens, écrit *iustis de causis* et le sens de la phrase devient : « Il faut donc que nous ayons ces cornes qui sont comparées *pour de justes raisons* aux extrémités de la croix du Christ ». Mais la première leçon, qui est celle de tous les autres manuscrits, est confirmée par le contexte. Origène vient en effet de citer *Ps.* 74, 11 : « Les *cornes* du *juste* seront exaltées »; il exhorte maintenant son auditoire à avoir ces «*cornes* qui sont données aux *justes*», et qui leur sont données «à partir des extrémités (c'est-à-dire des cornes[1]) de la croix du Christ», car c'est la croix du Christ qui donne aux justes la force de triompher des puissances diaboliques.

2. La traduction

a) Son auteur : Rufin

Puisque le texte ainsi transmis est une traduction, nous devons encore chercher à identifier le traducteur et à connaître sa méthode pour savoir dans quelle mesure il a été fidèle à son modèle grec. Notre homélie mise à part, nous ne connaissons que deux latins qui aient traduit des œuvres d'Origène : Jérôme et Rufin, et c'est ce dernier qui a traduit les homélies sur les autres livres historiques de la Bible, depuis la Genèse jusqu'aux Juges (sauf celles sur le Deutéronome qui n'ont pas trouvé de traducteur). Il y a donc *a priori* une forte présomption que Rufin soit aussi l'auteur de la traduction de l'homélie sur le livre suivant de

---

1. Cf. TERTULLIEN, *Adu. Marc.*, 3, 18 (*CSEL* 47, p. 406, 24) : « in antemna, quae crucis pars est, extremitates cornua uocantur. »

la Bible qui était *I Samuel*. Cependant beaucoup d'historiens ont hésité à la lui attribuer parce que dans les deux
passages où Rufin, vers la fin de sa vie, mentionne les
œuvres d'Origène qu'il a traduites ou souhaite traduire,
celle-ci n'est pas nommée. Mais lisons ces deux passages de
près.

Le premier est l'épilogue qu'il a écrit autour des années
405-406 après avoir achevé la traduction du Commentaire
sur l'Épître aux Romains. Ce texte mérite doublement
notre attention, car Rufin y parle aussi de sa méthode[1] :

> Voilà ce que j'ai dicté, comme j'ai pu, sur l'Épître aux
> Romains. Quel travail, que de temps, que de sueur! J'avoue en
> effet, Héraclius frère très aimant, que je souhaite si fort
> satisfaire tes désirs que j'en ai presque oublié le précepte qui
> dit : «Ne soulève pas de fardeau au-dessus de tes forces»
> (*Sir.* 13, 2). Ce n'est pourtant pas que les autres traductions
> latines que j'ai faites sur ton insistance ou, pour mieux dire,
> que tu as exigées de moi comme un pensum quotidien, ne
> m'aient pas demandé un énorme travail pour essayer de
> compléter les allocutions qu'Origène a données devant un

---

1. «Hactenus nobis in epistulam ad Romanos, prout potuimus,
dictantibus, plurimo et labore et tempore desudatum sit. Fateor namque,
Eracli frater amantissime, quod dum tuis desideriis satisfacere cupio,
oblitus sum pene mandati quo praecipitur : «Onus supra uires tuas ne
leuaueris», quamuis nobis nec in ceteris quae, te insistente, immo potius
pensum diurni operis exigente, in Latinum uertimus, defuerit plurimus
labor, dum supplere cupimus ea quae ab Origene in auditorio ecclesiae
ex tempore, non tam explanationis quam aedificationis intentione
perorata sunt : sicut in omeliis siue in oratiunculis in Genesim et in
Exodum fecimus, et praecipue in his quae in librum Leuitici ab illo
quidem perorandi stilo dicta, a nobis uero explanandi specie translata
sunt. Quem laborem adinplendi quae deerant, idcirco suscepimus, ne
pulsatae quaestiones et relictae, quod in omelitico dicendi genere ab illo
saepe fieri solet, Latino lectori fastidium generarent. Nam illa quae in
Iesum Naue et in Iudicum et in tricesimum sextum et tricesimum
septimum et tricesimum octauum psalmum scripsimus, simpliciter ut
inuenimus, et non multo cum labore transtulimus» (Simonetti, *CCL* 20,
p. 276, 1-20).

auditoire d'église en improvisant et en cherchant moins à expliquer qu'à édifier. Il en fut ainsi pour les homélies – ou petits discours[1] – sur la Genèse et l'Exode et surtout pour celles sur le livre du Lévitique qu'il a prononcées dans un style d'allocutions et que j'ai transposées sous forme de commentaire : j'ai assumé la tâche de suppléer ce qui manquait pour éviter que la façon qu'il a souvent dans ses homélies d'effleurer les questions puis de les abandonner ne finisse par dégoûter le lecteur latin. Mais celles sur Josué, le livre des Juges, les Psaumes 36, 37 et 38, que j'ai simplement traduites comme je les ai trouvées, ne m'ont pas demandé beaucoup d'effort.

Il annonce ensuite à Héraclius qu'il va traduire maintenant les *Recognitiones* de Clément romain pour le compte de Gaudence de Brescia, et il conclut[2] :

Si Dieu me laisse achever cette traduction, je reviendrai encore une fois à tes désirs pour dire quelque chose, avec la permission de Dieu, sur les livres des Nombres et du Deutéronome, les seuls qui restent de l'Heptateuque, ou pour dicter sous la conduite de Dieu ce que je pourrai sur les autres épîtres de l'apôtre Paul[3].

Au moment où il écrivait ces lignes, Rufin avait donc déjà traduit les homélies sur la Genèse, l'Exode, le Lévitique, Josué, les Juges, les Psaumes 36 à 38, l'Épître aux

---

1. *In omeliis siue in oratiunculis :* comme le mot *omelia* est grec, RUFIN affecte souvent de donner un équivalent latin ; cf. *Apologie c. Jérôme*, II, 16, 16 (*CCL* 20, p. 96) : «quattuor *omeliis siue oratiunculis*»; *Prologue au Com. d'Origène sur Ps. 36-38* (p. 251, 5) : «in nouem *oratiunculis,* quae Graeci *omelias* uocant»; ou même d'employer *oratiunculae* seul au lieu d'*omeliae* : cf. *Prologue aux hom. d'Origène sur Josué* (p. 271, 14) : «*Oratiunculis* uiginti et sex»; *Prologue aux hom. d'Origène sur les Nombres* (p. 285, 31) : «in Deuteronomium... *oratiunculae*».

2. «Quod si me Dominus inplere permiserit, redeam rursus et ad tua desideria, ut uel in Numerorum librum et Deuteronomii aliqua, Deo permittente, dicamus (hoc enim solum nobis de Eptateucho deest), uel de reliquis apostoli Pauli epistulis quae possumus, Domino dirigente, dictemus» (*CCL* 20, p. 277, 49 s.).

3. Les épîtres qui n'avaient pas été expliquées par Jérôme.

Romains; l'homélie sur *I Samuel* n'est pas dans ce lot. Il envisageait de traduire encore les homélies sur les Nombres et le Deutéronome pour compléter l'Heptateuque, ou éventuellement les ouvrages sur les épîtres de Paul; l'homélie sur *I Samuel* n'était donc pas non plus dans ses projets, mais rien ne prouve qu'elle n'y soit pas entrée par la suite si les circonstances s'y prêtaient.

Quelques années plus tard, Rufin traduisit effectivement les homélies sur les Nombres. Dans le Prologue qu'il a mis à cette traduction, il évoque l'invasion des Goths d'Alaric qui l'a contraint à se réfugier en Sicile, d'où il a vu, sur l'autre rive du détroit de Messine, flamber la ville de Reggio de Calabre incendiée par les envahisseurs – ce qui nous permet de savoir que les homélies sur les Nombres ont été traduites au plus tôt dans les derniers mois de 410[1] –, puis il fait le point sur ses projets : il souhaite toujours traduire les homélies sur le Deutéronome pour compléter l'Heptateuque, mais Pinien, chez qui il est réfugié en Sicile, le presse de traduire d'autres textes dont le titre n'est pas indiqué[2] :

> Désormais, parmi tout ce que j'ai trouvé d'écrit sur la Loi, il ne manque plus, je crois, que les homélies sur le Deutéronome,

---

1. *CCL* 20, p. 285, 9 : «In conspectu etenim, ut uidebas etiam ipse, nostro barbarus, qui Rhegini oppidi miscebat incendia, angustissimo nobis freto, quod Italiae solum Siculo dirimit, arcebatur.» Alaric prend Rome le 24 août 410 et après trois jours fonce sur l'Apulie pour tenter de passer en Sicile; il échoue et meurt subitement à Cosenza au début d'octobre; cf. E. DEMOUGEOT, *De l'unité à la division de l'Empire romain (395-410)*, Paris 1951, p. 469-480. L'incendie de Rhegium doit être de septembre, et la traduction des homélies sur les Nombres est postérieure.

2. «Iam enim ex omnibus, quae in legem scripta repperi, solae, ut puto, in Deuteronomium desunt oratiunculae, quas, si Dominus iuuerit et sanitatem dederit oculis, cupimus reliquo corpori sociare; quamuis amantissimus filius noster Pinianus, cuius religiosum coetum pro amore pudicitiae profugum comitamur, iniungat et alia.» (*CCL* 20, p. 285, 30 s.).

que je désire joindre au reste du corpus, si Dieu m'aide en donnant la santé à mes yeux. Toutefois, mon fils très aimant, Pinien, dont j'accompagne le pieuse famille fuyant par amour de la chasteté[1], me commande d'autres textes.

Pas plus ici que dans l'épilogue précédent, Rufin ne mentionne l'*Homélie sur I Samuel,* et pas davantage d'ailleurs le *Commentaire* d'Origène *sur le Cantique des Cantiques* qu'il a pourtant traduit[2]. Mais on remarquera qu'il ne dit rien sur la période qui s'est écoulée entre la traduction des *Homélies sur l'Épître aux Romains* et celle des *Homélies sur les Nombres;* notre homélie et le commentaire pourraient se glisser là. Et surtout ils peuvent faire partie des textes commandés par Pinien, auxquels Rufin fait allusion dans les derniers mots.

L'objection que beaucoup d'historiens ont tiré de ces deux passages pour écarter l'attribution à Rufin de l'homélie sur Anne n'est donc pas fondée. Mais il est certain que nous ne pouvons pas nous contenter d'une

---

1. Pinien et sa femme Mélanie la Jeune accompagnés de Rufin et de leur maisonnée avaient quitté l'Italie à l'approche des Goths, dont on craignait beaucoup les violences sur les femmes.

2. L'attribution à Rufin de la traduction latine du Commentaire du Cantique repose essentiellement sur le témoignage de CASSIODORE, *Inst.,* I, 5, 4 (Mynors, p. 24, 3-9) : «In Cantico Canticorum duabus homiliis expositionem Origenis idem S. Hieronymus, Latinae linguae multiplicator egregius, sua nobis, ut consueuit, probabili translatione prospexit. Quas item Rufinus, interpres eloquentissimus, abiectis quibusdam locis, usque ad illud praeceptum quod ait : 'Capite nobis uulpes pusillas exterminantes uineas', tribus libris latius explanauit». Les mots cités par Cassiodore sont effectivement les derniers qu'explique le commentaire d'Origène. Cassiodore croit à tort que cet ouvrage est de Rufin lui-même, qui aurait développé les deux homélies d'Origène sur le Cantique traduites par Jérôme; mais cela prouve du moins que le commentaire d'Origène portait au VIᵉ siècle le nom de Rufin. HUET, *Origeniana,* III, II, 3, 7 (*PG* 17, 1218 A), y a signalé en outre la présence de mots affectionnés par Rufin. Ces mots ne sont pas tous caractéristiques, mais une confirmation décisive nous sera donnée plus loin (p. 43).

simple présomption basée sur le fait qu'il avait traduit les homélies précédentes sur les livres historiques de la Bible, nous devons chercher si la traduction ne porte pas elle-même la marque de son auteur.

1. Baehrens y a déjà relevé plusieurs faits de langue assez caractéristiques qui se retrouvent chez Rufin[1] :

— l'expression *uideamus ne forte* suivie de l'indicatif au lieu du subjonctif :

9, 30 *Videamus* ergo *ne forte* omnes actus eius... ad orationem *reportantur*.

9, 47 sed *uideamus ne forte* hoc *est*...

18, 15 *...consideremus ne forte* unusquisque nostrum *habet* intra se sterilem... *habet* et fecundam.

Cf. Rufin, Traduction des *Homélies* d'Origène *sur la Genèse*, 5, 2 (*SC* 7 bis, p. 166, 12) : «*uideamus ne forte* Loth ... rationabilis *est* sensus.»

— La tournure *opus habeo* + accusatif au lieu de *opus mihi est* :

14, 10 ... ita ut *opus habeam* «*angelum* Satanae qui me colaphizet».

Cf. Rufin, Traduction des *Homélies* d'Origène *sur les Juges*, 15, 3 (*GCS Origenes* 7, p. 383, 27) : «dicite quia Dominus *opus eum habet*.»

— La formule *pro hoc* dans le sens de *propter hoc* :

10, 30 et *pro hoc* ipso quod uidemus immundos spiritus flagellari ... multi ad fidem ueniunt.

Cf. Rufin, Traduction des *Homélies* d'Origène *sur la Genèse*, 3, 1 (*SC* 7 bis, p. 114, 2) : «Quoniam... Deum legimus ad homines loqui et *pro hoc* Iudaei... Deum quasi hominem intelligendum putarunt.»

---

1. *GCS Origenes* 8, p. XII-XIV. Nous ne retenons que les faits qui nous paraissent les plus significatifs.

Bien qu'ils n'aient pas été jugés décisifs par tous, ces rapprochements sont tout de même assez significatifs pour renforcer la présomption en faveur de Rufin.

2. Nous avons pu faire de notre côté une autre observation qui devrait lever tous les doutes. Dans la citation de *Hébr.* 5, 14 (en **8**, 19) : τελείων δὲ ἡ στερεὰ τροφή, τῶν διὰ τὴν ἕξιν τὰ αἰσθητήρια γεγυμνασμένα ἐχόντων πρὸς διάκρισιν καλοῦ τε καὶ κακοῦ, les mots διὰ τὴν ἕξιν ne sont pas rendus comme d'ordinaire par *pro consuetudine* (Jérôme[1]) ou *per habitum* (Augustin[2]), mais par *pro possibilitate sumendi*, traduction qui se retrouve ailleurs chez Rufin, par exemple :

– dans sa traduction des *Homélies sur la Genèse* d'Origène :

7, 1, 23 (*SC* 7 bis, p. 194 s.) : «Non iam lacte indigent sed cibo forti, qui *pro possibilitate sumendi* exercitatos habent sensus ad discretionem boni et mali.»

– dans celle des *Homélies sur le Lévitique* d'Origène :

4, 6, 58 (*SC* 286, p. 184) : «aliis uero fortes praeparat cibos, his scilicet qui *pro possibilitate sumendi* exercitatos habent sensus ad discretionem boni uel mali».

4, 8, 32 : «Perfectorum autem est cibus solidus, eorum qui *pro possibilitate sumendi* exercitatos habent sensus ad discretionem boni et mali.»

– dans celle du *Commentaire sur les Romains* d'Origène :

9, 36 (*PG* 14, 1235 B) : «Perfectorum autem est cibus solidus, eorum qui *pro possibilitate sumendi* exercitatos habent sensus ad discretionem boni et mali.»

---

1. Vulgate, *ad loc.*
2. AUGUSTIN, *De Trinitate*, XII, 13, 20; *Tractatus in Ioh.*, 98, 4-5; *Quaest. in Hept.*, 2 (Exode), qu. 114. Nous devons ces indications à Mademoiselle Anne-Marie de la Bonnardière que nous remercions amicalement.

– et dans ses propres *Bénédictions des patriarches* :

1, 10, 38 (*CCL* 20, p. 198) : «Perfectorum autem est cibus solidus qui *pro possibilitate sumendi* exercitatos habent sensus ad discretionem boni uel mali.»

Cette traduction est doublement caractéristique :

1° Il est de fait qu'elle ne se trouve chez aucun écrivain chrétien autre que Rufin, comme nous l'a confirmé un des meilleurs connaisseurs de la Vieille Latine, Hermann Joseph Frede du Vetus Latina Institut de Beuron.

2° Elle se distingue des autres traductions non seulement par les mots, mais par le sens. Alors que dans l'interprétation commune de ce verset, le mot ἕξις est pris comme signifiant une «habitude» (*consuetudo, habitus*), il l'est chez Rufin comme signifiant la *« capacité de recevoir»*. Cette différence n'est pas fortuite. Elle correspond à une idée chère à Origène, à savoir que tous les hommes ne reçoivent pas le Logos, la Parole divine, au même degré, mais selon qu'ils sont *capables de la recevoir*. C'est un thème qui revient souvent dans ses œuvres, et quand il l'aborde, l'un des textes qu'il aime à citer est précisément *Hébr.* 5, 12-14, parce qu'il y est dit que les commençants n'ont besoin que de lait et qu'aux parfaits est réservée la nourriture solide[1]. Aussi n'est-il pas étonnant de trouver

---

1. Par exemple : *Com. Jn,* 13, § 205-210 (*GCS Origenes* 4, p. 258) avec ces mots significatifs (205) : οὐ τῶν ἴσων ὄντα χωρητικά, «car ils ne *peuvent recevoir* une quantité égale»; *C. Celse,* IV, 18 (*SC* 136, p. 226, 19 s.) : «Ainsi Dieu change pour les hommes selon la dignité de chacun la puissance de son Logos faite pour nourrir l'âme humaine : il devient pour l'un, comme dit l'Écriture, un lait spirituel pur (*I Pierre* 2, 2), pour un autre, encore faible, comme un légume (*Rom.* 14, 2); et à un troisième, qui est parfait, il est livré en nourriture solide (*Hébr.* 5, 14)..., il nourrit chacun *comme il peut le recevoir* (ὡς χωρεῖ αὐτὸν παραδέξασθαι)». Voir encore *Sur la Pâque,* 21, 8 s. Cette idée avait été suggérée à Origène par la doctrine stoïcienne de la polymorphie du Logos qui devient principe de propriétés physiques dans le minéral, vitales dans la plante, psychiques dans l'animal, intellectuelles dans l'homme.

chez Rufin, grand lecteur d'Origène, les mots διὰ τὴν ἕξιν du même verset traduits par *pro possibilitate sumendi* : il les a simplement rendus en fonction de l'interprétation générale qu'Origène donnait de ce texte[1].

La présence dans l'*Homélie sur Anne* d'une traduction aussi typiquement rufinienne nous paraît être un discriminant sûr; il s'ajoute aux indices précédemment relevés par Baehrens et permet de conclure que cette homélie a bien été traduite par Rufin.

Ajoutons que le même critère lève aussi toute hésitation sur l'authenticité rufinienne de la traduction latine du *Commentaire sur le Cantique des Cantiques* :

Prol. (*PG* 13, 63 B) : « Perfectorum autem est solidus cibus, et tales requirit auditores, qui *pro possibilitate sumendi* exercitatos habeant sensus ad discretionem boni et mali. »

Ibid. (95 C) : « His uero, qui *pro possibilitate sumendi* exercitatos habent sensus ad discretionem boni et mali, cibum se solidum praebet. »

b. Sa date

Voilà donc deux ouvrages, l'homélie *sur Anne* et le commentaire du *Cantique des Cantiques,* qui ont été certaine-

---

1. Le Professeur Frede, que nous remercions vivement, nous signale que, sur plus de 80 manuscrits de la Vulgate qu'il a examinés pour l'*Épitre aux Hébreux,* 2 attestent la leçon *pro possibilitate sumendi* : l'un, Madrid, Bibl. Univ. Centr. 31, la donne sous sa forme exacte; l'autre, Budapest, Ungar. Nationalmuseum Clmae 1, sous une forme altérée : *possibilitatem sumendi.* Une leçon aussi peu représentée et qui l'est par des manuscrits qui ne comptent pas parmi les principaux, ne peut évidemment pas prétendre à être la leçon originale de la Vulgate. Elle résulte d'une correction faite par un copiste postérieur. Il nous paraît difficile de supposer qu'elle remonte à une Vieille Latine à laquelle ce copiste et Rufin l'auraient empruntée, quand aucun des témoins de la Vieille Latine et des écrivains qui s'en servaient ne connaît une telle variante; au surplus, on n'a jamais signalé dans les différentes formes de la Vieille Latine une leçon qui trahisse comme celle-ci une influence origénienne. Il nous paraît beaucoup plus plausible que le copiste qui a introduit dans

ment traduits par Rufin et qui ne sont mentionnés ni dans l'épilogue au commentaire de l'*Épître aux Romains* ni dans le prologue aux homélies *sur les Nombres*. Nous avons vu que leur traduction peut se situer théoriquement soit peu avant celle des homélies *sur les Nombres,* soit entre celles-ci et la mort de Rufin, et dans cette dernière hypothèse les deux ouvrages sont à identifier avec ceux que Pinien demandait à Rufin de traduire. De ces deux possibilités, quelle est la bonne ?

Commençons par le *Cantique des Cantiques,* car son cas ne peut faire, à notre avis, aucun doute. Sa traduction est restée en effet inachevée ; elle s'arrête brusquement à *Cant.* 2, 15. Si nous la mettions avant la traduction des homélies *sur les Nombres,* on expliquerait mal que Rufin, après avoir commencé un livre aussi intéressant à tous les niveaux d'interprétation que le *Cantique des Cantiques,* l'ait interrompu pour passer au livre des *Nombres* qui l'est beaucoup moins. Dans l'ordre inverse, *Nombres – Cantique,* tout devient au contraire très naturel ; on comprend sans peine qu'après que Rufin eut traduit les homélies *sur les Nombres,* Pinien lui a demandé de traduire, au lieu des homélies sur le *Deutéronome,* autre livre austère et peu attrayant pour un chrétien, le commentaire du *Cantique des Cantiques* qui l'attirait davantage, et la brusque interruption de ce travail s'explique alors tout simplement par la mort de Rufin, qui a eu lieu à la fin de 411 ou au début de 412[1].

---

son manuscrit de la Vulgate cette leçon typiquement rufinienne, l'avait trouvée tout simplement chez Rufin qui l'employait avec insistance et dont les ouvrages étaient très lus.

1. La date de la mort de Rufin dépend de celle de l'*In Ezechielem* de Jérôme. F. CAVALLERA, *Jérôme,* t. 2, p. 53, place à tort le début de cet ouvrage en 411. Il ne peut être antérieur à 412. JÉRÔME explique en effet, dans la préface du livre I de l'*In Ezechielem* qu'il avait décidé une première fois d'écrire ce commentaire et qu'au moment même où il se mettait à l'œuvre, il avait appris la mort de Pammachius et de Marcelle

Le cas du commentaire du *Cantique des Cantiques* éclaire celui de l'homélie *sur Anne*. Les deux pièces présentent en effet une communauté étroite d'objet, puisqu'elles traitent l'une et l'autre de cantiques de la Bible chers aux chrétiens. Si c'est Pinien qui a demandé à Rufin de traduire ce qu'Origène avait dit du premier, nous avons tout lieu de croire que c'est lui aussi qui désirait le second.

Et cela nous suggère la réponse à une autre question. D'après la liste des œuvres d'Origène, l'homélie *sur Anne* faisait partie d'un groupe de quatre homélies sur *I Samuel* : pourquoi Rufin n'en a-t-il traduit apparemment qu'une seule ? Parce que c'était la seule qui expliquait un cantique biblique et qui lui avait été demandée par Pinien ; il a commencé par le texte le plus court, l'homélie contenant le Cantique d'Anne, puis s'est mis à traduire le commentaire du *Cantique des Cantiques,* qu'il n'a pas eu le temps de terminer.

Cette convergence d'indices nous conduit à l'ordre chronologique suivant :

consécutive au sac de Rome ; accablé de tristesse, il n'avait pu réaliser son projet ; la plaie ne s'est cicatrisée que peu à peu et maintenant il se met au travail ; deux circonstances l'y aident : l'insistance d'Eustochium et la nouvelle qu'il vient de recevoir que Rufin est mort (*PL* 25, 15 A-17 A). Or nous savons que Rome a été prise le 24 août 410 et que la mort de Marcelle est survenue «quelques mois après» (*Ep.* 127, 14 : *post aliquot menses*), ce qui la place à l'époque de l'année où l'on évitait, sauf raison majeure, de s'aventurer sur la mer. Jérôme, à Bethléem, n'a donc pu apprendre la mort de Marcelle qu'au printemps de 411 ; à cette date se place sa première tentative, aussitôt arrêtée, de commencer l'*In Ezechielem*. Il a fallu ensuite un temps assez long pour que la plaie se cicatrise (*paulatim,* «peu à peu», dit la préface ; *diu,* «longtemps», dit l'*Ep.* 126, 2), en sorte que le véritable début de l'*In Ezechielem* est à reporter en 412. Puisque Jérôme vient alors d'apprendre la mort de Rufin, celle-ci a dû se produire quelques mois auparavant, dans les derniers mois de 411 ou les premiers de 412.

- homélie *sur les Nombres* (au plus tôt dans les trois derniers mois de 410)
- homélie *sur Anne*
- commentaire du *Cantique des Cantiques* (inachevé)
- mort de Rufin (entre octobre 411 et le printemps 412).

Comme la traduction des 27 homélies *sur les Nombres* a demandé un certain temps, et celle des quatre livres du commentaire sur le *Cantique* aussi, la traduction de l'homélie *sur Anne,* qui se situe entre les deux, tombe nécessairement en 411.

c. Sa fidélité

Rufin n'est pas un traducteur strict. Dans certaines occasions il est même intervenu gravement dans les textes qu'il traduisait. Ainsi, dans le *De principiis* d'Origène, il avoue avoir corrigé les passages concernant la Trinité en prétextant que cette œuvre avait été altérée par des hérétiques; et il a fait encore des coupures et des modifications dans d'autres passages où la doctrine d'Origène pouvait heurter les lecteurs de la fin du IVe siècle[1]. Le *Dialogue* d'Adamantius offre un exemple similaire : Rufin, à la suite d'Eusèbe[2], tenait ce texte pour l'œuvre d'Origène; or en le traduisant il rencontra un passage qui établissait un contraste entre les empereurs précédents, qui persécutaient les chrétiens, et l'empereur actuel, qui était un «empereur pieux» et avait fait cesser les persécutions; Rufin a bien vu

---

1. Nous n'avons pas, sauf pour de courts fragments, le texte grec du *De principiis,* mais nous pouvons en juger par les déclarations de Rufin dans la préface des livres I (§ 2-3) et III, par plusieurs fragments conservés, par l'*Ep.* 124 de Jérôme à Avitus, où sont traduits d'assez nombreux passages (Jérôme étant connu d'autre part comme un traducteur plus fidèle que Rufin) et par la comparaison avec la doctrine d'Origène dans ses œuvres conservées en grec.

2. EUSÈBE, *HE,* VI, 14, 10.

que ce passage n'avait pas pu être écrit avant Constantin et
n'était donc pas l'œuvre d'Origène : qu'a-t-il fait? Plutôt
que de renoncer à attribuer le reste de l'ouvrage à Origène,
il a estimé que ce morceau avait été altéré, et il l'a corrigé
en faisant disparaître l'«empereur pieux» et en remplaçant
les empereurs qui «persécutaient» les chrétiens dans le
passé (ἐδιώχθησαν, ἐδιώκοντο) par des empereurs qui les
«persécutent» dans le présent (persecutionem pat*imur,*
saeuitiam toler*ant*)[1]. Il s'agit là de cas extrêmes, mais même
dans ceux qui ne lui posaient pas de tels problèmes, Rufin
ne se fait pas scrupule d'élaguer par-ci, d'ajouter par-là,
pour clarifier ou enrichir le texte, simplifier ou compléter
un raisonnement, en cherchant avant tout à faire une
traduction profitable pour le lecteur et aisément lisible,
sans y passer lui-même trop de temps. Tous les historiens
qui ont étudié de près les traductions de Rufin s'accordent
à déplorer les libertés grandes ou petites qu'il prend
souvent avec son modèle, tout en reconnaissant qu'à
d'autres endroits il fournit une version fidèle[2]. La qualité
de ses traductions dépend beaucoup de la nature du texte à
traduire et varie dans un même ouvrage d'un endroit à un
autre.

1. V. BUCHHEIT, *Tyranii Rufini librorum Adamantii Origenis aduersus
haereticos interpretatio,* eingeleitet, herausgegeben und kritisch commen-
tiert, Munich 1966, p. XXV-XXXXVIII, surtout p. XXXI-XXXII, où
l'auteur met côte à côte le texte grec de ce passage et la traduction de
Rufin.

2. En dehors de l'ouvrage de Buchheit, qui résume son jugement sur
Rufin traducteur par le mot de *faussaire* (dans le titre du chapitre : «Rufin
als Fälscher des Dialogs»; dans sa conclusion : «gefälscht... Fälscher», et
souvent ailleurs), on trouvera un avis plus nuancé reposant sur des
analyses précises dans l'édition déjà citée (p. 13, n. 1) du *Commentaire
d'Origène sur Rom. III.5 - V.7,* par Jean Scherer, p. 85-125, et dans celle
des *Homélies sur Josué* par Annie Jaubert, dont il va être question. Nous
n'avons pas pu consulter M.M. WAGNER, *Rufinus the translator, a study on
his theory and his practice illustrated in his version on the Apologetica of
St. Gregory Nazianzen,* Washington 1945.

En ce qui concerne les homélies d'Origène, Rufin déclare dans un passage reproduit plus haut (p. 36) qu'il a évolué dans sa méthode : dans les premières séries d'homélies qu'il a traduites, sur la Genèse, l'Exode et surtout le Lévitique, il reconnaît avoir introduit des compléments pour «suppléer ce qui manquait»; pour les homélies sur Josué, les Juges et les Psaumes 36-38, il les a traduites au contraire «simplement comme il les a trouvées». Pour avoir une idée de ce qu'on peut attendre de Rufin dans le meilleur des cas, le lecteur pourra se reporter au passage de l'homélie 20 sur Josué pour lequel nous avons le texte grec d'Origène grâce à la *Philocalie* de Grégoire de Nazianze. Dans le volume 71 de la présente collection, Annie Jaubert présente face à face le texte d'Origène et celui de Rufin et dégage avec justesse les conclusions qui ressortent de la comparaison : la suite des pensées est identique dans les deux textes, il est rare toutefois que le texte latin corresponde littéralement au texte grec[1]; Rufin donne en général un développement explicatif de la pensée d'Origène, sans que celle-ci soit déformée; les insertions qu'il fait sont peu nombreuses et s'inspirent d'autres œuvres d'Origène. Dans l'ensemble, conclut-elle, la traduction de Rufin «donne l'impression d'une longue paraphrase, mais non d'une paraphrase inexacte[2]».

Dans le cas précis de l'homélie *sur Anne,* nous relevons deux passages dans lesquels Rufin est certainement intervenu :

---

1. Cf. SCHERER, *op. cit.,* p. 88 : «Littérale? Il n'est pas démontré qu'une traduction doive l'être pour être bonne.»

2. *SC* 71, p. 75-82. La même étude compare (p. 71-73) deux passages de Rufin avec les citations que Procope a faites du texte correspondant d'Origène et relève plusieurs surplus de Rufin. Précisons à ce propos que le traité d'Origène *Sur la Pâque* publié depuis lors a montré que Procope abrège souvent son modèle; cf. O. GUÉRAUD et P. NAUTIN, *Origène,* t. 2, *Sur la Pâque,* Paris 1979, p. 63-75.

– en **10**, 47, après avoir cité le verset : «In te inimicos nostros uentilabimus cornu», il introduit une parenthèse pour expliquer que le verbe grec qu'il a traduit par «uentilabimus» pourrait encore être rendu par «petemus» : *in graeco* κερατιοῦμεν *dicit, quod est « cornu petemus » uel « cornu uentilabimus »;*

– en **13**, 17, il parle de la «coéternité du Fils unique» avec le Père : *de unigeniti eius coeternitate.* L'affirmation de la «coéternité» qui a pris beaucoup d'importance au IVe siècle par suite de la controverse avec les Ariens n'était pas encore une préoccupation d'Origène et n'apparaît nulle part dans son œuvre.

En revanche, nous constaterons plus loin que le texte biblique utilisé dans l'homélie se révèle souvent plus fidèle à l'hébreu que ne l'étaient la Septante et la *Vetus Latina;* c'est un bon indice que Rufin suivait d'assez près le texte d'Origène, qui se servait effectivement de versions grecques de la Bible autres que la Septante et faites directement sur l'hébreu.

Pour le reste, nous devons avoir, dans cette homélie comme dans les autres, des passages rendus d'une manière assez lâche à côté d'autres qui sont traduits presque littéralement. Il serait donc imprudent de faire fond sur un mot ou sur une affirmation isolée, à moins qu'elle ne rejoigne une pensée d'Origène attestée ailleurs. Mais à défaut du texte grec qui ne nous a pas été transmis, nous pouvons nous réjouir d'avoir au moins, grâce à Rufin, un reflet suffisant de cette homélie pour en connaître en substance le contenu[1].

---

1. Dans *GCS Origenes* 3, p. 304, Klostermann a édité un fragment de la chaîne sur les Cantiques, qui traite du Cantique d'Anne. On aurait pu se demander s'il n'était pas tiré du texte grec de l'homélie d'Origène sur Anne, mais il n'est sûrement pas d'Origène, car il commente sur *I Sam.* 2, 3, le texte de la Septante : θεὸς ἑτοιμάζων ἐπιτηδεύματα αὐτοῦ, alors

III. Les autres homélies d'Origène sur I Samuel

L'homélie sur la nécromancienne et celle sur Anne ne sont pas les seules qu'Origène a prononcées sur les livres de Samuel. Des témoignages anciens nous font connaître l'existence de plusieurs autres homélies et nous en conservent même quelques fragments.

1. Dans le même opuscule où il réfute l'homélie sur la nécromancienne Eustathe d'Antioche écrit[1] :

> Ensuite, critiqué je pense par ceux qui restaient toujours pleinement orthodoxes, il a expliqué le passage une deuxième fois pour se défendre. Il affirme s'en être tenu à ce que l'Écriture dit de la nécromancienne, puis il dit :
>
> *« Que la nécromancienne a fait monter quelqu'un, c'est écrit, et que Saül s'est entretenu avec Samuel, c'est consigné. »*
>
> Et, après avoir répété plusieurs fois des choses semblables dans son goût pour le bavardage, il ajoute :
>
> *« Mais l'Écriture ne dit pas si Samuel est monté volontiers, car tu ne trouves pas écrit dans le texte que la nécromancienne l'a fait monter. Avant de me critiquer, qu'on lise donc l'Écriture ! »*

Comme l'a reconnu Allatius[2], premier éditeur du traité d'Eustathe, il ne peut s'agir que d'une seconde homélie qu'Origène a donnée devant le même public pour répondre

---

qu'Origène suivait une autre traduction qui portait à cet endroit : «Ils n'ont pas corrigé leurs excuses»; cf. *infra*, p. 144 (**15**, 1).

1. EUSTATHE, 26 (p. 57, 18 s.); texte cité plus loin p. 210, 7 s.

2. *S.P.N. Eustathii episcopi... in Hexahemeron commentarius ac de Engastrimytho dissertatio adu. Origenem, iterum Origenis de eadem Engastrimytho* edidit L. Allatius, Lugduni 1629. Klostermann, qui croyait déceler une lacune dans le texte de l'homélie sur la nécromancienne (en **6**, 11), se demandait si le passage cité par Eustathe ne venait pas de là. Mais : 1° Il n'est pas nécessaire de conjecturer une lacune à l'endroit indiqué; le texte s'explique très bien par une confusion entre les deux noms Σαμουὴλ et Σαούλ, confusion dont on a un autre exemple dans le papyrus (T 29); 2° De toute façon, Eustathe montre qu'il veut parler d'une autre homélie, puisqu'il suppose qu'Origène a été critiqué entre les deux.

à des critiques provoquées par l'homélie venue jusqu'à nous. Nous avons déjà rencontré un cas semblable dans les homélies sur Jérémie : Origène avait commenté une première fois *Jér.* 15, 10 d'après le texte hébreu et, probablement critiqué pour avoir suivi la Bible des Juifs plutôt que celle des chrétiens, il a repris le même verset dans l'homélie suivante pour l'expliquer selon le texte traditionnel des LXX[1]. La première homélie sur la nécromancienne avait suscité pareillement des réactions, venant d'auditeurs qui reprenaient à leur compte les critiques formulées par Josipe contre l'explication littérale du verset, soit qu'ils aient connu directement ou indirectement son ouvrage, soit qu'ils aient simplement éprouvé la même difficulté que lui à admettre qu'un prophète comme Samuel ait été à la merci du démon habitant la nécromancienne[2]. Origène donna donc une deuxième explication (δευτέρᾳ ἐξηγήσει) du même texte dans l'homélie suivante.

2. La liste des œuvres d'Origène que Jérôme a incluse dans son *Épître 33* et qui reflète celle qu'Eusèbe avait publiée dans la *Vie de Pamphile,* mentionne quatre homélies sur le premier livre de Samuel[3] :

In primo Regnorum libro omeliae IIII.

Cela ne signifie pas qu'Origène avait prononcé seulement quatre homélies sur *I Samuel,* mais qu'il en existait seulement quatre dans la bibliothèque de Césarée. Eusèbe précise en effet ailleurs que la liste donnée dans la *Vie de Pamphile* reproduit les tables de la bibliothèque de ce dernier[4]. Or nous avons plusieurs preuves que Pamphile

---

1. Cf. *SC* 232, Introduction, p. 46-49.
2. Voir *infra,* p. 78-79; cf. P. NAUTIN, «L'ouvrage de Josipe *Sur la nécromancienne.* Son influence sur Tertullien, Origène et le *Martyrium Pionii*» (à paraître dans *VChr*).
3. JÉRÔME, *Ep.* 33, 4 (*CSEL* 54, p. 257, 11).
4. EUSÈBE, *HE,* VI, 32, 3.

n'avait pas pu réunir toutes les œuvres d'Origène. Pour n'en citer qu'une, qui nous intéresse particulièrement ici, Origène dit lui-même dans l'homélie 3 *sur Josué* qu'il avait expliqué dans une autre église le jugement de Salomon raconté au troisième livre des Rois[1]. Or aucune homélie sur ce livre ne figure dans la liste d'Eusèbe telle que nous la connaissons à travers Jérôme. Nous nous garderons donc d'affirmer qu'Origène n'a composé sur *I Samuel* que les quatre homélies mentionnées dans la liste.

Parmi ces quatre-là est sûrement comprise celle sur Anne, puisqu'elle était connue de Rufin qui, habitant la Palestine, avait dû s'approvisionner en œuvres d'Origène à la bibliothèque de Césarée. Il n'en va pas de même pour l'homélie sur la nécromancienne. Nous la connaissons en effet par Eustathe, qui l'a réfutée dans son opuscule et qui en avait joint le texte à celui-ci. Or rien ne prouve qu'Eustathe qui était évêque d'Antioche au début du IVe siècle, ait eu besoin de recourir à Pamphile et à Eusèbe pour se procurer les œuvres d'Origène. Comme elles avaient eu le temps de se répandre largement en dehors de la Palestine depuis soixante-dix ans et plus qu'Origène était devenu un écrivain célèbre, il a pu les connaître par d'autres intermédiaires. Nous ne sommes donc pas certains *a priori* que l'homélie sur la nécromancienne fasse partie des quatre que nous trouvons mentionnées dans la liste de Jérôme reflétant le catalogue de la bibliothèque de Césarée. Nous ne saurons ce qu'il en est qu'après avoir terminé notre inventaire des homélies dont l'existence est attestée.

3. Cassiodore (VIe siècle), au début de son *De institutione*

---

1. *Hom. Jos.*, 3, 4 (*SC* 71, p. 138) : « Scio me aliquando in quadam ecclesia disputantem de duabus meretricibus, de quibus scriptum est in tertio libro Regnorum, quae ad iudicium uenerant Salomonis, quarum una uiuum, alia mortuum habebat infantem, discussisse diligentius et dixisse quia... »

diuinarum litterarum, indique les ouvrages qu'il connaît sur les différents livres de l'Écriture. Pour les livres de Samuel, il signale naturellement les quatre homélies d'Origène[1] :

> Quattuor homilias Origenis inueni.

Il ne fait là que répéter ce qu'il a lu dans l'*Épître* 33 de Jérôme, mais il nous confirme de la sorte le chiffre inscrit dans les manuscrits actuels de cette lettre; c'est le seul service qu'il nous rende.

4. La chaîne grecque sur l'Octateuque contient pour *I Samuel* quatorze fragments sous le nom d'Origène[2]. L'utilisation des chaînes est toujours délicate, car il arrive souvent qu'un fragment appartenant à un auteur y passe accidentellement sous le nom d'un autre. Mais quand une chaîne renferme un bon nombre de citations d'un écrivain donné, et plus encore quand le groupement des citations est assez dense, il y a tout lieu de croire que le caténiste les a effectivement puisées dans une œuvre qui portait le nom de l'auteur en question. C'est le cas, croyons-nous, pour les fragments d'Origène sur *I Samuel.*

Ils forment en effet trois groupes qui traitent de trois passages de *I Samuel.* D'où naît l'idée qu'ils peuvent être extraits de trois homélies portant sur ces passages. Pour en juger, il convient de rappeler que la lecture biblique pouvait avoir jusqu'à quatre chapitres, comme nous le voyons par l'homélie sur la nécromancienne, au début de laquelle Origène résume le contenu de la lecture du jour : celle-ci allait du chapitre 25 au chapitre 28 inclus. Le prédicateur ne pouvait évidemment pas expliquer un texte aussi long. Tantôt il prenait le début du texte et s'arrêtait quand la prédication avait assez duré, tantôt il négligeait le début de la lecture et prenait d'emblée un autre verset qui

---

1. CASSIODORE, *Inst.,* I, 2 (Mynors, p. 16).
2. *GCS Origenes* 3, p. 295-299.

soulevait une question spéciale, puis, l'ayant traitée, il continuait dans les versets suivants : ainsi, dans l'homélie 19 *sur Jérémie,* Origène commente longuement le verset 20, 7, qui faisait difficulté : «Tu m'as trompé, Seigneur», et il peut encore traiter des quatre versets qui suivent; ou encore, dans l'homélie 14, il revient au début sur le verset 15, 10 déjà expliqué la veille puis il commente jusqu'à 15, 19. Mais il arrivait aussi qu'il prenne un premier passage qui appelait des explications particulières et qu'ensuite il saute directement à un autre passage en raison de son importance. C'est ce que nous avons dans l'homélie sur Anne : Origène commence par expliquer *I Sam.* 1, 1-3 à cause d'un petit problème posé par ces versets, et cela fait, il commente le Cantique d'Anne (2, 1-10) qui était le plus beau morceau de la lecture du jour et qu'il n'aura pas le temps de terminer. Il résulte de ces constatations qu'une homélie présente une certaine unité, centrée qu'elle est sur un ou deux petits groupes de versets.

C'est bien ce que nous offrent les fragments de la chaîne.

Nous en avons d'abord trois qui vont de *I Sam.* 3, 11 à 5, 3 et qui tournent autour des fils d'Héli et de l'arche (Frgts 1 – 3).

Puis nous sautons du chapitre 5 au chapitre 15. Trou qui correspond à plusieurs homélies perdues données par Origène ou par un autre prédicateur. Vient alors un groupe de quatre fragments allant de *I Sam.* 15, 9 à 16, 12 (Frgts 4 – 7), dont les deux premiers traitent d'une question importante, sur laquelle Origène revient souvent dans son œuvre, celle du repentir de Dieu, posée ici par le verset 15, 11 : «Je me repens d'avoir donné la royauté à Saül», puis les deux autres fragments commentent le portrait de David donné dans les versets 16, 12-18.

Ensuite nous trouvons un troisième groupe formé de quatre fragments (9-12) concernant l'épisode des pains 'offrande (*I Sam.* 21, 4-8). Le fragment 8 qui les précède, sur *I Sam.* 19, 22-24, peut être rattaché à la même homélie, si le début de celle-ci était consacré à résumer toute la lecture liturgique comme nous en avons un exemple au début de l'homélie sur la nécromancienne.

Nous sommes donc en présence de trois groupes de citations pouvant provenir de trois homélies. Cette situation correspond exactement à nos observations précédentes. La liste de Jérôme attestait que la bibliothèque de Césarée possédait quatre homélies sur *I Samuel,* et nous avons vu que l'une des quatre était très probablement celle sur Anne. Il en reste trois. Tout donne à penser que nos trois groupes de fragments viennent de là.

S'il en est ainsi, les deux courts fragments isolés 13 et 14 qui portent l'un sur *I Sam.* 25, 22, l'autre sur 28, 11-12, se trouvent exclus des homélies d'Origène. D'ailleurs le contenu du fragment 14 est en contradiction totale avec l'homélie d'Origène sur la nécromancienne. Origène soutenait la réalité du récit biblique; pour l'auteur du fragment, c'est impossible[1] :

> Ce n'est pas Samuel que la nécromancienne a fait monter, car c'est impossible; et ce n'est pas lui qui, une fois monté, a dit la vérité. Qui est-ce? et par quelle puissance est-il monté? Cherche[2]!

1. *GCS Origenes* 3, p. 299, 13 : Ἡ ἐγγαστρίμυθος τὸν Σαμουὴλ οὐκ ἀνέγαγεν, ἀμήχανον γάρ, οὐδὲ ἀναβὰς ἀλήθειαν εἴρηκεν. Τίς δὲ οὗτος καὶ διὰ ποίας δυνάμεως ἀνέβη, ζήτει.

2. Voici pour mémoire le fragment 13, sur *I Sam.* 25, 22 : Οὐκ «οὐρεῖ» τις ἑστὼς καὶ τοῦτο «πρὸς τοῖχον», ἐὰν μὴ σχολάζῃ. Τοῦτο οὖν λέγει καὶ τὸν ἀμέριμνον καὶ μηδὲν προσδοκῶντα παθεῖν, ἐὰν ᾖ, τοῦ Νάβαλ, «On n''urine' pas 'debout' et cela 'contre un mur' quand on est pressé. Cela montre donc que Nabal n'avait pas d'inquiétude et ne s'attendait pas à un éventuel malheur». Si ces lignes venaient d'une autre homélie d'Origène, celle sur Anne ne pourrait plus être comprise parmi les quatre mentionnées par Jérôme; or il ne paraît pas douteux qu'elle en faisait partie (cf. *supra,* p. 52). Un fragment isolé ne suffit pas à prouver l'existence d'une homélie et l'on sait combien les lemmes des chaînes

En définitive, nous avons donc le texte complet ou des fragments de six homélies d'Origène sur *I Samuel* :

	I Sam.	*Objet*	*Partie conservée*
1.	I-II	Anne	Traduction latine
2.	III-V	Les fils d'Héli et l'arche	Frgts 1-3
3.	XV-XVI	Le repentir de Dieu et David	Frgts 4-7
4.	XIX-XXI	Les pains d'offrande	Frgts 8-12
5.	XXVIII	La nécromancienne	Texte intégral
6.	XXVIII	La nécromancienne pour la 2ᵉ fois	Deux frgts cités par Eustathe

Observons pour finir que nous avons maintenant la réponse à une question posée plus haut et laissée en attente : l'homélie sur la nécromancienne transmise par Eustathe était-elle comprise dans les quatre sur *I Samuel* mentionnées par Jérôme d'après la *Vie de Pamphile?* L'examen des fragments caténiques vient de nous montrer qu'elle ne l'était pas. Cela signifie qu'à l'époque où Eusèbe a composé la *Vie de Pamphile* l'homélie sur la nécromancienne ne figurait pas encore dans la bibliothèque de Césarée. Mais elle y entra probablement plus tard, quand Eustathe écrivit un traité pour la réfuter et qu'il joignit à ce traité le texte de l'homélie. Il serait en effet bien étonnant qu'Eusèbe de Césarée, qui était l'adversaire d'Eustathe et qui contribua d'une manière décisive à sa déposition en 327, ne se soit pas tenu au courant de ce qu'il écrivait, surtout quand c'était dirigé contre Origène. C'est pourquoi il n'est pas exclu que l'ancêtre *d* dont dépendent à la fois le papyrus de Toura et le *Monacensis gr. 331* soit à localiser dans la bibliothèque de Césarée, comme s'y trouvait l'un

sont fragiles. – A propos du début de ce fragment, on sait que maintenant encore, au Proche Orient, les hommes urinent accroupis.

des ancêtres d'un autre papyrus de Toura contenant des extraits du *Contre Celse* d'Origène[1].

IV. Le lieu et la date des homélies sur I Samuel

Deux points restent à préciser concernant l'histoire des homélies sur Samuel : le lieu et la date où elles ont été prononcées. Prêtre de Césarée c'est dans cette ville, dont l'évêque était Théoctiste[2], qu'Origène a donné la plupart de ses prédications. Mais les homélies sur Samuel font exception. En effet, au début de l'homélie *sur Anne,* Origène fait l'éloge de l'évêque de la communauté devant laquelle il prêche et il le nomme : «le pape Alexandre», que nous connaissons d'autre part comme évêque de Jérusalem[3]. C'est donc dans la Ville Sainte qu'Origène a donné la première homélie sur le livre de Samuel et vraisemblablement aussi celles qui ont suivi sur le même livre de l'Écriture.

Quant à la date, nous pouvons obtenir facilement un terminus *post quem,* car Origène dans l'homélie sur la nécromancienne (**6**, 34 s.) rappelle à propos de la descente du Christ aux enfers ce qu'il avait dit dans une homélie sur le *Ps.* 21 :

> Il est descendu dans ces lieux-là, non pas en esclave de ceux qui s'y trouvent, mais tel un maître qui va lutter, comme nous le disions naguère en expliquant le Ps. 21 : «De nombreux taureaux m'ont encerclé, des bœufs gras m'ont entouré; ils ont ouvert leur bouche contre moi, comme un lion rapace et rugissant; mes os ont été disloqués.» Nous nous en souvenons, si du moins nous nous souvenons des saintes Écritures;

---

1. Cf. O. GUÉRAUD et P. NAUTIN, *Origène,* t. 2, Paris 1979, p. 88-89.
2. EUSÈBE, *HE,* VI, 27; 46, 3.
3. EUSÈBE, *HE,* VI, 18, 4; 14, 8-9; 39, 2-3; etc. Cf. P. NAUTIN, *Lettres et écrivains chrétiens des II*e *et III*e *siècles,* Paris 1961, où tout le chapitre IV est consacré à ce personnage.

je me souviens en effet des paroles mêmes qui ont été dites sur le Ps. 21[1].

Les homélies *sur Samuel* sont donc postérieures aux homélies *sur les Psaumes,* qui sont de 239[2].

Il est plus difficile de trouver un terminus *ante quem,* car les homélies *sur Samuel* ne sont citées dans aucune autre œuvre d'Origène, en sorte que nous n'avons aucun repère direct; mais nous pouvons obtenir une information indirecte à partir d'un passage de l'homélie 3 *sur Josué,* qui fait allusion à une homélie précédente sur le jugement de Salomon (*III Rois* 3, 16-28)[3] :

> Je me rappelle qu'un jour dissertant dans une église sur les deux courtisanes du jugement de Salomon au troisième livre des Rois, dont l'une avait un enfant mort et l'autre un enfant vivant, j'ai dit...

Par lui-même, ce passage vise seulement le troisième livre des Rois et non pas les livres de Samuel. Mais une autre observation va nous ramener par un détour aux homélies sur Samuel. On peut prouver en effet par deux voies différentes que l'homélie sur le jugement de Salomon n'avait pas été donnée dans la même église que l'homélie 3 sur Josué :

1. Origène dit dans l'homélie 3 sur Josué qu'il a expliqué le jugement de Salomon «dans une certaine église» (*quadam ecclesia*); une telle indication n'aurait pas

---

1. Cette référence à une homélie sur le *Ps.* 21 n'implique pas qu'Origène prêche dans la même église, car il fait une distinction entre ses auditeurs, qui se souviennent de ces paroles de l'Écriture, et lui-même, qui se souvient de ce qu'il a dit à leur sujet. Il pouvait faire mention de cette homélie dans une autre église que celle où il l'avait donnée, parce qu'elle était publiée; certains de ses auditeurs, clercs ou laïcs, pouvaient l'avoir lue.

2. Cf. P. NAUTIN, *Origène,* t. 1, Paris 1977, p. 411.

3. Texte cité plus haut, p. 52, n. 1.

lieu d'être, si cette église était la même que celle dans laquelle il parle.

2. Dans une même église, les lectures liturgiques suivaient l'ordre des livres de la Bible; le livre de Josué était donc lu et commenté avant le IIIe livre des Rois. L'ordre inverse n'était possible que dans deux églises différentes, parce que la longueur des lectures n'était pas fixée une fois pour toutes; elle pouvait être plus ou moins grande suivant les circonstances, en sorte qu'une église pouvait en être au troisième livre des Rois avant qu'une autre n'ait atteint Josué.

Pour ces deux raisons, nous pouvons avancer que l'homélie sur III Rois a été prononcée dans une autre église que l'homélie sur Josué. Comme III Rois est la suite immédiate des livres de Samuel (= I-II Rois), il est naturel d'identifier cette autre église où a été donnée l'homélie sur III Rois avec celle où ont été données les homélies sur Samuel, c'est-à-dire Jérusalem. Dans ce cas, les homélies sur Samuel sont antérieures à celles sur III Rois selon l'ordre de la Bible (puisque données dans la même église), et donc antérieures comme celles-ci aux homélies sur Josué, qui sont de 241 ou 242.

La datation à laquelle nous aboutissons – entre les homélies sur les Psaumes de 238/9 et celles sur Josué de 241/2 – comporte un corollaire qu'il est utile de tirer. C'est que les homélies sur Samuel et III Rois qu'Origène a données à Jérusalem ne l'ont pas été après qu'il eut achevé le cycle de ses prédications à Césarée, comme on pouvait le supposer, mais au cours de ce cycle[1]. Elles correspondent

---

1. On corrigera en conséquence les dernières lignes de la page 405 dans notre *Origène*, t. 1, où nous posions la question de savoir si l'évêque de Césarée n'avait pas mis fin aux prédications d'Origène dans cette ville plus tôt que prévu. Le problème ne se pose plus dans ces termes. On peut seulement s'interroger sur les circonstances qui ont amené Origène

à une période de plusieurs semaines pendant lesquelles il a interrompu ses sermons à Césarée et prêché à Jérusalem. Pourquoi cette interruption momentanée? Pourquoi ce séjour dans la Ville Sainte? Nous ne le savons pas et toute conjecture serait gratuite. Mais le fait lui-même est important, parce qu'il nous donne peut-être la clé d'une énigme que pose la liste des œuvres d'Origène. Pendant qu'Origène était à Jérusalem, les prédications liturgiques continuaient à Césarée, données par un autre prêtre. Quand Origène revenu de Jérusalem a repris sa fonction de prédicateur, il a commenté les livres auxquels on en était arrivé. Si bien que la période de son absence doit correspondre à un trou dans la série des livres bibliques expliqués par lui. Effectivement, la liste de ses homélies comporte une grande lacune : nous n'en trouvons aucune sur Daniel et les Douze petits prophètes[1]. Une telle absence étonnait. L'étude que nous venons de faire en suggère une explication possible : est-ce pendant qu'on prêchait à Césarée sur ces livres qu'Origène donnait à Jérusalem, en 240 ou 241, ses homélies sur Samuel et III Rois?

à interrompre pendant aussi longtemps ses prédications à Césarée pour prêcher à Jérusalem.

1. On observera aussi l'absence d'homélies sur la *Sagesse* et l'*Ecclésiastique,* mais c'étaient des livres dont la canonicité était contestée, parce qu'ils ne figuraient pas dans la Bible hébraïque; il n'en allait pas de même pour Daniel et les Douze.

Chapitre II

ORIGÈNE PRÉDICATEUR

En éditant les homélies sur Jérémie, nous avons consacré une grande partie de l'Introduction à étudier Origène comme prédicateur. Les deux homélies sur Samuel offrent aussi matière à des observations intéressantes dans ce domaine, parce qu'elles présentent plusieurs particularités dont les unes tiennent aux circonstances dans lesquelles ces homélies ont été données, et les autres au sujet très spécial dont traite l'homélie sur la nécromancienne. Nous essayons dans les pages qui suivent de dégager les traits les plus notables qui confirment ou complètent l'étude précédente.

I. Des circonstances particulières

1. La place faite à l'évêque

A la différence des autres homélies conservées, celles sur Samuel n'ont pas été données à Césarée où Origène était prêtre, mais à Jérusalem, et c'est sans doute à cette circonstance qu'il faut rattacher une autre caractéristique qu'elles ont en commun : l'évêque du lieu est mentionné dans l'une et dans l'autre. L'homélie sur Anne commence en effet par un long préambule dans lequel Origène explique pourquoi il prêche à la place de l'évêque Alexandre, et à cette occasion il lui adresse des louanges[1] :

1. *Hom. Anne*, 1, 22-26.65-68.

Ne cherchez pas en nous ce que vous avez dans le pape Alexandre, car nous reconnaissons qu'il nous surpasse tous par un charisme de douceur. Ce charisme, je ne suis pas seul à en parler, mais vous tous, pour en avoir fait l'expérience, vous le connaissez et l'appréciez...

Nous avons dit cela en préambule parce que je sais que vous êtes habitués à toujours entendre des paroles agréables d'un père très doux tandis que les arbustes de notre plantation ont quelque chose d'âpre au goût...

Pour comprendre un tel préambule, il faut savoir que, selon la tradition, l'évêque devait prêcher lui-même quand il présidait l'assemblée[1]. Une phrase de nos homélies laisse voir que l'évêque Alexandre s'acquittait habituellement de ce devoir de sa charge[2]. Il faisait donc un honneur exceptionnel à Origène en l'invitant à prêcher à sa place. C'est pourquoi Origène se sent le devoir de justifier cette invitation et, en retour d'une telle marque d'estime, de faire l'éloge du prélat devant son clergé et ses fidèles. Qu'il donne ces explications dans l'homélie sur Anne est le signe qu'elle est la première de celles qu'il a prononcées à Jérusalem dans ces circonstances-là.

Dans l'homélie sur la nécromancienne, l'hommage prend une autre forme. Après avoir résumé la lecture

---

1. JÉRÔME, *Ep.* 52, 7 (*CSEL* 54, p. 428, 6) : «C'est une très mauvaise coutume dans certaines églises que les prêtres se taisent; en présence des évêques ils ne parlent pas, comme si les évêques étaient jaloux ou qu'ils ne méritent pas de les entendre!» AUGUSTIN, *Ep.* 41 (D'Augustin et Alypius à Aurélius de Carthage), 1, début : «Notre bouche a été remplie de joie et notre langue a exulté quand ta lettre nous a annoncé qu'avec l'aide du Seigneur, qui te l'a inspiré, ton saint projet a été mis à exécution... à propos de la prédication des prêtres, qui est maintenant dispensée au peuple en ta présence.» Aurélius venait d'abolir la coutume ancienne qui la leur interdisait.

2. *Hom. Anne*, 1, 66 : «scio uos *consueuisse* lenissimi patris dulces semper audire sermones.»

biblique, Origène demande à l'évêque quelle péricope il
doit commenter[1] :

> Puisqu'il y a quatre péricopes dont chacune contient un bon
> nombre d'événements, et des événements qui, même pour des
> gens capables de les expliquer, auraient de quoi occuper des
> heures, non d'une seule synaxe mais de plusieurs, que l'évêque
> veuille bien choisir parmi les quatre celle, quelle qu'elle soit,
> qu'il préfère, pour que nous nous en occupions.
> – Qu'on explique, dit-il, ce qui concerne la nécroman-
> cienne !

C'est la seule fois que nous voyons Origène agir de la
sorte. Il serait pourtant bien étonnant que sur la centaine
d'homélies prononcées à Césarée et venues jusqu'à nous,
aucune ne l'ait été en présence de l'évêque. Or rien dans
leur texte ne laisse supposer une intervention de celui-ci
dans le choix des versets à commenter. Mais les circonstances maintenant sont autres. A Césarée Origène apparte-
nait au clergé local et avait reçu de l'évêque un mandat de
prédicateur attitré. A Jérusalem, il se trouve dans une
église étrangère et juge opportun de manifester chaque fois
qu'il le peut le plus grand respect pour l'autorité de
l'évêque du lieu ; or l'homélie lui en offre ce jour-là une
nouvelle occasion. Il vient en effet de résumer les chapitres
de l'Écriture qui ont été lus, ce qu'il ne fait pas toujours, et
il a distingué plusieurs péricopes ; alors, plutôt que de
choisir lui-même entre elles, il prend ostensiblement les
ordres de l'évêque.

Ce n'est pas le seul intérêt qu'offre ce passage. Il nous
confirme aussi qu'Origène n'écrivait pas ses homélies
d'avance, mais qu'il les improvisait, comme son style le
montrait déjà. Cela explique que, dans une homélie comme
la nôtre où il soutient une thèse, sa démonstration ne soit
pas toujours aussi claire et rigoureuse qu'un esprit carté-

1. *Hom. nécr.*, 1, 19 s.

sien le souhaiterait; il nous faudra plus d'une fois reconstituer son argument en partant de ce qu'il dit et en explicitant le lien logique qui réunit les différents thèmes. Mais compte tenu qu'il improvise, le résultat est déjà enviable. Quant à son talent d'orateur, on ne l'en admire que plus.

La présence de l'évêque y contribuait aussi. Elle stimule l'éloquence du prédicateur et, quand le sujet s'y prête, il s'y laisse aller, en particulier lorsqu'il expose la thèse de ceux qui nient que la nécromancienne ait réellement évoqué Samuel, parce qu'à leur avis un saint prophète ne pouvait pas être sous la domination d'un démon et en enfer; il leur donne la parole en ces termes[1] :

> Samuel en enfer? Samuel évoqué par la nécromancienne, lui prophète de choix, lui voué à Dieu depuis sa naissance et dont on disait dès avant sa naissance qu'il vivrait dans le Temple, lui qui en même temps qu'il a été sevré a revêtu l'éphod, a porté le manteau double et est devenu prêtre du Seigneur, lui avec qui, tout enfant, le Seigneur s'entretenait et parlait?
>
> Samuel en enfer? Samuel dans les lieux souterrains, lui qui a recueilli la succession d'Héli condamné par la Providence à cause des fautes et des illégalités commises par ses enfants?
>
> Samuel en enfer? Lui que Dieu a exaucé au temps de la moisson de blé en faisant venir la pluie du ciel?
>
> Samuel en enfer? Lui qui a demandé avec tant d'assurance s'il avait jamais pris quelque chose qu'il convoitait?...
>
> Samuel, pourquoi en enfer? Voyez ce qui s'ensuit si Samuel est en enfer! Samuel en enfer? Pourquoi pas aussi Abraham, Isaac et Jacob en enfer? Samuel en enfer? Pourquoi pas aussi Moïse, qui est joint à Samuel dans la parole : «Même si Moïse et Samuel comparaissaient, je n'écouterais pas ce peuple-là.» Samuel en enfer? Pourquoi pas aussi Jérémie en enfer, lui à qui il est dit : «Avant de t'avoir façonné dans le ventre de ta mère je te connais, et avant que tu ne sortes du sein maternel je t'ai

---

1. *Hom. nécr.*, **3**, 10 s.

sanctifié»? En enfer aussi Isaïe, en enfer aussi Jérémie, en enfer tous les prophètes, en enfer!

C'est un des passages les plus brillants et le seul de ce genre dans toute son œuvre oratoire. La présence d'Alexandre n'y est probablement pas étrangère.

L'homélie sur Anne contient aussi de «beaux morceaux». Telle la paraphrase de la parole d'Anne : «Mon cœur a exulté dans le Seigneur», où il s'inspire de l'Apôtre dans la pensée et même dans la forme, en même temps qu'il fait allusion aux difficultés qu'il avait rencontrées à Alexandrie, difficultés bien connues de l'évêque devant qui il parlait[1] :

> Si je me réjouis de ce que j'ai trouvé un trésor visible, c'est une joie de la chair et elle n'est pas «dans le Seigneur»; si je me réjouis de ce que les hommes me louent, peut-être même sans que je le mérite, ce n'est pas là se réjouir «dans le Seigneur»; si je me réjouis dans des choses périssables et caduques, rien de tout cela ne produit une joie digne d'éloges.

> Si au contraire je me «réjouis» d'avoir été jugé digne de «souffrir» l'injustice «pour le nom du Seigneur», cette joie est «dans le Seigneur», parce qu'il a dit à ce propos : «Réjouissez-vous et exultez, car votre récompense est grande dans les cieux»; si je me réjouis d'être l'«objet de haines»

---

1. *Hom. Anne*, 10, 6 s. C'est auprès d'Alexandre qu'Origène avait cherché refuge une première fois devant l'hostilité de l'évêque Démétrius d'Alexandrie; Alexandre l'avait bien accueilli et lui avait même demandé de prêcher bien qu'il fût encore laïc. Origène, cette fois-là, rentra à Alexandrie, mais peu après il quitta définitivement cette ville et fut ordonné prêtre en Palestine par l'évêque Théoctiste de Césarée. Démétrius, l'apprenant, envoya une lettre à l'évêque de Rome, Pontien, pour se plaindre des deux évêques palestiniens et l'inviter à rompre la communion avec eux; Pontien répondit à Démétrius en les blâmant. Alexandre et Théoctiste écrivirent alors à Pontien pour se défendre et défendre en même temps Origène. EUSÈBE, *HE*, VI, 14, 8-9, nous a conservé en outre un billet plein d'amitié qu'Alexandre fit ensuite porter à Origène. Pour la reconstitution de cette histoire, voir P. NAUTIN, *Lettres et écrivains chrétiens*, Paris 1961, p. 120-134.

injustes, si je me réjouis d'être « combattu à cause de la parole »
de Dieu, si je me réjouis d'être réprimé par des « fatigues », des
« persécutions », des « angoisses », si je suis heureux de recevoir
tout cela, cette joie est « dans le Seigneur ».

Citons encore cette page où perce le besoin de se mettre
en valeur à propos de la parole d'Anne : « Ma bouche a été
grand ouverte contre mes ennemis[1] » :

> Si j'acquiers capacité et force pour la Parole et compétence
> dans la Sagesse, de telle sorte que je puisse « confondre » par
> des démonstrations qui ne soient pas restreintes mais *largement*
> développées toute science « qui se dresse contre la foi » et
> contre la vérité du Christ, ou que, en réfutant l'incrédulité et
> l'incroyance des Juifs par la Loi et les Prophètes, je montre
> que Jésus est le Christ, et qu'ainsi je confonde les ennemis de la
> vérité en tous les domaines, alors je puis dire à bon droit moi
> aussi : « Ma bouche a été grand ouverte contre mes ennemis ».

> Si Basilide me cherche querelle et que je lui riposte avec
> vigueur, si un disciple de Valentin me provoque par des
> questions et que je sorte vainqueur de ce combat, si après que
> je les ai terrassés, Marcion se présente et qu'il reparte lui aussi
> battu, « ma bouche a été grand ouverte contre mes ennemis ».

> Si, eux confondus, viennent les philosophes se moquant de
> la simplicité de notre foi et nous traitant d'ignorants et
> d'incultes et que je me tourne aussi contre eux, que je dissipe
> avec les forces de la vraie Sagesse les nuages de la fausse et
> artificielle « sagesse » et que je détruise la sagesse non seule-
> ment « de ce monde » mais des « princes de ce monde », alors
> plus pleinement encore « ma bouche a été grand ouverte contre
> mes ennemis ».

Assurément Origène ne dit pas qu'il est capable de
réfuter n'importe quels adversaires, mais en l'écoutant, ses
auditeurs étaient portés à le penser. Ce n'était pas là de sa
part pure vanité. Voyons-y surtout la nécessité où il était
d'inspirer assez d'estime à cet évêque puissant pour l'avoir
comme protecteur et éventuellement comme recours.

---

1. *Hom. Anne*, 10, 57 s.

2. Un incident au cours d'une homélie

Il arrivait aussi que des circonstances imprévues se produisent au cours de la prédication et provoquent des remous dans l'assistance. L'homélie sur Anne nous en offre un exemple. Quand Origène expliquait la parole d'Anne : «Mon cœur a exulté dans le Seigneur», un auditeur a eu une crise de nerfs ou d'épilepsie et beaucoup de gens se sont précipités dans sa direction pour voir ce qui se passait. Avec beaucoup de présence d'esprit, pour ramener le calme, Origène intègre aussitôt l'incident à son discours; il explique à tout le monde ce qui vient de se produire et en tire un nouvel argument pour le thème qu'il était en train d'exposer[1] :

> «Mon cœur a exulté dans le Seigneur.» Et puisqu'au moment où ces paroles sont dites un des assistants a été rempli de l'esprit impur et a poussé un cri qui a provoqué un attroupement, disons-les nous aussi. Car, lorsque Anne disait : «Mon cœur exulte dans le Seigneur», l'esprit adverse n'a pas pu supporter notre exultation «dans le Seigneur», mais il veut la changer pour introduire à sa place la tristesse et nous empêcher de dire : «Mon cœur a exulté dans le Seigneur»; mais nous, ne nous laissons pas arrêter, disons au contraire de plus en plus : «Mon cœur a exulté dans le Seigneur» pour la raison même que nous voyons des esprits impurs tourmentés, car des choses comme celles-ci amènent beaucoup de gens à se convertir à Dieu, beaucoup à se corriger, beaucoup à venir à la foi. Dieu ne fait rien sans raison, et il ne permet pas que quelque chose arrive pour rien.

Les homélies d'Origène sont les premières qui nous permettent de revivre à ce point la prédication de l'âge patristique.

---

1. *Hom. Anne*, 10, 22 s.

II. Le texte biblique commenté

La lecture biblique qui précédait l'homélie était sûrement faite d'après la version grecque des Septante, Bible officielle de l'Église. Mais nous avons observé en étudiant les homélies sur Jérémie que, dans la prédication qui suivait la lecture, Origène commentait un texte un peu différent, corrigé d'après l'hébreu ou plus exactement d'après les autres traductions grecques de la Bible faites par Aquila, Symmaque et Théodotion[1]. Les homélies sur Samuel permettent de constater qu'il n'agissait pas autrement à Jérusalem et que l'évêque Alexandre n'y voyait pas plus d'objections que l'évêque de Césarée. Nous relevons ci-après les passages les plus significatifs de l'homélie sur la nécromancienne dans lesquels Origène s'écarte de la Septante pour suivre l'ḥébreu ou une autre interprétation de l'hébreu :

I Sam.	T.M.		ORIGÈNE	LXX
28,13	בי	4,26	τί γάρ ἐστιν[2];	εἰπὸν
	מה ראית		τί ἑώρακας;	τίνα ἑόρακας.
	ותאמר האשה	27	καὶ εἶπεν ἡ γυνὴ	καὶ εἶπεν
	אל־שאול		πρὸς τὸν Σαούλ	αὐτῷ.
-,14	מה־תארו	28	τί τὸ εἶδος αὐτοῖς[3];	τί ἔγνως;
	זקן	29	πρεσβύτερος	ὄρθιον
	om.		om.	ἐκ τῆς γῆς
-,15	אל־שאול	44	πρὸς Σαούλ	om.
	להעלות	47	τοῦ ἀναγαγεῖν με	ἀναβῆναί με
-,16	ויהי ערך	55	καὶ ἐγενήθη κατὰ σου.	καὶ γέγονεν μετὰ τοῦ πλησίον σου
-,17	לו	56	αὐτῷ	σοι

1. Cf. SC 232, Introduction, p. 116-118.

2. Le mot hébreu est interprété dans son sens causal chez Origène et adversatif dans la Septante; cf. supra, p. 29, n. 1 et 2.

3. Le texte original de la traduction portait sans doute αὐτῷ conformément à l'hébreu; cf. p. 29.

28,18	הדבר הזה	5,14 τὸ ῥῆμα τοῦτο	τὸ ῥῆμα
-,19	גם	15 καίγε	om.
	גם	18 καίγε	καὶ
	עמי	20 μετ'ἐμοῦ	μετὰ σοῦ

En dehors de ces cas typiques, on rencontre dans l'homélie sur la nécromancienne beaucoup d'exemples où le mot hébreu est compris de la même façon que dans la Septante mais rendu par un autre mot grec ou par le même mot à une autre forme grammaticale. D'après ce qui précède, ces variantes ne doivent pas être considérées comme des citations *ad sensum* de la Septante, mais comme des citations textuelles faites d'après une autre traduction. Quelques exemples suffiront :

I Sam.	ORIGÈNE	LXX
28,12	ἐβόησε	ἀνεβόησε
-,13	εἶδον	ἑόρακα
-,14	ἔπεσεν	ἔκυψεν
-,15	ἀπέστη	ἀφέστηκεν
etc.	etc.	etc.

Dans l'homélie sur Anne, Origène a naturellement employé la même bible particulière plus proche de l'hébreu, comme cela se perçoit encore à travers la version de Rufin :

I Sam.	T.M.	ORIGÈNE-RUFIN	LXX
1,1	ויהי איש אחד	4,1 Erat uir unus	ἄνθρωπος ἦν
2,1	ותתפלל חנה	9,4 Et orauit Anna	om.
-,1	ביהוה	10,3 in Domino	ἐν θεῷ μου
-,2	אין בלתך	11,16 non est	οὐκ ἔστιν ἅγιος
		praeter te	πλὴν σοῦ
-,2	ואין צור	12,1 non est potentia	οὐκ ἔστιν δίκαιος
-,3	אל־תרבו	13,4 nolite multiplicare	μὴ καυχᾶσθε
	תדברו	loqui	καὶ μὴ λαλεῖτε
-,3	אל	14,15 fortis	θεός

2,3	ולא נתכנו	15,1	et non emenda-uerunt	καὶ θεὸς[1] ἑτοι-μάζων
	עללות		occasiones	ἐπιτηδεύματα αὐ-τοῦ
-,5	חדלו	18,4	dereliquerunt	παρῆκαν γῆν
-,5	עד	7	usque quo	ὅτι

III. Une homélie exégétique (sur Anne)

Après avoir envisagé les circonstances particulières aux homélies sur Samuel et le texte biblique qui en est le support, il est bon de prendre une vue d'ensemble des deux homélies conservées. Elles sont très différentes l'une de l'autre : dans celle sur Anne, Origène explique le texte scripturaire phrase par phrase selon son habitude; dans la seconde, au contraire, il traite une question doctrinale. Nous les prenons dans l'ordre où elles ont été prononcées, en commençant donc par celle sur Anne.

Elle suit un plan classique :

1. Préambule;
2. Explication littérale sous forme d'un bref résumé du texte lu (*I Sam.* 1 – 2);
3. Explication spirituelle, verset par verset, de deux passages :
   a) le début de la lecture (*I Sam.* 1, 1-3);
   b) le Cantique d'Anne (*I Sam.* 2, 1-6).

Mais le développement présente quelques particularités.

1. Préambule (§ 1)

Cette introduction est beaucoup plus longue que d'habitude, parce qu'elle sert de prologue à toute la série de prédications qu'Origène va donner à Jérusalem. Il est intéressant de voir comment il procède. Il part d'une parole du Cantique de Moïse qui lui a paru convenir tout à fait à la

---

1. Les LXX ont lu ואל au lieu de ולא .

situation : « Amène-les et plante-les sur la montagne de ton héritage » (*Ex.* 15, 17). Cette « montagne » sainte n'est-elle pas Jérusalem, où il a été « amené » par un concours de circonstances dans lequel il voit la main de Dieu, et amené pour prêcher, c'est-à-dire « planter[1] ». Car ce n'est pas seulement au Paradis Terrestre que Dieu a « planté » un jardin, mais, suivant une pensée chère à Origène, tout ce qui est dit dans la Bible continue de se réaliser : comme un jardinier de ses plantes, Dieu ne cesse de s'occuper des hommes et de leur procurer les « enseignements » dont dépend leur « salut »[2]. Puis Origène développe l'idée qu'une belle plantation doit avoir des arbres variés; ainsi en sera-t-il de l'église de Jérusalem où, à la prédication pleine de douceur de l'évêque Alexandre, va succéder celle plus rude d'un nouveau prédicateur. Ce développement lui sert à deux fins : justifier ses prédications et adresser un compliment à l'évêque qui l'a invité à prêcher. A la fin de ce préambule il demande, comme c'était la coutume, le secours des prières de ses auditeurs.

2. *Explication littérale* (§ 2-3)

Après ces préliminaires, l'homélie en vient au texte à commenter. C'était le début du livre de Samuel (chapitres 1 et 2) : le lecteur s'était arrêté après le Cantique d'Anne[3],

---

1. La comparaison de l'éducation avec l'agriculture était traditionnelle; voir par exemple THÉODORE (Pseudo-Grégoire), *Discours de remerciement à Origène*, VII, 93-96 (*SC* 148, p. 134-136).

2. Ce n'est pas la seule fois qu'Origène, au début d'un texte, fait allusion aux événements qui viennent de se produire dans sa vie en les transposant dans le domaine spirituel. C'est très visible en tête du *Commentaire sur S. Jean* (I, 1; cf. notre *Origène*, t. 1, p. 427) et tout porte à croire qu'il en va de même au début du livre XXXII, où il parle allégoriquement d'un voyage alors que le texte qu'il devait commenter n'avait rien en lui-même pour en suggérer l'idée (cf. *ibidem*, p. 378-380).

3. L'homélie suivante couvrait le chapitre 3 de *I Sam.*; cf. *supra*, p. 54.

sur un signe probablement de l'évêque, qui avait jugé que cette pièce exceptionnelle offrait une nourriture suffisante pour ce jour. Tout semblait donc désigner le chapitre 2, où se trouve le Cantique d'Anne, comme le morceau à commenter. Cependant Origène commence par résumer l'histoire racontée au chapitre premier en la prenant au sens littéral, comme dans l'homélie 4 sur Jérémie. Il ne le fait pas chaque fois, mais quand le récit biblique présente quelque obscurité, et c'était le cas. Il y était dit en effet que le prêtre Héli avait deux femmes Anne et Phennana et qu'Anne se plaignait de n'avoir pas d'enfant. La Bible était-elle donc en contradiction avec la religion chrétienne qui prescrit la monogamie et vante la continence et la virginité? Origène fait ressortir l'importance du problème, moyen qu'il emploie volontiers pour stimuler l'intérêt des auditeurs[1], et il leur demande à nouveau de l'aider par leur prière à «découvrir le sens de choses si difficiles».

On s'attendrait qu'il cherche ensuite à résoudre la question posée: qu'il explique par exemple, comme on avait coutume de le faire, que Dieu dans l'Ancien Testament avait toléré la polygamie et encouragé la fécondité parce qu'il s'agissait de peupler le monde, mais que depuis la venue du Christ, qui a inauguré les «derniers temps», ce souci n'est plus d'actualité. Origène n'en fait rien. Est-ce oubli? Non, mais, pour lui, les difficultés du sens littéral sont surtout l'indice que Dieu a caché dans le texte biblique un sens plus profond que celui de la lettre. Sa réponse au problème posé consistera donc simplement à exposer le sens spirituel des versets 1 à 3 avant d'en venir au Cantique d'Anne.

1. Cf. *SC* 232, Introduction, p. 186-187.

3. Explication spirituelle

a) Le début de la lecture (*I Sam.* 1, 1-3)

Origène commence donc par commenter le début du chapitre 1, où il est raconté qu'un homme de la montagne d'Ephraïm, Elcana, avait deux femmes, Anne et Phennana. La première, qui n'avait pas d'enfant, demanda à Dieu de lui en donner un, elle fut exaucée et enfanta Samuel. Il remarque d'abord que le texte hébreu ne parle pas d'«un homme» mais d'un homme «un». Pourquoi ce qualificatif? Parce que le juste, comme Dieu, ne change pas, tandis que l'homme vivant dans le vice est partagé entre des désirs opposés. Pour la suite, il explique qu'en hébreu Anne signifie «Grâce» et Phennana «Conversion»; si donc Elcana a deux femmes, c'est pour signifier qu'après la «grâce» de la foi se produit la «conversion» des mœurs, et si Anne désire un enfant, c'est parce que la «grâce» désire produire du bien : tel est en effet Samuel qui signifie «Ici-est-Dieu».

Pour répondre à la question qu'il avait posée, Origène aurait pu se contenter d'expliquer ces trois noms, mais il continue longuement l'allégorie en l'appuyant sur l'étymologie des autres noms de personnes et de lieux qui figurent dans le passage : Elcana, Ephraïm, Silo, Héli, Ophni et Phinées. Visiblement il se complaît dans cet exercice. Il n'a pas trouvé lui-même ces étymologies, mais il les emprunte à un lexique juif intitulé *Traduction des noms hébreux* auquel il fait allusion ailleurs et dont plusieurs remaniements sont venus jusqu'à nous[1]. Cette source lui offrait une documen-

---

1. Cf. *SC* 232, p. 135, n. 1. Nous rappelons les deux ouvrages où l'on trouve ces fragments et remaniements : P. DE LAGARDE, *Onomastica sacra*, Göttingen 1870, et F. WUTZ, *Onomastica sacra* (*TU* 41), Leipzig 1914. Wutz ne reproduit pas les fragments les plus longs déjà donnés par Lagarde; on les trouvera aussi dans *PL* 23, 1115 s.

tation hébraïque qui lui permettait des effets faciles. Quel prédicateur s'y refuse, surtout devant un évêque dont il recherche l'estime?

b) Le Cantique d'Anne (*I Sam.* 2, 1-10)

Le Cantique d'Anne ne comprend aucun nom propre. Origène abandonne donc l'allégorie étymologique et retrouve sa méthode préférée : le recours aux passages parallèles, comme il avait appris à le faire à la fois dans son métier de grammairien pour expliquer les textes profanes et auprès de son maître l'Hébreu pour commenter la Bible. Sur chaque verset il citera donc, selon qu'ils se présenteront à sa mémoire[1], les autres passages de l'Écriture qui contiennent les mêmes mots, les mêmes images ou la même idée. L'explication compose alors une sorte de broderie sur un thème donné, à laquelle chaque texte cité apporte un détail, une nuance, une pensée, qui renouvellent sans cesse le regard et nourrissent l'esprit en même temps que le cœur. C'est sur cette ferveur scripturaire constamment entretenue plus que sur des démonstrations ou des exhortations que l'homéliste compte pour «faire du bien» à ceux qui l'écoutent.

Nous ne le suivrons pas dans le détail de son exposé; posons seulement quelques jalons. Lorsqu'Origène en arrive au Cantique d'Anne, une bonne partie du temps réservé à l'homélie est déjà écoulée, il en fait la remarque (8, 1) :

> Mais il est temps de dire maintenant quelques mots de la prière qu'Anne répand...

Malgré cette déclaration, il revient sur un des versets précédents (1, 24), où il est précisé qu'Anne n'offrit Samuel à Dieu qu'après l'avoir sevré, parce que ce détail évoque

---

1. *Hom. Anne,* 8, 32 : «quantum ad praesens memoria suggerit.»

pour lui deux paroles pauliniennes (*I Cor.* 3, 1-2 et *Hébr.*
5, 14) qu'il aime à citer : «Comme à de petits enfants dans
le Christ, c'est du lait que je vous ai donné à boire, non une
nourriture solide que vous ne pouviez encore supporter»;
«les parfaits, eux, ont la nourriture solide...», les aliments
solides étant pour Origène les «mystères» cachés dans le
texte biblique.

Il s'arrête encore à la phrase qui introduit le cantique :
«Anne pria et dit», parce qu'elle soulève à son avis une
difficulté : comment l'Écriture peut-elle parler d'une prière,
alors qu'Anne ne s'adresse à Dieu que dans deux demi-
versets? C'était la même difficulté que soulevait le commandement de l'Apôtre : «Priez sans cesse» (*I Thess.*
5, 17) : comment était-ce possible? Origène explique donc
qu'à côté de la prière par les mots il existe une prière par les
actes, car «tous les actes de celui qui vit habituellement
dans le service de Dieu... reviennent à prier[1]».

Alors seulement il en arrive au cantique lui-même (§ 10).
Les paroles d'Anne sont en fait de deux sortes : les unes
concernent Dieu et les autres Anne. Parmi les premières,
on remarquera surtout celle-ci, dont la formulation dans le
texte biblique utilisé par Origène était énigmatique : «Il
n'existe que toi.» Cela signifie, explique Origène, que Dieu
est le seul qui existe depuis toujours et dont l'existence ne
dépend de nul autre, tandis que tout le reste a commencé et
reçoit son être de lui (**11**, 17 s.). On reconnaît l'influence de
Platon, pour qui l'être véritable est celui qui est immuable.

Quant aux paroles concernant Anne, il indique seulement – et c'est typique de son exégèse – comment chacun
doit aujourd'hui les faire siennes. Par exemple, quand
Anne dit : «La stérile a enfanté sept fois», il commente en
ces termes (**18**, 27 s.) :

---

1. *Hom. Anne,* **9**, 30-33; cf. *De oratione,* 12, 1-2.

Stérile était *en moi mon âme,* elle ne portait pas de fruits de justice, mais maintenant que par la foi au Christ elle a mérité de recevoir (les sept dons de l'Esprit Saint), il est sûr que la stérile a enfanté sept fois.

De même, à propos de la parole : «Le Seigneur fait vivre et fait mourir[1]» :

Qui le Seigneur fait-il mourir et qui fait-il vivre? C'est *moi* qu'il fait mourir quand il fait que je sois mort au péché, et *moi* qu'il fait vivre quand il me fait vivre pour Dieu.

Il en était à ce verset quand brusquement, sur un signe sans doute de l'évêque, il conclut cette longue prédication. Il n'avait commenté que six versets du cantique d'Anne. Mais dans cette sorte d'exégèse, où le texte scripturaire n'était guère plus qu'un prétexte à élévations spirituelles, le passage commenté comptait finalement peu; l'important était la nourriture utile et variée que le prédicateur avait su en tirer pour son auditoire.

IV. Une homélie didactique (sur la nécromancienne)

1. La question débattue et la réponse d'Origène

Le jour où cette homélie fut prononcée, on avait lu à l'ambon les chapitres 25 à 28 du premier livre de Samuel jusqu'à l'épisode de la nécromancienne d'Endor. Quand Origène demanda à l'évêque Alexandre quelle péricope il devait expliquer, l'évêque choisit naturellement la dernière. C'était en effet celle qui pouvait intéresser le plus l'évêque lui-même et l'auditoire. Elle raconte que le roi Saül alla consulter une nécromancienne et que celle-ci évoqua un

---

1. *Hom. Anne,* **19,** 1.

mort célèbre, le prophète Samuel, qui prédit à Saül qu'il allait être tué et que sa royauté passerait à David. Ce récit archaïque a toujours étonné ceux qui l'ont lu pour la première fois. Alors que l'Église veut détourner les chrétiens de la divination et de la magie, voici que la Bible elle-même montre par cette histoire que les morts peuvent être évoqués par la magie et annoncer aux vivants ce qui leur arrivera : n'est-ce pas encourager les chrétiens à recourir aux pratiques dont on veut les écarter? Et pour peu qu'on y réfléchisse, cet épisode posait aussi une question sur le sort de l'âme après la mort, puisqu'on y voyait un saint prophète obéir à une magicienne possédée du démon : les hommes seront-ils donc tous, bons et méchants, livrés «au pouvoir d'un démon» après la mort[1]?

Avant Origène, des écrivains chrétiens avaient déjà fait mention de cet épisode. L'apologiste Justin en parle à propos du Psaume 21 et ne doute pas que la nécromancienne ait réellement évoqué l'âme de Samuel comme il est écrit dans la Bible; il en tire une preuve de la survie de l'âme après la mort et une exhortation à prier pour que notre âme ne soit pas livrée au démon[2] :

Le Psaume 21 a prédit pareillement sa mort sur la croix, car les paroles : «Délivre mon âme de l'épée, et de la patte du chien ma fille unique; sauve-moi de la gueule du lion et sauve ma petitesse à partir des cornes de ceux qui n'ont qu'une corne» (*Ps.* 21, 21-22), indiquent de quelle sorte de souffrance il devait mourir, à savoir qu'il serait crucifié. Les «cornes de ceux qui n'ont qu'une corne» signifient en effet que cette figure de la croix concerne un seul personnage, comme je vous l'ai déjà expliqué[3]. Et quand il demande que «son âme soit

1. *Hom. nécr.*, **2**, 15-17.
2. JUSTIN, *Dial.*, 105, 2-5.
3. Justin avait donné cette explication dans une lacune que le texte du *Dialogue* présente entre les chapitres 73 et 74 dans l'unique manuscrit qui nous l'a conservé (*Parisinus gr. 450*). Il expliquait sans doute, comme

sauvée de l'épée, de la gueule du lion, de la patte du chien», il voulait demander que nul ne s'empare de son âme afin que nous autres, lorsque nous arriverons à la fin de la vie, nous fassions la même prière à Dieu, qui peut empêcher tout mauvais ange effronté de se saisir de notre âme. Que les âmes survivent, je vous l'ai prouvé par le fait que l'âme de Samuel elle-même a été évoquée par la nécromancienne comme le demandait Saül. Et il apparaît aussi par là que toutes les âmes des justes et des prophètes, ses semblables, tombaient au pouvoir de puissances du même genre que celle qui, d'après les faits rapportés, habitait incontestablement cette femme. C'est pourquoi Dieu nous apprend, par son Fils aussi, à lutter de toutes nos forces pour devenir justes et, à l'approche de la mort, à demander que notre âme ne tombe pas sous la coupe de quelque puissance comme celle-là : en rendant l'esprit sur la croix il a dit en effet : «Père, je remets mon esprit entre tes mains.»

Puis une réaction se produisit. On mit en doute la réalité de l'apparition de Samuel. Nous découvrons cette réaction à la fois dans le monde latin chez Tertullien et dans le monde grec chez l'auteur du *Martyre de Pionius*. Pour ces deux écrivains, ce n'est pas Samuel lui-même qui a été évoqué par la nécromancienne, mais un démon qui avait pris l'apparence de Samuel[1]. Tertullien et le *Martyre de Pionius* ont visiblement une source commune, que nous avons de bonnes raisons d'identifier avec le livre que l'écrivain romain Josipe avait écrit spécialement *Sur la nécromancienne* et dont le titre figure dans la liste bibliographique gravée sur sa statue. Origène connaissait lui aussi

---

Tertullien le fait de son côté (*Adu. Marc.*, 3, 18, cité *supra*, p. 35, n. 1), qu'une croix ressemblait à un mât de bateau avec sa vergue et que les extrémités de la vergue étaient appelées des «cornes».

1. Tertullien, *De anima*, 57, 8-9 (Waszink, p. 77); *Martyrium Pionii*, 14, 1-14 (éd. Musurillo, dans *The Acts of the christian martyrs*, Oxford 1972, p. 154).

cet ouvrage[1], et il a saisi l'occasion qui lui était offerte ce jour-là de le réfuter, car il ne fait pas de doute pour lui que c'est bien le prophète Samuel qui est venu annoncer la mort de Saül et l'accession de David à la royauté.

Voici donc le plan de son homélie :

PRÉAMBULE (§ 1)

Les quatre péricopes de *I Samuel* 27-28. Laquelle l'évêque veut-il qu'on explique? «Qu'on explique, dit-il, celle sur la nécromancienne».

EXORDE

1. L'intérêt du sujet (§ 2). Cette histoire nous «touche» : «Qui, après avoir quitté la vie, voudrait être au pouvoir d'un démon?»

2. Exposé de la thèse qu'il va combattre (§ 3). «Certains parmi nos frères... disent : Quand la nécromancienne prétend qu'elle a vu Samuel, elle ment.» Ils n'admettent pas qu'un saint aille en enfer : «Samuel en enfer,... lui prophète de choix?... Samuel, pourquoi en enfer?»

CORPS DE L'HOMÉLIE

Réfutation de cette thèse. Origène invoque les arguments suivants :

1. *Le témoignage de l'Écriture* (§ 4-5). Lecture glosée du texte biblique en insistant sur deux points :

a) C'est bien Samuel qui est apparu : «La femme vit Samuel... Saül connut que c'était Samuel... Samuel dit à Saül», etc.

b) Samuel a prophétisé la mort de Saül et l'accession de David à la royauté : choses qu'un démon n'aurait pas pu prophétiser.

2. *Samuel n'est pas le seul saint qui est descendu en enfer*. Origène cite trois exemples :

a) Jésus (§ 6) : il est descendu en enfer pour sauver ceux qui s'y trouvaient; il convenait que des prophètes aillent annoncer sa venue en enfer comme ils l'ont fait pour sa venue sur terre;

b) D'autres prophètes (§ 7a) : les «dieux» que la nécroman-

---

1. Cf. p. 51, n. 2.

cienne dit avoir vu monter de terre en même temps que Samuel
sont les âmes de ces autres prophètes ou leurs anges gardiens;

c) Jean-Baptiste (§ 7b) : il a été le précurseur du Christ en
enfer comme il l'avait été sur terre; c'est la raison pour laquelle,
avant de mourir, il envoie deux de ses disciples demander à
Jésus : «Es-tu celui qui vient ou devons-nous en attendre un
autre?», parole qui ne concernait pas sa venue ici-bas mais sa
venue en enfer[1].

3. *Il était utile que les prophètes aillent aux enfers* (§ 8-9a). Origène
développe sans beaucoup d'ordre les considérations suivantes :
– où qu'il soit le saint est saint;
– il est normal que, pour guérir les malades, les médecins aillent
là où sont les malades;
– Samuel n'avait pas perdu la grâce prophétique;
– les âmes des défunts avaient besoin de la grâce prophétique.

4. *Avant la résurrection de Jésus, personne ne pouvait entrer au
Paradis* (§ 9b).

PÉRORAISON (§ 10)
Depuis la résurrection du Christ, nous avons quelque chose de

---

1. L'idée de Jean-Baptiste précurseur du Christ dans l'Hadès se
retrouve chez TERTULLIEN, *Adu. Marc.*, IV, 18, 4-5 et ORIGÈNE, *Com.
Jn*, VI, 37, et chez d'autres auteurs après eux : cf. D. SHEERIN, «St John
the Baptist in the Lower World», *VChr* 30, 1976, p. 1-22; M. SIMO-
NETTI, «*Praecursor ad inferos*. Una nota sull'interpretazione patristica di
Matteo 11, 13», *Augustinianum* 20, 1980, p. 367-382. Elle était née à
l'occasion de la polémique antimarcionite. Parmi les arguments dont
Marcion s'était servi (ou dont on pensait qu'il pouvait se servir) pour
rejeter la Loi et les Prophètes, figurait la question que Jean-Baptiste
avait fait poser à Jésus. Elle indiquait en effet que Jean n'était pas certain
que Jésus fût le Messie attendu; il semblait donc avoir perdu la grâce
prophétique, d'où Marcion pouvait conclure que celle-ci était devenue
inutile depuis la prédication de Jésus. On répondait à cela que la
question du Baptiste ne concernait pas la venue du Christ sur terre, déjà
réalisée, mais sa venue dans l'Hadès : Jean, qui allait mourir sous peu et
descendre dans l'Hadès, voulait seulement savoir s'il devait annoncer
aux défunts que Jésus y viendrait aussi. Rien ne permet de supposer
qu'Origène ait lu Tertullien, mais comme il est certain que Tertullien
utilise dans les livres IV et V de son ouvrage un traité antérieur *Contre
Marcion,* c'est un indice qu'Origène a connu la même source.

plus que les prophètes, car, si nous avons vécu vertueusement, nous irons après notre mort au Paradis.

2. Les motivations d'Origène

Mais pourquoi Origène a-t-il adopté la position de Justin, acceptant la réalité de l'évocation de Samuel, et refusé celle de Josipe qui faisait monter un démon à la place du prophète ? Deux raisons doctrinales l'y poussaient :

a) La question du sort de l'âme après la mort

Par lui-même le problème de savoir si la magicienne d'Endor avait réellement évoqué Samuel était secondaire, mais, comme Origène le souligne, cette question touchait à une autre qui était capitale pour les chrétiens comme pour beaucoup de gens, la question de savoir ce qui les attendait après la mort. Tel est le contexte qui donne à l'homélie d'Origène sa véritable signification. Aussi est-il utile pour la comprendre d'indiquer, ne serait-ce que très sommairement, les idées qui avaient cours à ce sujet chez les chrétiens de l'époque d'Origène.

L'Écriture, à laquelle tous se référaient, contenait des textes d'âge et de provenance variés qui prêtaient à des reconstitutions diverses de la géographie de l'Au-delà et à plusieurs conceptions du sort de l'âme après la mort. Au début du IIIᵉ siècle, deux écoles existaient. La première en date est celle à laquelle Tertullien et Josipe s'étaient ralliés. Elle était surtout préoccupée de réagir contre une doctrine qui était largement répandue dans le paganisme, principalement dans l'élite intellectuelle imprégnée de platonisme, et selon laquelle, une fois libérées du corps par la mort, les âmes qui le méritaient montaient dans le ciel pour y jouir d'une béatitude immortelle[1]. Cette doctrine ne laissait pas

---

1. TERTULLIEN, De anima, 54-58.

de place pour une résurrection des corps et comme telle était jugée inacceptable pour un chrétien. Pour défendre le dogme de la résurrection, ces théologiens enseignaient donc qu'après la mort toutes les âmes, celles des bons comme celles des méchants, vont dans l'Hadès souterrain en attendant la résurrection finale. Toutefois, soucieuse de maintenir l'idée que la vertu est récompensée et le vice puni aussitôt après la mort, ils divisaient l'Hadès en deux parties en s'appuyant sur la parabole du pauvre Lazare et du mauvais riche (*Lc* 16, 23) : les bons, conduits par des anges, allaient à droite dans une région lumineuse et sans souffrance appelée le « sein d'Abraham », où ils étaient déjà récompensés par la vue des biens qui les attendaient ; les méchants étaient emmenés à gauche par des anges tortionnaires jusqu'à un lieu profond et obscur près d'un lac de feu, la Géhenne, dont la vue et les effluves torrides étaient déjà un châtiment. A la résurrection, les méchants seraient jetés dans l'étang de feu tandis que les justes sortiraient de l'Hadès pour aller au Paradis situé dans le ciel[1].

L'autre école était celle de Clément d'Alexandrie, continuée par Origène, et notre homélie est justement l'un des textes qui permettent le mieux de voir comment ces nouveaux théologiens se représentaient les choses. Pour eux, depuis la mort et la résurrection de Jésus, les âmes des justes vont tout de suite au Paradis comme Jésus l'avait promis au bon larron (*Lc* 23, 43), et celles des méchants, elles et elles seules, vont dans les enfers, disons plutôt en enfer, car dans cette perspective il n'est plus besoin de supposer deux lieux souterrains distincts : puisque les

---

1. JOSIPOS, *De uniuerso,* fragment conservé dans les *Sacra parallela;* édition : K. HOLL, *Fragmente vornicänischer Kirchenväter aus den Sacra Parallela* (*TU* 20/2), Leipzig 1899, p. 137 s.; traduction : P. NAUTIN, *Hippolyte et Josipe,* Paris 1947, p. 74-75. Le Paradis était considéré par tous comme un lieu céleste.

justes sont au Paradis, il n'y a qu'un seul Hadès où règnent le diable et ses anges. C'est là qu'avant la mort et la résurrection du Christ descendaient toutes les âmes, celles des justes comme celles des méchants, car le Paradis était fermé depuis la faute d'Adam; mais le Christ, en descendant aux enfers, est venu délivrer les âmes des saints et les a fait monter avec lui au Paradis, où vont désormais tous les justes en attendant de jouir de la béatitude éternelle après la résurrection[1].

Cette doctrine a exercé une influence considérable sur la pensée d'Origène, qu'il s'agisse de la manière de concevoir la rédemption, de la place faite dans la vie spirituelle à la lutte contre les démons ou de la purification de l'âme dans l'Au-delà entre la mort et la résurrection finale. Mais ce n'est pas ici le lieu d'explorer tous ces corollaires. Soulignons seulement les conséquences que les deux conceptions différentes de l'enfer et du sort de l'âme après la mort entraînaient pour l'interprétation de l'épisode biblique de la nécromancienne.

Pour la première école, Samuel, étant un juste, se trouvait dans le «sein d'Abraham» hors d'atteinte des démons. Il était donc inconcevable que le «petit démon» qui habitait la nécromancienne ait pu l'évoquer devant Saül, et Josipe avait écrit un livre exprès pour proposer une autre explication, qui lui était suggérée par la parole de l'Apôtre sur l'ange des ténèbres «qui se transforme en ange de lumière» (*II Cor.* 11, 14) : le personnage que la femme avait fait monter n'était pas Samuel en personne mais un démon qui s'était déguisé en Samuel.

Pour Origène au contraire, l'accès du ciel étant encore fermé à l'époque de la mort de Samuel, celui-ci, comme les

---

1. ORIGÈNE, *Hom. nécr.,* **9-10**; *De princ.,* II, II, 6-7; et CLÉMENT D'ALEXANDRIE, *Strom.,* VI, 13-14, 107, 2 à 108, 1; les deux auteurs s'éclairent mutuellement.

autres justes, était allé provisoirement en enfer, royaume de
la mort dominé par le diable. Rien donc d'étonnant à ce
que Samuel ait pu être évoqué par l'autre démon présent
dans la nécromancienne. Mais depuis lors le Christ est entré
en enfer en «fracassant les portes d'airain et les verrous de
fer» (*Ps.* 106, 16) pour délivrer Samuel et les justes de la
tyrannie du diable et les faire monter avec lui au Paradis.

En défendant sa conception contre celle de Josipe,
Origène pouvait avoir la conviction qu'il ne défendait pas
seulement une exégèse contre une autre, mais l'importance
que la mort et la résurrection du Christ avaient eue dans
l'histoire du salut : elles avaient ouvert le Paradis à tous les
justes. Au début de l'homélie, il avait posé en termes
dramatiques devant ses auditeurs la question de savoir si
après leur mort ils tomberaient comme Samuel «sous la
puissance d'un démon» (**2**, 16-27); il pouvait, à la fin, leur
donner cette réponse apaisante (**10**) :

> Nous avons «quelque chose de plus,» nous qui sommes
> «venus à la fin des siècles». Quoi de plus ? Si nous partons d'ici
> en étant devenus vertueux et bons, sans porter les fardeaux du
> péché, nous passerons nous aussi à travers «l'épée flam-
> boyante» et nous ne descendrons pas au lieu où ceux qui
> étaient morts avant la venue du Christ l'attendaient, mais nous
> passerons au travers sans que l'«épée flamboyante» nous cause
> aucun dommage : «Le feu éprouvera l'œuvre de chacun pour
> voir ce qu'elle est; si l'œuvre de quelqu'un est consumée, il en
> subira la perte, mais lui sera sauvé comme à travers le feu»...
>
> Les anciens, pas même les patriarches et les prophètes, ne
> disaient ce que nous pouvons dire, nous, si nous avons vécu
> bien : «Il vaut mieux se dissoudre et être avec le Christ.»

b) Un démon ne peut pas prophétiser

Origène avait une autre raison pour refuser la théorie de
Josipe. Celle-ci attribuait à un démon la prophétie faite à
Saül sur sa mort et sur son remplacement par David. Pour
Origène il est impossible qu'un démon puisse connaître à

l'avance et annoncer quoi que ce soit qui fait partie du plan de Dieu sur son peuple et sur le Messie à venir, comme par exemple l'installation comme roi d'Israël de celui qui devait être l'ancêtre du Christ :

4, 57 Alors, un petit démon fait une prophétie sur le royaume d'Israël?

5, 16 Un démon peut-il prophétiser sur tout le peuple de Dieu?

5, 20 Est-ce là une chose qu'un petit démon peut savoir : que David avait reçu l'onction royale avec l'huile du prophète et que le lendemain Saül allait quitter la vie et ses fils avec lui?

8, 15 Pour ma part, je ne peux pas accorder à un petit démon d'avoir une puissance telle... qu'il prophétise sur la royauté de David en annonçant qu'il va régner.

Concernant la prévision de l'avenir par les démons, la pensée d'Origène est définie essentiellement par deux considérations. D'une part, il admet comme la plupart de ses contemporains que les devins peuvent réellement prédire des événements futurs, et il pense que cette science leur vient des démons, qui doivent donc avoir «une certaine clairvoyance de l'avenir[1]». Mais d'autre part il a lu les lettres d'Ignace d'Antioche, selon qui Dieu a caché au diable l'incarnation du Fils de Dieu, sa naissance virginale et sa mort[2], et cela rejoignait chez Origène deux convictions profondes, qui étaient pour lui de l'ordre de l'évidence, à savoir que pour connaître les choses de Dieu il faut avoir en soi l'Esprit de Dieu, et que pour avoir en soi l'Esprit de Dieu il faut en être digne par la pureté de son cœur. Il était donc clair pour lui que les démons ne pouvaient pas connaître d'avance le plan de Dieu sur le

---

1. *C. Celse,* IV, 92, 5-6 (*SC* 136, p. 414); cf. *Hom. Nombr.,* 14, 3 (*SC* 29, p. 289) : «Balaam... était devin, c'est-à-dire qu'il profitait du concours des démons et par magie prévoyait l'avenir.»

2. IGNACE D'ANTIOCHE, *Eph.,* 19, 1; Origène cite le passage dans *Hom. Lc,* 6, 3 (*GCS Origenes* 9, p. 34; 22 s.).

monde et les événements qui s'y rapportaient[1]. C'est pourquoi, dans tous les passages qu'on vient de lire, il souligne l'objet de la prophétie faite par Samuel à Saül : il ne s'agissait pas d'un fait quelconque, mais de l'avènement de David comme roi d'Israël, qui préparait la venue du Christ descendant de David et roi du monde. C'était là un motif supplémentaire pour nier qu'un démon ait pris la place de Samuel. Nul autre que le saint prophète n'avait pu monter pour faire une telle annonce.

3. La seconde homélie sur le même sujet

Malgré tous les arguments qu'Origène avait accumulés dans son homélie, celle-ci provoqua des critiques[2], venant d'auditeurs – vraisemblablement des clercs – qui refusaient de croire qu'un juste, et qui plus est un prophète, ait pu obéir à une magicienne. Origène avait bien signalé la difficulté : «Que vient donc faire ici une nécromancienne? Que vient faire une nécromancienne pour faire monter l'âme du juste?» (6, 3), mais il n'y avait pas directement répondu. Il s'était borné à démontrer que Samuel, après sa mort, était allé en enfer et que nul autre que lui n'avait pu faire à Saül la prophétie rapportée dans le récit biblique. Il reprit donc le même sujet dans une seconde homélie

---

1. Le cas de Balaam faisait difficulté. Mais Origène faisait remarquer que le devin n'avait pas prophétisé l'incarnation du Christ par l'art divinatoire, mais parce que Dieu lui avait dit : «Quelque parole que je te mettrai dans la bouche, tu la prononceras», et que Dieu l'avait fait en raison de circonstances exceptionnelles : «Une admirable et magnifique providence s'exerce ici : puisque les prophéties renfermées dans l'enceinte d'Israël ne pouvaient parvenir aux Nations, Dieu se sert de Balaam qui avait la confiance de toutes les Nations pour leur faire connaître à elles aussi les mystères secrets du Christ» (*Hom. Nombr.*, 14, 3 = *SC* 26, p. 290).

2. Un fragment de la seconde homélie, cité par Eustathe, en porte témoignage; texte plus loin, p. 212, 15.

(homélie VI) comme nous l'avons appris par Eustathe d'Antioche[1]. Il affirmait fortement qu'il s'en était tenu au texte de l'Écriture[2], qu'il résumait en deux propositions : 1° La nécromancienne a fait monter quelqu'un ; 2° Saül s'est entretenu avec Samuel, preuve que Samuel était bien monté[3] :

> Que la nécromancienne a fait monter quelqu'un, c'est écrit, et que Saül s'est entretenu avec Samuel, c'est consigné.

Et après avoir développé ce thème, il ajoutait un peu plus loin[4] :

> Mais l'Écriture ne dit pas si Samuel est monté volontiers, car tu ne trouves pas écrit dans le texte si la nécromancienne l'a fait monter. Avant de me critiquer, qu'on lise donc l'Écriture !

D'après ces deux passages, les critiques faites à Origène portaient sur deux points :

1. On lui objectait d'abord que l'Écriture n'affirme pas que la nécromancienne ait fait monter Samuel lui-même. Elle rapporte seulement ce dialogue entre la femme et Saül : «Qui te ferai-je monter ? – Fais-moi monter Samuel» ; elle ne précise pas si après cela la magicienne a fait monter Samuel en personne. Origène conviendra que ce n'est pas indiqué dans le texte (lignes 13-14). Mais il fait remarquer qu'en tout état de cause la femme «a fait monter quelqu'un», et qu'il est affirmé ensuite que Saül s'est entretenu avec Samuel (lignes 10-11) : ces deux propositions ne donnaient-elles pas à penser que celui que la nécromancienne avait fait monter était Samuel ? Origène n'énonçait pas la conclusion, parce qu'il avait pris comme système de défense de s'en tenir au texte sacré, mais elle se dégageait d'elle-même des deux données scripturaires.

1. Cf. *supra*, p. 50.
2. Cf. *infra*, p. 210, 8-9.
3. Texte grec *infra*, p. 210, 10-11.
4. Texte grec *infra*, p. 212, 13-15.

2. On reprochait d'autre part à Origène que, d'après sa thèse, Samuel aurait obéi à l'injonction du démon qui habitait la nécromancienne, soumission qui apparaissait scandaleuse de la part d'un prophète. C'est à cette objection que répond la première phrase du second passage cité : « Mais l'Écriture ne dit pas si Samuel est monté volontiers. » Dans l'homélie V, Origène avait en effet envisagé, sans le dire expressément, la possibilité que Samuel ait eu comme un glossolale une extase qui abolissait la conscience[1], auquel cas il avait pu être évoqué par la femme sans avoir donné son assentiment. Et Origène d'ajouter cet argument *ad hominem* : « car tu ne trouves pas écrit dans le texte si la nécromancienne l'a fait monter »; si, de l'aveu de ceux qui critiquaient Origène, l'Écriture ne disait pas en toutes lettres que Samuel était monté, elle ne pouvait évidemment pas dire s'il était monté de son plein gré ou non !

Mais ce n'était là qu'une hypothèse et elle n'allait pas elle-même sans difficulté, puisqu'elle supposait chez un prophète une extase inconsciente contrairement à la doctrine ordinairement admise par les chrétiens. Aussi Origène évitait-il comme dans sa précédente homélie de proposer ouvertement cette solution. Il voulait définir l'enseignement de l'Écriture, préciser ce qu'elle disait et ce qu'elle ne disait pas, et pour le reste il acceptait d'ignorer comment les choses s'étaient passées dans la pratique. Les certitudes qui le motivaient étaient ailleurs et elles demeuraient inchangées : c'était que Samuel, avant que le Christ n'ait libéré les captifs et rouvert le chemin du Paradis, ne pouvait être qu'en enfer sous la tyrannie du diable, et c'était aussi qu'un démon ne pouvait pas prophétiser des faits appartenant à l'Histoire sainte, car seul le peut un saint.

1. *Hom.* V, **9**, 10-15 (cf. p. 200, n. 3).

Ce rappel des données de l'Écriture auquel Origène voulait s'en tenir sans rouvrir le débat de fond, n'a pas dû occuper l'homélie entière. La dernière phrase citée par Eustathe a tout l'air d'être celle qui clôturait le sujet : «Avant de me critiquer, qu'on lise donc l'Écriture!» C'était à la parole de Dieu, autorité suprême, qu'il renvoyait les mécontents. Après quoi, comme d'habitude, il commenta la leçon du jour.

TEXTE
ET
TRADUCTION

SIGLES

Homélie I

Baeh   Baehrens

Homélies II-IV

Kl   Klostermann (1901)

Homélies V-VI

Al	Allatius
Eust	Eustathe
Kl	Klostermann (1901)
Kl²	Klostermann (1912)
M	*Monacensis gr. 331*
T	papyrus de Toura

Les citations ou allusions scripturaires sont *en italique* dans le texte latin et dans la traduction. Les citations littérales y sont en outre placées entre guillemets.

HOMÉLIE I

Sur le Cantique d'Anne

«Puisque nous avons l'ordre de *chanter au Seigneur un cantique nouveau,* il fallait que nous ne recourrions pas seulement aux considérations usuelles et banales, mais que nous les *renouvelions* aussi quelque peu» (9, 73 s.).

HOMÉLIE I

Origenis
homilia in Librum Regnorum I

De Helchana et Fennana et Anna et Samuele,
et de Heli et Ofni et Finee

1   Non tunc tantummodo Deus *plantauit paradisum*[a], sed
donec statuta mortalium, donec salus hominum diuinis
institutionibus procuratur, semper fiunt ea, quae iusti uox
orat in psalmis, cum dicit : « *Inducens planta eos in monte*
5 *hereditatis tuae*[b] ». Vnde et omnes oramus esse *plantatio* Dei,
quia, si quis non fuerit *plantatio* Dei, sententia semel a
iudice omnium Saluatore nostro lata est dicens : « *Omnis
plantatio, quam non plantauit pater meus caelestis, eradicabi-
tur*[c] ». Deus ergo *plantat* et est propria quaedam Dei
10 agricultura, et necesse est quod ager ille, quem Deus colit
et *plantat,* non unam habeat arborum speciem, sed tam-
quam rus diuitis et potentis agricolae *omni* sit uirgultorum

---

Titulus Finee *scripsimus :* Finees *codd. Baeh.* || **1,** 2 statuta *plerique
codd. :* stat uita *G Baeh.*

---

1. a. Gen. 2, 8 ‖ b. Ex. 15, 17 ‖ c. Matth. 15, 13

---

1. Allusion à *Phil.* 3, 20 : «Notre cité est dans les cieux.» Sur la
traduction de πολίτευμα par *statuta,* voir plus haut p. 34 avec le passage
parallèle d'Origène (*Hom. Ex.,* 6, 10) qui y est cité.

HOMÉLIE I

D'Origène,
Homélie sur le premier livre des Règnes

*Sur Elcana, Phennana, Anne et Samuel
et sur Héli, Ophni et Phinées*

**Préambule :
compliments
à l'évêque
Alexandre**
Ce n'est pas seulement autrefois que Dieu *a planté le Paradis*[a] ; mais aussi longtemps que les enseignements divins font accéder les mortels à leur cité[1] et les hommes au salut, ne cesse de se réaliser ce que la voix du juste demande dans les Psaumes[2] : *« Conduis-les et plante-les sur la montagne de ton héritage*[b].*»* C'est pourquoi nous demandons tous à être une *plantation* de Dieu, parce que, si l'on n'est pas une *plantation* de Dieu, une sentence a été portée par le Juge universel, notre Sauveur, disant : *« Toute plantation que n'a pas plantée mon Père céleste sera arrachée*[c].*»* Dieu *plante* donc, il y a une agriculture propre à Dieu et il est nécessaire que le champ cultivé et *planté* par Dieu n'ait pas qu'une seule espèce d'arbres, mais, comme la propriété d'un agriculteur riche et

2. Erreur de mémoire d'Origène, qui croit avoir lu cette phrase dans un psaume alors qu'elle vient du chant des enfants d'Israël au chapitre 15 de l'*Exode*.

genere[d] refertum. Quomodo autem omnia habeantur in
agro Dei, consideremus ex huius terrae agris, quos
15 homines colunt. Numquidnam in agro suo paterfamilias
agricola totum uineas habet aut totum ficus aut totum mala
uel palmas? Sed qui diligens et industrius est colonus, ex
his omnibus agrum consitum habet et refertum. Sic ergo
intelligamus etiam in eo agro, quem Deus *plantat,* quia non
20 una sola arborum species est, quae tantum dulcia ferat
poma, sed aliqua dulcia, aliqua austera, suae tamen unum-
quodque utilitatis et gratiae. Nolite ergo illud in nobis
requirere, quod in papa habetis Alexandro; fatemur enim
quod omnes nos superat in gratia lenitatis. Cuius gratiae
25 non ego solus praedicator exsisto, sed uos omnes experti
cognoscitis et probatis. Et ideo eiusdem quidem agri
plantae esse possumus et optamus, non tamen eundem
saporem reddere in fructibus, quibus confitemur nos
habere aliquid amaritudinis in sapore aut forte quod
30 uideatur magis quam sit amarum, quia sermo correptionis
amarus quidem uidetur esse, dum corripit, dulcis autem
efficitur, cum emendat. Vide etiam ipsius Domini et
Saluatoris nostri sermones quia non omnes beatitudinem
continent nec omnes de uenia et indulgentia protestantur,
35 sed sunt in uerbis ipsius etiam austera quaedam et tristia.
Sicut enim dicit : *Beati*[e], qui haec et haec agunt, ita dicit :
Vae[f] illis, qui haec et haec egerint. Ego hoc etiam in
prophetis perscrutatus sum, et inueni perpaucis prophe-
tarum istud esse concessum, ut numquam aliquid populis
40 amarum aut triste loquerentur, sed dulcia semper et lenia.

---

d. Gen. 2, 9 ‖ e. Lc 6, 20 ‖ f. Lc 6, 24

---

1. Tout ce développement est inspiré par *Gen.* 2, 9 : «Dieu fit pousser
de terre *toutes sortes* d'arbres beaux à voir et bons à manger.»
2. Origène avait donc la réputation d'un prédicateur exigeant et rude.

puissant, qu'il soit rempli de boutures de *toutes sortes*[d]. Pour voir comment les choses se passent dans le champ de Dieu, regardons les champs de cette terre-ci qui sont cultivés par les hommes : est-ce qu'un chef d'exploitation agricole a toute sa terre en vignes, toute sa terre en figuiers, toute en arbres fruitiers ou en palmiers ? Non, mais un cultivateur consciencieux et avisé a sa terre plantée et garnie de toutes ces espèces[1]. Ainsi donc comprenons qu'il y a aussi dans le champ *planté* par Dieu, non pas une seule espèce d'arbres qui produirait seulement des fruits doux, mais il a des fruits doux, d'autres acides et chacun a pourtant son utilité et son agrément. Ne cherchez donc pas en nous ce que vous avez dans le pape Alexandre, car nous reconnaissons qu'il nous surpasse tous par un charisme de douceur. Ce charisme, je ne suis pas seul à le proclamer, mais tous, pour en avoir fait l'expérience, vous le connaissez et l'appréciez. C'est bien pourquoi nous pouvons et désirons être les plantes d'un même champ, sans pour autant porter des fruits ayant tous le même goût. Je reconnais que le goût des miens a quelque chose d'amer[2], mais peut-être plus amer en apparence qu'en réalité, parce que la parole de réprimande semble amère quand elle réprimande, mais elle devient douce quand elle guérit. Voyez les paroles de notre Seigneur et Sauveur lui-même : elles ne contiennent pas toutes une béatitude, ni toutes des déclarations de pardon ou d'indulgence, mais il y a dans ses paroles à lui aussi des choses âpres et sévères ; s'il dit : *Bienheureux*[e] ceux qui font ceci ou cela, il dit pareillement : *Malheur*[f] à ceux qui auront fait ceci ou cela. J'ai cherché aussi chez les prophètes et j'ai constaté que très peu nombreux sont les prophètes à qui il a été accordé de ne jamais tenir au peuple des propos amers ou sévères, mais toujours un langage agréable et doux ;

C'était conforme à l'idée qu'il se faisait de sa mission (cf. *SC* 232, p. 153-155). Il s'en prend plus loin aux prêtres qui se taisent (7, 33-36).

Obseruatum tamen est etiam a prioribus nostris, quod in
psalmis tantummodo illis, qui attitulantur «*filiis Chore*[g]»,
in ipsis solis nihil amaritudinis uel austeritatis uidetur
inferri, sed hoc iis quasi diuino munere concessum est, ut
45 nominis eorum psalmi semper laeta quaeque contineant.
Est ergo etiam in ipsis prophetis multa diuersitas; alii
tristia, alii laeta denuntiant. Sed et ipse apostolus Paulus,
qui *imitator* est *Christi*[h], habere se dicit *uirgam*[i], ad eos
utique, qui indigent disciplinam, et *in spiritu mansuetudinis*[i]
50 uenire se dicit, ad eos profecto, quorum uita culpis carebat.
Et ita inuenitur in una eademque eius epistola sermo et
amarus et dulcis, sicut et ad Corinthios in prima parte
prioris epistolae dicit : «*Quia in omnibus diuites facti estis in
ipso, in omni uerbo, et in omni scientia, sicut et testimonium*
55 *Christi confirmatum est in uobis, ita ut nihil uobis desit in nulla
gratia, exspectantibus reuelationem Domini nostri Iesu Christi*[i]»,
et paulo post progrediens, uide qualiter sermo eius exaspe-
ratur, cum dicit : «*Omnino auditur in uobis fornicatio, et talis
fornicatio, qualis nec inter gentes, ita ut uxorem patris habeat*
60 *aliquis. Et uos inflati estis, et non magis luxistis, ut tollatur e
medio uestrum, qui hoc opus fecit*[k]?»* Hoc autem ideo faciebat,
quia non omnes, ad quos sermo eius dirigebatur, laude
digni erant neque omnes confutari uel corripi merebantur;
et ideo amara dulcibus miscet, ut laus ad optimos quosque
65 correptio uero referatur ad pessimos. Haec idcirco diximus
in praefatione, quia scio uos consueuisse lenissimi patris

g. Ps. 41, 1; 43, 1; 44, 1 etc. ‖ h. I Cor. 11, 1 ‖ i. I Cor. 4, 21 ‖
j. I Cor. 1, 5-7 ‖ k. I Cor. 5, 1-2.

1. Le seul ouvrage chrétien sur les Psaumes qui nous soit connu
avant cette date est celui du romain Josipe au début du IIIe siècle; il y
traitait notamment des titres des Psaumes, ce qui devait l'amener à parler
de ceux intitulés «Aux fils de Coré». Il semble qu'Origène ait lu ce livre;
cf. P. NAUTIN, «L'homélie d'Hippolyte sur le psautier et les œuvres de
Josipe», *RHR* 179, 1971, p. 147-179, surtout aux pages 177-179;
Origène, t. 1, p. 291 et n. 57.

toutefois, mes prédécesseurs[1] ont déjà remarqué que les Psaumes intitulés *« Aux fils de Coré*[g]*»*, et eux seuls, ne renferment apparemment rien d'amer ou de sévère, mais c'est par une sorte de faveur divine qu'il a été accordé aux fils de Coré que les Psaumes qui portent leur nom contiennent toujours des choses heureuses. Il y a donc chez les prophètes[2] eux-mêmes beaucoup de diversité : les uns annoncent des choses tristes, d'autres des choses heureuses. L'apôtre Paul lui aussi, qui est *imitateur du Christ*[h], dit qu'il tient un *bâton*[i], évidemment pour ceux qui ont besoin d'être corrigés, et il dit d'autre part qu'il vient *avec un esprit de douceur*[i], pour ceux assurément dont la vie était sans faute. C'est ainsi qu'on trouve chez lui, dans une seule et même épître, à la fois des paroles amères et des paroles douces. De même, toujours dans la première épître aux Corinthiens, il dit dans la première partie : *« Vous avez été comblés en lui de toutes les richesses, toutes celles de la parole et toutes celles de la science, à raison même de la fermeté qu'a pris en vous le témoignage du Christ, en sorte qu'il ne vous manque aucun don de la grâce, dans l'attente où vous êtes de la Révélation de notre Seigneur Jésus-Christ*[j] *»; et un peu plus loin vois comment son langage s'irrite : «On n'entend parler que d'impudicité parmi vous et d'une impudicité telle qu'il n'en existe pas de pareille chez les païens eux-mêmes; c'est à ce point que l'un de vous vit avec la femme de son père. Et vous êtes gonflés d'orgueil, au lieu de prendre le deuil pour qu'on enlève du milieu de vous celui qui a commis cette action*[k] *! »* Il agissait ainsi parce que ceux à qui son discours s'adressait n'étaient pas tous dignes d'éloges et que, d'un autre côté, ils ne méritaient pas tous d'être réprimandés ou corrigés. C'est pourquoi il mêle l'amer au doux, pour que la louange aille aux meilleurs et la réprimande aux plus mauvais. Nous avons dit cela en préambule parce que je sais que vous êtes habitués à

2. David est vu ici comme un prophète; cf. *infra*, p. 176, n. 2.

dulces semper audire sermones, nostrae uero plantationis
arbuscula habet aliquid austeritatis in gustu, quod tamen
orantibus uobis fiet medicamentum salutis, quia et medica-
70 menta quaedam sunt dulcia, quaedam uero austera, non-
numquam et amara, et tamen in suis quaeque locis remedia
tribuunt, si cum mensura et temporis opportunitate
sumantur.

2   Historia nobis recitata est de primo libro Regnorum,
quae ita uidetur difficilis, ut absque diuinae uirtutis gratia
explanatio eius non possit exponi. Refertur ergo ibi : *« Erat*
uir unus ex Armathem Sipha de monte Effraim, et nomen eius
5 *Helchana*[a].*»* Et cum enumerasset omnem generationem
eius, dicit : *« Et huic erant,* inquit, *duae uxores : nomen uni*
Anna, et nomen secundae Fennana ; et nati sunt Fennanae filii, et
Annae non erat filius. Et adscendebat uir ille de ciuitate sua a
diebus in dies, ut adoraret et immolaret Domino uirtutum in Silo.
10 *Ibi erant Heli et duo filii eius Ofni et Finees sacerdotes Domini.*
Et facta est dies, in qua immolauit Helchana, et dedit Fennanae
uxori suae et omnibus filiis eius et filiabus eius partes ; Annae
autem dedit partem unam ; non enim habebat filios, quia concluserat
Dominus uuluam eius[b].*»* Tum deinde refert scriptura quia
15 *contristata est*[c] Anna, quod, cum acceperit Fennana *plurimas*
portiones[d] cum filiis suis, ipsa *unam* solam acceperit *partem*[e]
et quia hoc dolore percussa templum Domini ingressa
defleuerit et *orauerit*[f] cum silentio, ita ut *non audiretur uox*
eius[g], et quia *putans eam Heli* sacerdos esse *ebriam*[h] incre-
20 pauerit eam, ipsa uero cum humilitate respondens satisfe-

---

2. a. I Sam. 1, 1 ‖ b. I Sam. 1, 2-5 ‖ c. I Sam. 1, 7-8 ‖ d. I Sam. 1, 4 ‖
e. I Sam. 1, 5 ‖ f. I Sam. 1, 10 ‖ g. I Sam. 1, 13-14 ‖ h. I Sam. 1, 14

---

1. Cf. *SC* 232, Introduction, p. 155-156.
2. Un membre de phrase a été omis ici : «Toutefois Elcana aimait
Anne plus que l'autre.» L'omission ne doit pas remonter à Origène, car
il n'a pas pu citer de mémoire un texte aussi long et qui était au surplus
retouché d'après des traductions de la Bible autres que la Septante ; il le

toujours entendre des paroles agréables d'un père très
doux, tandis que les arbustes de notre plantation ont
quelque chose d'âpre au goût, mais qui deviendra, grâce à
vos prières, un remède de salut, car certains remèdes sont
doux, d'autres âpres et parfois amers, et pourtant chacun
dans son domaine procure un soulagement si on le prend
avec mesure et en temps voulu.

Résumé de la péricope lue　　L'histoire qui nous a été lue du
premier livre des Rois paraît si diffi-
cile que sans la grâce d'une force
divine[1] on ne peut en donner l'explication. Il y est raconté
ceci : *« Il y avait un seul homme de Armathem Sipha, de la
montagne d'Éphraïm, et son nom était Elcana*[a] *»*, et après avoir
énuméré toute sa généalogie, le texte dit : *« Il avait deux
femmes : le nom de l'une était Anne et le nom de la seconde
Phennana. Il naquit à Phennana des fils, et Anne n'avait pas de
fils. Cet homme montait de sa ville à jours fixes pour adorer et
immoler au Dieu des Puissances à Silo. Là se trouvaient Héli et
ses deux fils, Ophni et Phinées, prêtres du Seigneur. Vint un jour
où Elcana immolait ; il donna à sa femme Phennana et à tous ses
fils et filles de nombreuses parts, mais il ne donna à Anne qu'une
seule part, car elle n'avait pas de fils*[2] *parce que Dieu l'avait rendue
stérile*[b]. *»* Ensuite l'Écriture rapporte qu'*Anne fut attristée*[c]
de ce que, à la différence de Phennana qui avait reçu *de
nombreuses parts*[d] avec ses fils, elle-même n'avait reçu qu'*une
seule part*[e] ; que, transpercée de douleur, elle entra dans le
temple de Dieu, *pleura* et *pria*[f] en silence *sans qu'on entende sa
voix*[g], et que le prêtre *Héli croyant qu'elle était ivre*[h] lui fit des
reproches, mais elle, répondant avec humilité, rassura le

lisait certainement dans la bible qu'il avait en mains en prêchant. Il
semble que l'oubli soit plutôt le fait d'un copiste grec et que cela ait
incité ensuite Rufin à introduire le mot *quia* (au lieu de « et » dans le grec)
pour rattacher les mots *non enim habebat filios* à la proposition *concluserat
Dominus uuluam eius.*

cerit sacerdoti, orauerit autem ad Dominum, ut conciperet
filium, promittens se Deo consecraturam quodcumque
genuisset[i]. Et cum ex repromissione filium suscepisset[j],
refertur quod a lacte depulsum obtulerit eum Deo[k]. Non
25 enim poterat offerre Domino prius eum quam a lacte
depelleret. Offert ergo eum in oratione quadam propheticis
distincta mysteriis[l].

Abbreuiauimus, in quantum potuimus, continentiam
3 lectionis; | uideamus nunc quid etiam per haec, quae
proposuimus, indicetur. Fortassis enim dicat nobis aliquis
ad audientiam legis nostrae nuper accedens : Christiana
religio pudicitiam profitetur in tantum, ut, si fieri potest,
5 *nec contingamus* omnino *mulierem;* sic enim dicit apostolus :
« *Bonum est enim homini non tangere mulierem*[a].» Iste autem
iustus tuus Helchana, qui nobis ab Scriptura proponitur ad
exemplum, duas simul uxores habuisse describitur, ex
quibus illa, quae prius nominatur, non habet filios, id est
10 Anna, Fennana autem et multos habere filios dicitur et
multas accipere *portiones.* Illa autem prior *unam solam,* quia
sola est, accepit partem et de sterilitate conqueritur. Numquidnam etiam nos contristari debemus, quia filios non
habemus, et uirgines nostrae contristari debent, quod sine
15 filiis uiuunt? Haec dixi adsumens personam eorum, qui
nondum plene instructi de his, quae in scripturis ueteribus
recitantur, moueri scrupulosius solent. Deprecor autem
uos omnes, ut, quoniam sensum tam difficilium rerum
conamur aperire et ea, quae *uelamine* obtecta sunt, ecclesiae
20 auribus pandere – *in lectione* enim *ueteris Testamenti,* sicut
dicit apostolus, *uelamen est positum*[b] –, precibus a Domino
postuletis, ut dignetur nobis *ad se conuersis auferre uelamen*[c]

---

i. I Sam. 1, 11 ‖ j. I Sam. 1, 20 ‖ k. I Sam. 1, 20-28 ‖ l. I Sam. 2, 1-11.
3. a. I Cor. 7, 1 ‖ b. II Cor. 3, 14 ‖ c. II Cor. 3, 16

---

1. Les nouveaux venus n'étaient admis qu'à entendre l'explication de
l'Ancien Testament; cf. notre *Origène,* p. 394-395.

prêtre et pria le Seigneur pour concevoir un fils en promettant de consacrer à Dieu l'enfant qu'elle mettrait au monde quel qu'il fût[i]. Et, comme à la suite de sa promesse elle avait reçu un fils[j], il est rapporté que, lorsqu'il fut sevré, elle l'offrit à Dieu[k], car elle ne pouvait pas l'offrir au Seigneur avant de l'avoir sevré. Elle l'offre donc dans une prière remarquable par ses sous-entendus prophétiques[l].

Elcana et ses deux femmes   Nous avons résumé autant que nous avons pu le contenu de la lecture ; | voyons maintenant ce qui en ressort même à travers ce bref exposé. Peut-être un auditeur qui vient depuis peu écouter notre Loi[1] nous dira-t-il : 'La religion chrétienne fait profession de chasteté au point que nous devrions, si possible, *éviter* tout *contact avec une femme,* car l'Apôtre dit : *« Il est bon pour un homme de ne pas toucher de femme*[a] *» ;* or le juste Elcana dont tu parles, qui nous est donné en exemple par l'Écriture, est dépeint comme ayant eu deux femmes en même temps, dont la première, nommée Anne, n'avait pas de fils, tandis que de Phennana il est dit à la fois qu'elle a eu beaucoup de fils et qu'elle a reçu beaucoup de *parts ;* la première, parce qu'elle était seule, a reçu *une seule part,* et elle se plaint de sa stérilité : devons-nous donc, nous aussi, nous attrister de n'avoir pas d'enfants, et nos vierges doivent-elles s'attrister de vivre sans enfants ?' J'ai dit cela pour parler comme ceux qui, n'étant pas encore pleinement instruits de ce qui est raconté dans les Écritures anciennes, y rencontrent d'ordinaire pas mal d'obstacles ; mais, je vous le demande à tous, puisque nous essayons de découvrir le sens de choses si difficiles et d'exposer aux oreilles de l'Église ce qui a été couvert d'un *voile* – car, comme dit l'Apôtre, il y a *un voile posé sur le texte sacré de l'Ancien Testament*[b] –, suppliez Dieu par des prières qu'il nous fasse la grâce, après que nous nous serons *tournés vers lui,* d'*ôter*

etiam de hac *lectione*[b], quam habemus in manibus, et planius
nobis reserare, quae tecta sunt, ut et nos possimus *reuelata*
25 *facie* in his, quae lecta sunt, *gloriam Domini speculari*[d].

4   « *Erat,* inquit, *uir unus ex Armathem de monte Effraim*[a]. »
Non me latet primo hoc, quod in aliquibus exemplaribus
habetur : *erat uir quidam,* sed in his exemplaribus, quae
emendatiora probauimus, ita habetur : *« Erat uir unus. »* In
5 quo nobis etiam Hebraei, qui contradicunt in ceteris,
acquiescunt.

« Erat ergo *uir unus. »* Vide si non hoc ipsum ad laudem
pertinet iusti, quod dicitur de eo : *« Erat uir unus. »* Nos, qui
adhuc peccatores sumus, non possumus istum titulum
10 laudis acquirere, quia unusquisque nostrum non est *unus,*
sed multi. Intuere namque mihi illius uultum nunc irati,
nunc iterum tristis, paulo post rursum gaudentis et iterum
turbati et rursum lenis, in alio tempore de rebus diuinis et
uitae aeternae actibus consulentis, paulo post uero, uel
15 quae ad auaritiam uel quae ad gloriam saeculi pertinent,
molientis. Vides, quomodo ille, qui putatur *unus* esse, non
est *unus,* sed tot in eo personae uidentur esse, quot mores,
quia et secundum scripturas *« insipiens sicut luna mutatur*[b] ».
Vnde et luna, cum uideatur una esse per substantiae
20 immutationem, tamen semper a semet ipsa alia est sem-
perque diuersa et sic etiam in ipsa constat quod una multae
sint. Sic ergo etiam nos, qui adhuc *insipientes* et imperfecti
sumus, quia semper mutamus sententias et semper diuersa
et cupimus et sentimus, *unus* non possumus dici; de iustis

---

d. II Cor. 3, 18
4. a. I Sam. 1, 1 ‖ b. Sir. 27, 11

---

1. La Septante portait : «un homme», ἄνθρωπος; les autres traduc-
teurs, ou tout au moins Aquila réputé le plus fidèle, avaient : ἄνθρωπος
εἷς, traduction littérale de l'hébreu; cf. *supra,* p. 69.

une fois encore *le voile*[c] de la *lecture*[b] que nous avons en mains et de nous rendre ce qui s'y trouve caché plus facilement accessible, pour que nous puissions *contempler à visage découvert le reflet de la gloire du Seigneur*[d] dans ce qui vient d'être lu.

« *Il y avait un seul homme, de Armathem de la montagne d'Éphraïm*[a]. » Il ne m'échappe pas, pour commencer, que quelques exemplaires ont : *Il y avait un homme,* mais les exemplaires qui se sont avérés à l'expérience les plus corrects portent : « *Il y avait un seul homme* », en quoi les Hébreux eux-mêmes, qui nous contredisent ailleurs, s'accordent avec nous[1].

Donc « *il y avait un seul homme* ». Vois si ce n'est pas à la louange du juste qu'il est dit de lui : « *Il y avait un seul homme* ». Nous qui sommes encore pécheurs, nous ne pouvons pas acquérir ce titre de louange, parce que chacun de nous n'est pas *un seul* mais multiple. Regarde en effet le visage de cet homme tantôt irrité, tantôt abattu, peu après joyeux, de nouveau troublé et ensuite radouci, à un certain moment préoccupé des choses divines et des actes qui conduisent à la vie éternelle, et l'instant d'après se lançant dans des entreprises de cupidité ou de vanité mondaine : tu vois comment cet homme qui croit être *un* n'est pas *un,* mais semble avoir en lui autant de personnes que de comportements, car, selon les Écritures elles-mêmes, « *l'insensé change comme la lune*[b] ». Le fait est que la lune, tout en semblant être une par sa substance immuable, est néanmoins toujours autre qu'elle-même, toujours diverse, d'où il résulte à l'évidence pour elle aussi que, tout en étant une, elle est multiple. De même, nous qui sommes encore *insensés* et imparfaits, nous ne pouvons pas être dits *un,* parce que nous changeons toujours d'avis et que nous sommes toujours divers dans nos désirs comme dans nos pensées ; mais quand il s'agit des justes, non seulement on

25 autem non solum per singulos *unus* dicitur, uerum et
omnes competenter *unus* dicuntur. Et cur non omnes
unus dicantur, quorum *cor et anima una*[c] esse describitur?
Vnam semper omnes *sapientiam meditantur*[d], *unum sapiunt,*
unum *sentiunt*[e], *unum Deum* uenerantur, *unum Iesum*
30 *Christum Dominum*[f] confitentur, *uno Spiritu* Dei replentur[g].
Vnde merito et ipsi omnes non solum unum, sed et *unus*
dicuntur, sicut et apostolus designauit dicens : « *Omnes
quidem currunt; sed unus accipit palmam*[h]. » Vides manifeste
quia omnes iusti *unus* est, qui *accipit palmam.* Vere enim
35 imitatur iustus, qui talis est, *unum Deum.* Nam, ut ego
arbitror, etiam illud, quod per prophetam dicitur :
« *Audi Istrahel; Dominus Deus tuus Deus unus est*[i] »;
non tantum numero *unus* designatur, qui utique supra
omnem numerum esse credendus est, sed per hoc magis
40 *unus* dici intelligendus est, quod numquam a semet ipso
alter efficitur, hoc est numquam mutatur, numquam in
aliud uertitur, sicut de eo Dauid protestatur dicens : « *Tu
autem idem ipse es, et anni tui non deficient*[j]. » Sed et illud
in hunc sensum respicit, quod scriptum est : « *Ego sum
45 Dominus Deus uester et non immutor*[k]. » Immutabilis ergo est
Deus et per hoc *unus* dicitur quod non mutatur. Sic ergo et
imitator[l] Dei iustus, qui *ad imaginem*[m] eius *factus est, unus*
etiam ipse, cum ad perfectum uenerit, appellatur, quia et
ipse, cum in uirtutis summa constiterit, non mutatur, sed
50 *unus* permanet semper; nam dum in malitia est unusquisque, per multa diuiditur et in diuersa dispergitur et,
dum in multis est malitiae generibus, dici non potest *unus.*

Igitur, quia secundum mirabilem hanc unitatem *unus* est
iustus, immo et plures iusti *unus* sunt, ideo et sanctus
55 apostolus omnem cohortatur ecclesiam dicens : « *Vt idem*

c. Act. 4, 32 ‖ d. Ps. 36, 30 ‖ e. I Cor. 1, 10 ‖ f. I Cor. 8, 6 ‖
g. I Cor. 12, 9.13 ‖ h. I Cor. 9, 24 ‖ i. Deut. 6, 4 ‖ j. Ps. 101, 28 ‖
k. Mal. 3, 6 ‖ l. Éphés. 5, 1 ‖ m. Gen. 1, 27

dit de chacun d'eux qu'il est *un*, mais encore il convient de
dire de tous ensemble qu'ils sont *un*. Et comment ne pas
dire que tous sont *un* quand l'Écriture les dépeint comme
ayant *un seul cœur et une seule âme*[c]? Ils *s'exercent* tous *à une
seule sagesse*[d], ils ont les *mêmes sentiments, les mêmes pensées*[e],
ils vénèrent *un seul Dieu*, confessent *un seul Seigneur, Jésus-
Christ*[f], sont remplis d'*un seul Esprit* de Dieu[g]. Aussi dit-on
à juste titre d'eux tous qu'ils sont, non seulement une seule
chose, mais *un seul*, comme l'Apôtre l'a indiqué lui-même
en ces termes : « *Tous courent, mais un seul reçoit la palme*[h]. »
Tu vois à l'évidence que tous les justes n'en forment plus
qu'*un seul*, qui *reçoit la palme*. De fait, le juste qui est tel
imite vraiment *un seul Dieu*, car, à mon avis, c'est ce que dit
aussi le prophète : « *Écoute Israël : Le Seigneur ton Dieu est un
seul Dieu*[i]. » Ce n'est pas seulement par le nombre que Dieu
est déclaré *un*, puisqu'on doit croire qu'il est au-dessus de
tout nombre, mais il faut plutôt comprendre qu'il est dit *un*
pour la raison qu'il ne devient jamais autre que lui-même,
c'est-à-dire que jamais il ne se modifie, jamais il ne change
en autre chose, comme David en témoigne en disant de
lui : « *Toi tu es le même et tes années ne cesseront jamais*[j]. » On a
encore dans le même sens cette parole : « *Je suis le Seigneur
votre Dieu et je ne change pas*[k]. » Immuable est donc Dieu, et
s'il est dit *un*, c'est parce qu'il *ne change pas*. Ainsi donc le
juste, *imitateur de Dieu*[l], *fait à son image*[m], est appelé
lui-même *un* quand il arrive à la perfection, parce que lui
aussi, quand il est établi au sommet de la vertu, il ne change
pas mais demeure toujours *un;* car aussi longtemps que
quelqu'un est dans le vice, il est partagé entre des choses
multiples, dispersé entre des choses diverses, et, du fait
qu'il est aux prises avec plusieurs espèces de vices, il ne
peut pas être dit *un*.

Aussi, puisqu'en vertu de cette admirable unité le juste
est *un*, bien plus, puisque plusieurs justes sont *un*, le saint
Apôtre exhorte-t-il toute l'Église en ces termes : « *Ayez tous*

dicatis omnes et non sint in uobis schismata, sitis autem perfecti in
eodem sensu et eadem sententia[n]. » Propterea etiam in Actibus
apostolorum « *cor et anima credentium una*[o] » esse dicitur. Si
autem etiam subtilius aliquid considerare uelimus, inuenire
60 possumus et aliam unitatem; uerbi gratia, si ita *mortificauero*
membra mea, ut iam *non concupiscat caro aduersus spiritum*
neque spiritus aduersus carnem[p], si iam non sit alia lex in
membris meis, quae repugnet legi mentis meae et captiuum
me ducat in *legem peccati*[q], si omnia, quae intra me sunt, *in*
65 *uno atque eodem sensu perfecta sint et una atque eadem sententia*[r]
moueantur, tunc ero etiam *uir unus.*

5   Hic igitur *unus* laudabilis duarum uxorum uir primo
omnium unde sit, uideamus. « *De monte,* inquit, *Effraim*[a]. »
Ergo non est iustus de uallibus nec de campis nec de ullis
inferioribus locis, sed nec de collibus quidem. *De monte* est.
5 Et *de* quo *monte? Effraim,* qui interpretatur fructificatio. Est
ergo *de monte* fructifero et locus eius fructifer. Vide et
scriptura quam laudem *montium* dicit : « *Deus,* inquit, *Deus*
montium est, et non est conuallium[b]. »

Sed et nomen iusti huius est *Helchana*[c], quod interpre-
10 tatur possessio Dei. Certum est quia ille, de quo dictum est,
quod *unus* esset *uir,* possessio Dei est et non possessio
daemonum. Quem enim possident daemones, non est *unus*
sed multi, sicut et ipsi daemones de eo, quem possidebant,
responderunt dicentes quia *legio nomen est ei*[d]; *unus* uero est

---

4, 57 sententia *scripsimus :* scientia *codd. Baeh.*

---

n. I Cor. 1, 10 ‖ o. Act. 4, 34 ‖ p. Gal. 5, 17 ‖ q. Rom. 7, 23 ‖
r. I Cor. 1, 10.
5. a. I Sam. 1, 1 ‖ b. III Rois 21, 23 ‖ c. I Sam. 1, 1 ‖ d. Mc 5, 9

---

1. Étymologie empruntée à la *Traduction des noms hébreux :* cf.
LAGARDE, p. 164, 67; 177, 58; etc.; WUTZ, p. 53; 72; 114. Elle avait été
utilisée par PHILON, *Leg.,* III, 93 et le sera encore par Origène dans
Hom. Jos., 21, 2 (*GCS Origenes* 7, p. 430, 11).

le même langage et qu'il n'y ait pas entre vous de division, mais soyez tous parfaits dans le même esprit et le même avis[n].» C'est aussi pourquoi dans les Actes des apôtres il est dit que *« les croyants étaient un seul cœur et une seule âme*[o]*»*. Et si nous voulons faire une observation encore plus pénétrante, nous pouvons même trouver une autre unité : si par exemple je *mortifie mes membres* au point que *la chair n'ait plus de désirs contraires à l'esprit ni l'esprit de désirs contraires à la chair*[p], s'il n'y a plus dans mes membres une autre loi qui s'insurge contre la loi de mon esprit et me rende captif de *la loi du péché*[q], si tout ce qui est en moi est parfait *dans un seul et même sentiment* et mû par *un seul et même avis*[r], alors je serai moi aussi *un seul homme*.

Cet homme louable, mari de deux femmes, était donc *un seul*. Voyons avant toute chose d'où il vient : *« De la montagne d'Éphraïm*[a]*.»* Ainsi le juste ne vient pas des vallées, ni des plaines, ni d'aucun lieu bas, et pas même des collines, il vient *de la montagne*. Et *de* quelle *montagne ?* D'*Éphraïm*, qui signifie «fructification[1]». Il vient donc *de la montagne* qui produit des fruits et son pays est porteur de fruits. Vois aussi quel éloge l'Écriture fait des *montagnes :* «*Dieu,* dit-elle, *est le Dieu des montagnes et non des vallées*[b].»

En outre le nom de ce juste est *Elcana*[c] qui signifie «possession de Dieu[2]». Il est certain que celui dont il est dit qu'il est *un seul homme* est «possession de Dieu» et non possession des démons. Celui en effet que possèdent les démons n'est pas *un seul homme* mais plusieurs, comme les démons eux-mêmes l'ont dit de celui qu'ils possédaient quand ils ont répondu : *« Son nom est légion*[d][3].» Mais Elcana

___

2. Toujours d'après la *Traduction des noms hébreux* : LAGARDE, p. 195, 46 ; 216, 39 ; 225, 67 ; WUTZ, p. 680.

3. Cf. *Hom. Lév.,* 5, 12 (*SC* 286, p. 264, 128 s.) : «Celui qui est pécheur et impur appartient à beaucoup, car beaucoup de démons le possèdent... Ainsi celui qui dans les Évangiles fut guéri par le Seigneur ;

15 Helchana, qui est possessio Dei, qui et habet patriam
montem Effraim, montem frugiferum.

Iste ergo tam laudabilis uir habuit *« duas uxores ; nomen uni
Anna et nomen secundae Fennana[e] »*. Habebat autem filios de
secunda, Fennana, sterilis uxor erat prior illa, quae et
20 nobilior erat. Similia inuenies etiam in Genesi ; cognata
quippe sibi est scriptura diuina. Inuenies ibi primam
uxorem Abrahae *Sarram*[f] nobiliorem, secundam uero
Aegyptiam *Agar* ignobilem fuisse, et ante patrem effectum
Abraham de ignobili quam de nobili, fit tamen postmodum
25 etiam de nobili coniuge pater. Ita ergo etiam nunc Helchana hic, qui est possessio Dei, prius de secunda uxore
efficitur pater, quoniamquidem *concluserat Deus uuluam
Annae*[g], sicut et prius *concluserat Deus uuluam* Sarrae ; post
plurimos uero partus Fennanae etiam Annae uulua oratio-
30 nibus et precibus aperitur et efficitur etiam ipsa mater filii
eius, quem *obtulit Deo.* Quid ergo haec in se sacramenti
contineant, uideamus. *Fennana* interpretatur conuersio,
Anna autem interpretatur gratia. Vnusquisque ergo nostrum, qui uult effici possessio Dei, istas sibi duas iungat
35 uxores et cum ipsis sibi nuptias celebret. Primam sibi
iungat, quae nobilior est et generosior, gratiam ; haec enim
nobis per fidem prima coniungitur, sicut et apostolus dicit :
« Gratia salui facti estis per fidem[h] *»,* secundae uero coniun-

---

e. I Sam. 1, 2 || f. Gen. 16, 1-2 || g. I Sam. 1, 5 || h. Éphés. 2, 8

---

comme on lui demandait : Quel est ton nom ? il répondit : Légion, car
nous sommes beaucoup. »

1. Cf. *Hom. Gen.,* 12, 1 (*SC* 7 bis, p. 292, 12 s. ; trad. Doutreleau) :
« Demande-toi d'abord pourquoi l'Écriture rapporte d'un grand nombre
de saintes femmes qu'elles furent stériles, comme Sara, comme, aujour-
d'hui, Rebecca ; Rachel aussi, la préférée d'Israël, fut stérile. Stérile
également, selon l'Écriture, Anne la mère de Samuel. Et dans les
Évangiles aussi on fait mention de la stérilité d'Élisabeth. Pour toutes
ces femmes, un seul titre d'honneur est indiqué, celui d'avoir mis au
monde, toutes, à la fin de leur stérilité, un enfant saint. »

est *un seul,* lui qui est «possession de Dieu», lui qui a pour
patrie la *montagne d'Éphraïm,* la montagne qui «porte du
fruit».

Cet homme si louable eut donc *« deux femmes : le nom de
l'une était Anne, le nom de l'autre Phennana*[e].» Il avait aussi
des fils de sa seconde femme, Phennana; la première, qui
était aussi la plus noble, était stérile. Tu trouveras encore
des choses semblables dans la Genèse[1], car les paroles de
l'Écriture ont des rapports étroits entre elles : tu y trouveras qu'Abraham a eu une première femme plus noble,
Sara[f], et une seconde, l'égyptienne *Agar,* de basse naissance[f], et qu'Abraham, avant de devenir père par son
épouse noble, l'est devenu par celle de basse naissance,
mais qu'ensuite il l'est devenu aussi par son épouse noble.
De même ici, Elcana, qui est «possession de Dieu», devient
d'abord père par sa seconde épouse, parce que *Dieu avait
fermé le sein d'Anne*[g] comme il avait d'abord *fermé le sein* de
Sara. Mais après plusieurs enfantements de Phennana, le
sein d'Anne s'est ouvert grâce à ses prières et supplications,
et elle est devenue à son tour mère d'un fils, qu'elle a *offert à
Dieu.* Voyons donc ce que ces choses renferment de
mystère : *Phennana* signifie «Conversion» et *Anne*
«Grâce»[2]. Chacun de nous qui veut devenir «possession
de Dieu» doit donc s'unir à ces deux épouses et célébrer
des noces avec elles. Qu'il s'unisse d'abord à la première
qui est plus noble et de meilleure extraction : la «Grâce»;
car c'est elle qui nous est unie la première par la foi comme
l'Apôtre le dit : *« Vous avez été sauvés par grâce, par le moyen de
la foi*[h]»; qu'il s'unisse ensuite à la seconde, Phennana,

---

2. Cf. WUTZ, p. 107 et 748; PHILON, *Deus,* 5; ORIGÈNE, *Hom. Gen.,*
11, 2, 13-18 (*SC* 7 bis, p. 282, 13 s.) : «Le juste Elcana avait deux
épouses en même temps; l'une s'appelait Phennana et l'autre Anne,
c'est-à-dire Conversion et Grâce. Il eut d'abord des enfants de Phennana, c'est-à-dire de Conversion, et ensuite d'Anne, qui est la Grâce».

gatur Fennanae, id est conuersioni, quia post gratiam
40 credulitatis emendatio fit morum et uitae conuersio. Sed
cum iste sit ordo nuptiarum, alius ordo procreationis
efficitur. Prima namque nobis filios parit Fennana, quia
primos fructus de conuersione proferimus et prima iustitiae
germina de actibus et operibus procreamus. Primum
45 namque iustitiae opus est conuerti a peccatis, quia, nisi ante
conuertamur et declinemus a malo, non poterimus de Anna
effici patres nec de gratia filios generare.

Videamus ergo nunc uniuscuiusque differentias. *Fennana
filios habet,* sed qui non assistunt Deo; neque enim tales esse
50 possunt filii conuersionis, ut assistant et adhaerant Deo.
Nec tamen inanes et penitus alieni sunt a rebus Dei;
accipiunt namque *partes* de sacrificiis diuinis et edunt de
hostiis Dei. Vnusquisque ergo nostrum primo conuertitur
a peccato et ex conuersione generat opera iustitiae; postea
55 uero excitata in nobis Anna per zelum et aemulationem
boni *precem fundit ad Deum,* ut et ipsa filios generet. Quales
ergo Anna, quae est gratia, filios generat? Qui assideant
Deo. « *Gratia* enim *et ueritas per Iesum Christum facta est*[i].»

Hic ergo est filius gratiae, qui Deo uacat et Verbo Dei.
60 Vis autem euidentiorem tibi ostendam et in euangeliis
huiusmodi intelligentiae formam, quae in lege quidem
adumbratur per uxores, in euangeliis uero amplius describitur per sorores? Vide Martham et Mariam, ex quibus
Martha quidem *conturbatur et satagit circa multum ministerium*[j]

---

i. Jn 1, 17 ‖ j. Lc 10, 41

---

1. Celui qui veut devenir chrétien commence par croire, par l'effet
d'une grâce, puis il corrige ses mœurs pendant le catéchuménat.
2. En clair, les fils de Phennana sont les chrétiens ordinaires : ils
participent à l'Eucharistie (l. 52-53) et produisent des œuvres de justice
(54); ceux d'Anne sont les spirituels, qui «se tiennent près de Dieu» (57,
cf. 49.50) comme Samuel dans le Temple (cf. 69) en consacrant tout leur
temps à Dieu et à l'Écriture Sainte (59).

c'est-à-dire à la «Conversion», parce qu'après la grâce de la croyance ont lieu la correction des mœurs et la conversion de la vie[1]. Mais, bien que ce soit là l'ordre des mariages, autre est l'ordre de la procréation; la première en effet qui nous enfante des fils est Phennana, parce que les premiers fruits que nous portons viennent de la «Conversion» et les premiers germes de justice que nous procréons viennent de nos actions et de nos œuvres. Car la première tâche de la justice est de se détourner des péchés, parce que, si nous ne commençons pas par nous convertir et par nous détourner du mal, nous ne pourrons pas devenir pères par Anne, ni engendrer des fils par «Grâce».

Voyons donc maintenant les différences entre l'une et l'autre. *Phennana a des fils,* mais qui n'approchent pas de Dieu. Le fait est que les fils de «Conversion» ne sont pas tels qu'ils puissent être près de Dieu et fixés sur lui, néanmoins ils ne sont pas sans valeur ni complètement étrangers aux choses de Dieu. Ils reçoivent en effet des *parts* des sacrifices divins et se nourrissent des offrandes faites à Dieu. Chacun de nous se convertit donc d'abord, s'éloigne du péché et par «Conversion» il engendre des œuvres de justice, puis Anne, éveillée en nous par le zèle et le désir du bien, *répand des prières devant Dieu* pour engendrer elle aussi des fils. Quels sont donc les fils engendrés par celle qui est «Grâce», Anne? Ceux qui se tiennent près de Dieu[2]. Car *« Grâce et Vérité sont venues par Jésus-Christ*[i]*».*

Le fils de «Grâce» est donc celui qui se consacre à Dieu et au Verbe de Dieu. Veux-tu que je te montre aussi dans les Évangiles un cas plus clair d'une idée semblable, qui dans la Loi était esquissée par des épouses, mais qui dans les Évangiles est décrite plus amplement par des sœurs. Vois Marthe et Marie : l'une, *Marthe, s'inquiète et s'agite pour de multiples tâches*[j], elle accomplit les œuvres de «Conver-

65 et explet opera conuersionis et per haec uelut conuersionis
filios generat, *Maria uero secus pedes uerbi Dei optimam
partem* dicitur *elegisse*[k] et per haec intelligitur uelut gratiae
germina procreare. Sic ergo et nunc *Anna generat filium.*
Quem filium? *Samuel*[l], inquit, qui Deo assistit, de quo in
70 psalmis dicitur : « *Moyses et Aaron in sacerdotibus eius et
Samuel in his, qui inuocant nomen eius*[m]. » Sed et Hieremias
dicit : « *Si steterit Moyses et Samuel in conspectu meo, non
remittam iis*[n]. » Si ergo tantus et talis est filius gratiae, et nos
festinemus quidem ad Annae nuptias, sed patienter
75 agamus, ut prius nobis filii de conuersione nascantur, prius
in bonis operibus placeamus, tunc deinde etiam de gratia et
dono spiritus[o] filium procreemus. Et qualis hic filius est?
« *Samuel* », inquit, qui interpretatur : Ibi ipse Deus. Vides,
quales filios generat gratia? Sic enim scriptum est de his,
80 qui spiritus gratiam consecuti sunt, dicente apostolo : « *Si
uero prophetetis omnes, intret autem imperitus aut idiota in
conuentum uestrum, discernitur ab omnibus, diiudicatur ab
omnibus, occulta quoque cordis eius manifesta fient, et tunc cadens in
faciem adorabit Deum, dicens quia uere Deus in uobis est*[p]. » Hoc
85 est ergo, quod interpretatur Samuel : Ibi ipse Deus. Vbi
enim spiritus gratiae est, ibi ipse esse dicitur Deus. Sed iste
nobis talis filius non potest nasci, nisi praecesserint prius
filii Fennanae; nisi enim praecedant opera conuersionis,
non merebimur spiritus gratiam nec ex ipsa possumus
90 *donum spiritus*[q] generare.

6   Videamus autem et ad quem locum conueniebat Helchana cum uxoribus suis. « *Immolare*, inquit, *Domino in
Selom. Et ibi Heli et duo filii Heli, Ofni et Finees, sacerdotes*

---

k. Lc 10, 42 ‖ l. I Sam. 1, 20 ‖ m. Ps. 98, 6 ‖ n. Jér. 15, 1 ‖
o. Act. 2, 38 ‖ p. I Cor. 14, 24-25 ‖ q. Act. 2, 38; 10, 45.

---

1. *iis,* «leur», désigne le peuple d'Israël.
2. Cf. WUTZ, p. 116; 184; 573; 613.
3. Sur ce mot *imperitus* employé par Rufin, cf. *supra,* p. 31, n. 1.

sion» et par elles engendre en quelque sorte des fils de
«Conversion»; *Marie, au contraire, aux pieds du Verbe de
Dieu* est dite avoir *choisi la meilleure part*[k] et l'on comprend
par là qu'elle procrée en quelque sorte des enfants de
«Grâce». Ainsi donc, maintenant encore, *Anne engendre un
fils.* Quel fils? *Samuel*[l], qui se tient près de Dieu et dont il
est dit dans le Psaume : *« Moïse et Aaron font partie de ses
prêtres et Samuel de ceux qui invoquent son nom*[m].*»* Jérémie dit
aussi : *« Même si Moïse et Samuel se tenaient en ma présence, je ne
leur*[1] *pardonnerais pas*[n].*»* Si donc le fils de «Grâce» a tant de
valeur, hâtons-nous d'épouser Anne nous aussi, mais
attendons que nous naissent d'abord des fils de «Conversion»; cherchons d'abord à plaire par de bonnes œuvres et
ensuite nous procréerons un fils par «Grâce» et par le *don de
l'Esprit*[o]. Et quel est ce fils? L'Écriture le dit : *« Samuel »*,
qui signifie «Ici est Dieu[2]». Tu vois quels fils engendre
«Grâce»! C'est en effet ce qui est écrit de ceux qui ont
obtenu la grâce de l'Esprit, car l'Apôtre dit : *« Si tous
prophétisent et qu'il entre dans votre assemblée un infidèle*[3] *ou un
non-initié, il est examiné par tous, jugé par tous, les secrets de son
cœur seront mis à nu. Alors, tombant la face contre terre, il
adorera Dieu en proclamant que Dieu est vraiment parmi vous*[p].*»*
Voilà donc ce que signifie Samuel : «Ici est Dieu». Là en
effet où il y a l'Esprit de «Grâce», là on dit qu'il y a Dieu
même. Mais un tel fils ne peut naître pour nous que s'il est
précédé des fils de Phennana, car si les œuvres de «Conversion» ne précèdent pas, nous ne mériterons pas la «Grâce»
de l'Esprit et nous ne pouvons pas engendrer d'elle ce qui
est un *don de l'Esprit*[q].

**Le prêtre
Héli et ses fils**   Mais voyons aussi en quel lieu
Elcana se rendait avec ses épouses :
*« Il allait immoler au Seigneur à Silo. Là
se trouvaient Héli et ses deux fils, Ophni et Phinées, prêtres du*

Domini[a].*» Selom* nomen est loci, in quo sacrificia Domino
5 offerebantur, priusquam templum aedificaretur in Hierusa-
lem. In hoc ergo loco, qui appellatur *Selom,* hostiae pro
peccatis offerebantur et ibi fiebat purgatio peccatorum.
Selom autem interpretatur auulsio uel excalciatio, hoc est
calciamenti resolutio, et uterque sensus conuenienter
10 aptatur. Locus enim, in quo peccata purgantur, recte
auulsio nominatur, ubi auellitur *cor lapideum* et inseritur *cor
carneum*[b], uel excalciatio, quia omnes, donec ad locum
sanctum ueniamus, calciati sumus, cum autem peruene-
rimus ad eum, discalceari iubemur, sicut dicitur ad
15 Moysen : *« Solue corrigiam calciamenti tui; locus enim, in quo tu
stas, terra sancta est*[c].*»* Et quid putamus quod in his non
aliquid mysterii obtectum sit, sed, quia Deus exsecrabatur
calciamenta Moysi corporalia, ideo haec iubebat? Aut illud
magis putandum est quod, cum exiret de terra Aegypti,
20 habebat calciamenta de pellibus mortuis et erat uelut
quadam mortalitate constrictus, cum uero coepit proficere
ac uirtutem et adscendere *montem Dei*[d] atque ibi immorta-
libus ministrare mysteriis, tunc dicitur ad eum, ut indicia
mortalitatis abiceret, quae in *calciamentis* pelliciis desi-
25 gnantur. Ego puto quia propterea etiam apostolis suis
Saluator praecepit, ne habeant *calciamenta* in *pedibus* suis[e],
ut et ipsorum *pedes,* qui *currebant*[f] ad *adnuntiandum uitam
aeternam*[g], omni carerent mortalitatis indicio, quippe qui

6. a. I Sam. 1, 3 ‖ b. Éz. 11, 19 ‖ c. Ex. 3, 5 ‖ d. Ex. 4, 27 ‖
e. Matth. 10, 10 ‖ f. Éphés. 6, 15 ; I Cor. 9, 24 ‖ g. I Jn 1, 2

1. Cf. LAGARDE, p. 162, 29 ; WUTZ, p. 1055.
2. Là Dieu donne à Moïse des instructions sur le Tabernacle, figure
des réalités célestes ; cf. *Ex.* 25, 40 ; *Hébr.* 9, 11 ; ORIGÈNE, *Hom. Ex.*, 9.
3. Origène a employé ce symbolisme d'abord pour les «tuniques de
peau» de *Gen.* 3, 21, dont Dieu a revêtu Adam et Ève après leur faute en
même temps qu'il les a condamnés à mourir ; voir le fragment de son
Commentaire sur la Genèse dans *PG* 12, 101 AB. Puis il a étendu le même
symbolisme aux sandales, ici et dans le traité *Sur la Pâque,* 37, 18-22 (éd.

Seigneur[a].» *Silo* est le nom du lieu où l'on offrait des sacrifices au Seigneur avant que le temple ne fût construit à Jérusalem. Dans ce lieu appelé *Silo* on offrait donc des offrandes pour les péchés et là se faisait la purification des péchés. Or *Silo* signifie «arrachement» ou «déchaussement[1]», c'est-à-dire l'action de dénouer ses chaussures. L'un et l'autre sens est bien adapté. C'est à bon droit en effet que le lieu où l'on se purifie des péchés est appelé «arrachement», puisque là on arrache un *cœur de pierre* et on insère un *cœur de chair*[b], ou encore «déchaussement», car avant d'arriver au lieu saint nous sommes tous chaussés, mais quand nous y parvenons, nous recevons l'ordre de nous déchausser comme il est dit à Moïse : *« Dénoue le lacet de ta chaussure, car le lieu où tu te tiens est une terre sainte*[c].*»* Et comment croire qu'il n'y aurait pas dans ces mots quelque mystère caché, mais que ce serait pour maudire les chaussures matérielles de Moïse que Dieu lui donnait cet ordre? Ne devons-nous pas plutôt penser que Moïse, quand il est sorti de la terre d'Égypte, avait des chaussures de peau morte et était comme enserré dans quelque chose de mortel, et qu'ensuite, quand il a commencé à faire des progrès dans la vertu, à gravir *la montagne de Dieu*[d] et à être le ministre de mystères immortels[2], Dieu lui dit de rejeter les symboles de la mortalité indiqués par les *chaussures* de peau[3]. Je pense que la raison pour laquelle le Sauveur a prescrit aussi à ses disciples de ne pas avoir de *chaussures*[e] aux *pieds*, c'est pour que les *pieds*[4] de ceux qui *couraient*[f] *annoncer la vie éternelle*[g] soient dépourvus de tout signe de mortalité, puisqu'ils marchaient dans le Chemin qui dit :

Guéraud-Nautin, p. 226; cf. p. 135, n. 88), parce que les sandales sont faites avec la peau de bêtes mortes.

    4. Ce mot permet de voir que le texte biblique sous-jacent est *Éphés.* 6, 15 : «Les pieds chaussés pour être prêt à annoncer l'Évangile», dans lequel Origène insère d'autres réminiscences bibliques : «courir» et «annoncer la vie éternelle».

illam uiam incederent, quae dicit : « *Ego sum uia et ueritas et*
30 *uita*[h] »; nemo enim uiam uitae cum indicio mortis incedit.

Talis est ergo locus iste *Selom,* ubi est et *Heli* uir minus
laudabilis; pro peccato enim *retrorsum corruens expirauit*[i]. Et
non putemus quod ille solus *retrorsum corruens expirauit,* sed
et nunc si quis *retrorsum corruit,* si quis *retro conuertitur*[j] a
35 fide et ueritate, necesse est, ut cadat et ut continuo
moriatur. Sed et in Deuteronomio comminatio peccato-
ribus intentatur, cum dicitur : « *Et opisthotonos insanabilis*[k]. »
Opisthotonos autem tergi aegritudinem et posteriorum par-
tium significat; et utique non sine causa, cum tot genera
40 languoris habeantur humani, hoc potissimum languoris
genus adscribitur peccatori. Nam et in Genesi uxor Lot,
quae *retrorsum conuersa est*[l], diuinum dicitur transgressa
praeceptum, quo ei mandatum fuerat, *ne retrorsum respiceret
neue staret in omni regione*[m], et ideo effecta est staticulum
45 salis. Dominus quoque noster et Saluator in Euangelio :
« *Nemo,* inquit, *mittens manum in aratrum et retro respiciens
aptus est regno Dei*[n]. » Insuper quoque, cum de plurimis
docuisset, addit et hoc dicens : « *Memores estote uxoris
Lot*[o]. » Optimum igitur est *obliuisci priora*[p], obliuisci praete-
50 rita, uti ne comprehendat nos *opisthotonos insanabilis* languor
neque *cadamus retrorsum* sicut Heli et *moriamur.*

7   « *Ibi* autem *erant duo filii Heli*[a]. » *Heli* interpretatur Arabs
siue extrarius. Extrarius quippe a Deo est, qui non tenet
disciplinam, qui delinquentem filium non castigat, non
corripit, ut emendet, qui indulget uitiis, qui delicta non

---

h. Jn 14, 6 ‖ i. I Sam. 4, 18 ‖ j. Lc 17, 31 ‖ k. Deut. 32, 24 ‖ l. Gen.
19, 26 ‖ m. Gen. 19, 17 ‖ n. Lc 9, 62 ‖ o. Lc 17, 32 ‖ p. Phil. 3, 13.
7. a. I Sam. 1, 3

---

1. *opisthotonos,* «tendu en arrière», se disait d'une maladie dans
laquelle les membres se raidissent en arrière : cf. HIPPOCRATE, *Epid.,*
5, 75.

« *Je suis le chemin, la vérité, la vie*[h]. » Personne en effet ne marche dans le chemin de la vie avec un signe de mort.

Tel est donc le lieu, *Silo,* où il y a aussi *Héli,* homme moins louable, car, à cause du péché, il est *mort en tombant en arrière*[i]. Et ne croyons pas qu'il soit le seul à *mourir en tombant en arrière.* Maintenant encore, si quelqu'un *tombe en arrière,* si quelqu'un *retourne en arrière*[j] en quittant la foi et la vérité, il est inévitable qu'il s'écroule et meure sur-le-champ. Le Deutéronome lance aussi cette menace contre les pécheurs : « *Et l'opisthotonos incurable*[k]. » *Opisthotonos*[1] désigne une maladie du dos et de la partie en dessous, et ce n'est certes pas sans raison qu'entre tant de sortes de maladies qui existent chez les hommes, ce soit cette maladie-là qui est attribuée au pécheur. Dans la Genèse aussi, il est dit de la femme de Loth qui s'était *retournée en arrière*[l] qu'elle a transgressé le précepte divin par lequel il lui avait été commandé de *ne pas regarder en arrière et de ne s'arrêter nulle part*[m], et à cause de cela elle est devenue une statue de sel. Notre Seigneur et Sauveur dit aussi dans l'Évangile : « *Qui met la main à la charrue et regarde en arrière n'est pas apte au royaume de Dieu*[n] » ; de plus, après beaucoup d'autres enseignements, il ajoute ceci : « *Souvenez-vous de la femme de Loth*[o][2]. » Le mieux est donc d'*oublier ce qui a précédé*[p], d'oublier le passé, pour n'être pas victime de la maladie *opisthotonos incurable,* ne pas *tomber en arrière* comme Héli et *mourir.*

Or « *là se trouvaient deux fils d'Héli*[a]. » *Héli* se traduit par « Arabe » ou « étranger[3] ». Est étranger en effet à Dieu celui qui n'exerce pas la correction, qui ne châtie pas son fils quand il pèche, qui ne le reprend pas pour l'amender, qui est indulgent aux vices, qui ne punit pas les fautes, comme

---

2. Même groupement de textes sur la femme de Loth dans *Hom. Gen.,* 5, 2 (*SC* 7 bis, p. 166, 17 s.).

3. WUTZ, p. 1055.

5 punit, sicut et apostolus dicit : «*Quod si extra disciplinam
estis, cuius participes facti sunt omnes, ergo adulterini et non filii
estis*[b].»

Iste est igitur Heli, qui propter haec punitur a Deo. Vide
autem, qui sint etiam filii eius, *Ofni,* inquit, *et Finees*[c].
10 Interpretatur autem *Ofni* excessus conuersionis; de Fennana paulo ante diximus quod esset conuersio, hic autem,
qui excedit et longe efficitur ab emendatione nec conuerti
uult ad Dominum, propterea impius permanet. Sed et
quicumque est, quem uidemus post peccatum non conuerti
15 ad paenitentiam, non recipere metum futuri iudicii et uerbi
diuini praecipientis : «*Numquid qui cadit, non adiciet ut
resurgat? aut qui auersus est, non reuertetur*[d]?*»,* recte etiam de
ipso dicimus quia sit *Ofni* et excedens a conuersione.

Sed et alius filius dicitur *Finees.* Duo nouimus in
20 scripturis hoc nomine compellatos : Fineem illum iustum
filium Aaron[e] et hunc iniustum filium Heli. Vnde et
competenter duas huius nominis interpretationes inuenio;
significat enim *Finees* in lingua nostra oris obturatio uel ori
parcens. Peccator ergo et qui fiduciam non habet ad
25 loquendum obturatum habet os, iustus uero parcit ori suo.
Hodieque in sacerdotibus Domini habetur uterque Finees,
habetur et Eleazar, qui in scripturis primus episcopus
nominatus est, sicut in Numeris scriptum est[f]. Sunt ergo

b. Hébr. 12, 8 ‖ c. I Sam. 1, 3 ‖ d. Jér. 8, 4 ‖ e. Nombr. 25, 7 ‖
f. Nombr. 3, 32

1. WUTZ, p. 358; 390.
2. 5, 32.
3. En réalité Phinées est «fils d'Éléazar, fils d'Aaron» : *Ex.* 6, 25;
Nombr. 25, 7. Il est possible qu'Origène ait cité le texte biblique
correctement, car il reprend un peu plus loin (7, 27) le nom d'Éléazar
pour le commenter. Cependant nous allons retrouver l'omission des
mots «fils d'Éléazar» dans un endroit (7, 33) où «Phinées fils d'Aaron»
est mis en parallèle comme ici avec «Phinées fils d'Héli». Il n'est donc

le dit l'Apôtre : « *Si vous êtes exempts de la correction à laquelle tout le monde a eu part, c'est que vous êtes des bâtards et non des fils*[b]. »

Tel est donc Héli qui, à cause de cela, est puni par Dieu ; mais vois aussi qui sont ses fils *Ophni et Phinées*[c]. *Ophni* se traduit par « sorti de la conversion[1] ». De Phennana nous avons dit un peu plus haut[2] qu'elle était « Conversion » ; Ophni, lui, qui sort, qui s'éloigne de la correction et ne veut pas se convertir à Dieu, reste à cause de cela un impie. Et quel que soit celui que nous voyons après son péché refuser de se convertir à la pénitence, repousser la crainte du jugement futur et de cette parole divine : « *Est-ce que celui qui tombe ne voudra pas ensuite se relever et celui qui s'est éloigné, revenir ?*[d] », nous disons à bon droit de lui aussi qu'il est *Ophni* et « sortant de la conversion ».

L'autre fils est appelé *Phinées*. Nous connaissons dans l'Écriture deux personnages de ce nom : l'autre Phinées, juste, fils d'Aaron[e 3] et celui-ci, injuste, fils d'Héli. C'est pourquoi je trouve à juste titre deux traductions de ce nom : *Phinées* signifie en effet dans notre langue « fermeture de la bouche » ou « retenant sa bouche[4] ». Le pécheur donc, ou celui qui n'a pas confiance pour parler, a « la bouche fermée », tandis que le juste « retient sa bouche ». Aujourd'hui encore, parmi les prêtres de Dieu on trouve l'un et l'autre Phinées et l'on trouve aussi Éléazar, qui le premier a été appelé évêque dans les Écritures, comme on le lit dans les Nombres[f 5]. Sont aujourd'hui encore des Phinées parmi

---

pas exclu qu'Origène ait omis lui-même les mots manquants. Nous laissons le texte dans l'état.

4. LAGARDE, p. 200, 4 : Φινεὲς στόματος φιμὸς ἢ ἀνανεύων ; WUTZ, p. 142.

5. Origène en juge d'après la Septante, où on lit en *Nombr.* 4, 16 : ἐπίσκοπος Ἐλεαζὰρ υἱὸς Ἀαρὼν τοῦ ἱερέως ; le texte hébreu porte : « *Surveillance* d'Éléazar, fils d'Aaron le prêtre, (sur) l'huile de la lumière. »

hodieque in sacerdotibus Finees, quicumque parcunt ori
30 suo et *omnis sermo malus nequaquam de ore eorum procedit*[g];
sunt sacerdotes, ex quorum ore nullum scandalum, nullum
mendacium, nullus dolus neque falsitas ulla depromitur, et
isti merito Fineae illi Aaron filio comparantur. Sunt
autem aliqui et secundum istum Fineem Heli filium sacer-
35 dotes, qui obturatum os habent siue imperitiae uitio
siue conscientia peccatorum. Sed hoc est, quod deprecor,
ut, si quis est, qui se in sacerdotalem ordinem adscitum
uidet, satisagat emendationi uel eruditioni operam dare et
festinet effici de illo numero beatorum, ne forte inueniatur
40 ex istis sacerdotibus, qui et reprobantur et puniuntur a
Deo.

8   Sed tempus est iam etiam de oratione Annae, quam
profudit *offerens Deo Samuelem, quem a lacte depulerat*[a], pauca
memorare. In qua primo quidem hoc dicimus, quod is, qui
Deo offertur puer, offerri ante non potuit quam *depelleretur*
5 *a lacte*. In quo ostenditur consecrari Deo neminem posse,
qui adhuc *lacte alitur* et *puer* est *sensibus* atque *expers est*
sermonis iustitiae[b], nec sacerdotalia potest procurare sacra-
menta, nisi desistat a puerilibus et in maius adscendat ab
his, quibus apostolus dicit : « *Lac uobis potum dedi, non escam ;*
10 *nondum enim poteratis*[c]. » Alioquin secundum litteram quid
uidetur operae pretii puerulum nuper *a lacte depulsum* Deo
offerri, ubi non mater intererit, non nutrices fouebunt
neque educandi pueri aderunt ulla subsidia? Sed uide quia

g. Éphés. 4, 29.
8. a. I Sam. 1, 28.23 ‖ b. Hébr. 5, 13-14 ‖ c. I Cor. 3, 2

1. Le mot employé par Origène dans tout ce passage n'était pas
πρεσβύτεροι mais ἱερεῖς d'après *I Sam.* 1, 3, où il est appliqué à Phinées
fils d'Héli. Chez les chrétiens, il désigne à la fois les évêques et les
prêtres. Il s'agit de ceux qui s'abstiennent de prêcher, par incompétence,
ou de réprimander les pécheurs, à cause de leurs propres vices.

les prêtres tous ceux qui «retiennent leur bouche» en sorte qu'*aucune parole mauvaise ne sort de leur bouche*[g]. Il y a des prêtres[1] de la bouche de qui ne sort aucun scandale, aucun mensonge, aucune tromperie ni rien de faux, et ceux-là sont comparés à bon droit au Phinées fils d'Aaron. Mais il y a aussi des prêtres qui ressemblent au Phinées fils d'Héli, qui ont «la bouche fermée», soit par incompétence, soit par conscience de leurs péchés. Ce que je demande, c'est que quiconque se voit admis dans l'ordre sacerdotal, celui-là s'emploie en retour à se corriger et à s'instruire et qu'il se hâte de faire partie de l'autre groupe, du groupe des bienheureux, pour n'être pas trouvé parmi les prêtres que Dieu réprouve et punit.

Le Cantique d'Anne : les circonstances Mais il est temps de dire maintenant quelques mots de la prière qu'Anne répand *en offrant à Dieu Samuel après l'avoir sevré*[a]. Nous disons d'abord à son propos que l'enfant qui est offert à Dieu n'a pas pu être offert *avant d'être sevré*, ce qui montre que personne ne peut être consacré à Dieu s'il *se nourrit encore de lait*, s'il est un *enfant* par les *sens*[2] et s'il est *ignorant de la doctrine de justice*[b]. Il ne peut dispenser les mystères confiés aux prêtres s'il ne renonce pas aux choses de l'enfance et ne monte pas plus haut que ceux à qui l'Apôtre dit : *«Je vous ai donné du lait à boire, non de la nourriture, car vous ne pouviez pas encore la supporter*[c].» Du reste, si l'on s'en tient à la lettre, vaut-il la peine qu'un enfant qui vient d'être *sevré* soit offert à Dieu, là où sa mère ne sera pas, où il n'y aura pas de nourrice pour le choyer ni aucune des aides nécessaires

---

2. Dans ce contexte où beaucoup de mots sont empruntés à *Hébr.* 5, 13, *sensibus* a certainement été suggéré par le verset suivant (5, 14) : «Perfectorum autem est solidus cibus, eorum qui pro consuetudine exercitatos habent *sensus* ad discretionem boni ac mali.»

scripturae sermo ita aptatus est, ut figuraliter doceat quod
15 omnis, qui primo ad fidem conuertitur, *lacte* et non *cibo forti*
alitur, de quibus in alio loco dicitur : « *Et effecti estis, qui*
lacte indigeatis et non cibo forti. Quoniam omnis, qui lacte alitur,
alienus est a sermone iustitiae; paruulus enim est; perfectorum uero
est cibus solidus, qui pro possibilitate sumendi exercitatos habent
20 *sensus ad discretionem boni ac mali*[d]. »

Igitur quicumque nondum *a lacte depellitur,* sed *paruulus*
est, non potest *adscendere* ad templum Domini, non potest
adscendere ad ministeria sacerdotum nec sacrificiis interesse,
sed ne mater quidem eius *adscendit*[e], cum possit adscendere;
25 gratia est enim mater eius Anna, quae seruat et custodit
eum et enutrit[f], ut *tempore opportuno*[g] *cum ipso* pariter
adscendat[h]. Quae cum uiderit ei adesse tempus, ut iam
recedens a lacte[i] *solidis* et *fortibus cibis*[j] utatur, ut possit et
sacerdotibus interesse et de altaris edere sacrificiis, tunc *eum*
30 *Deo consecrat*[k]. Vide, si in alio loco in scripturis sanctis
inuenis significari aliquem *a lacte depulsum.* Ego tamen,
quantum ad praesens memoria suggerit, Isaac memini, de
quo scriptum est quia *conuiuium magnum fecit Abraham ea die,*
qua a lacte depulsus est Isaac filius suus[l]. Apud homines
35 quidem saeculi huius parentes solent natalis diem celebrare
filiorum; Abraham uero non celebrat natalem diem Isaac
filii sui, sed illum diem festum agit et laetitiae deputat et

---

d. Hébr. 5, 12-14 ‖ e. I Sam. 1, 22 ‖ f. I Sam. 1, 23 ‖ g. Ps. 31, 6 ‖
h. I Sam. 1, 24 ‖ i. I Sam. 1, 23 ‖ j. Hébr. 5, 14.12 ‖ k. I Sam. 1, 28 ‖
l. Gen. 21, 8

---

1. L'invraisemblance du récit pris au sens littéral est le signe qu'il a
un autre sens.

2. D'après l'étymologie de son nom, cf. 5, 33.

3. Cf. ORIGÈNE, *Com. Matth.,* 10, 22 (*SC* 162, p. 248, 21 s.) : « L'un
de nos prédécesseurs examinant le récit de l'anniversaire de Pharaon
rapporté dans la Genèse a expliqué que seul le méchant, parce qu'il se
complaît dans les choses de la génération, célèbre l'anniversaire de la
naissance; quant à nous, stimulés par l'indication de cet auteur, nous

pour élever un enfant[1] ? Mais vois que la parole de
l'Écriture a été formulée de manière à enseigner figurative-
ment que tout homme qui commence à se convertir à la foi
se nourrit de lait et non d'*une nourriture solide,* comme il est dit
ailleurs : « *Vous êtes devenus des gens qui ont besoin de lait et non
d'une nourriture solide, car quiconque est nourri de lait est étranger
à la doctrine de justice, parce qu'il est un enfant ; les parfaits, eux,
ont la nourriture solide, ayant par leur capacité à la recevoir les sens
exercés au discernement du bien et du mal*[d]. »

Donc celui qui n'est pas encore *sevré,* mais qui est un *petit
enfant,* ne peut pas *monter* au temple du Seigneur, ne peut
pas *monter* jusqu'aux fonctions des prêtres, ni assister aux
sacrifices, et pas même sa mère n'y *monte*[e], alors qu'elle
pourrait y monter ; Anne, sa mère, est en effet une
« grâce[2] » qui le garde, le protège et le nourrit[f] pour *monter
avec lui*[h] au temple *au moment opportun*[g]. Et quand elle voit
que c'est le moment pour lui d'être *sevré*[i] et de prendre *des
nourritures solides* et *fortes*[j] pour pouvoir vivre parmi les
prêtres et se nourrir des sacrifices de l'autel, alors *elle le
consacre à Dieu*[k]. Vois si tu ne trouves pas ailleurs dans les
Écritures saintes mention d'un enfant qui est *sevré.* Quant à
moi, pour autant que ma mémoire me suggère quelque
chose à l'instant, je me souviens d'Isaac dont il est écrit
qu'*Abraham fit un grand festin le jour où son fils Isaac fut sevré*[l].
Chez nos contemporains, les parents ont l'habitude de fêter
le jour de l'anniversaire de leurs enfants[3] ; Abraham, lui, ne
célèbre pas le jour anniversaire de la naissance de son fils
Isaac, mais il célèbre une fête, se livre à la joie et offre un

n'avons trouvé dans aucun passage de l'Écriture un anniversaire célébré
par un juste, car Hérode est encore plus injuste que Pharaon : en effet, si
ce dernier, pour son anniversaire, met à mort son grand panetier,
Hérode, lui, tue Jean ... » Le prédécesseur mentionné par Origène est
PHILON, *Ebr.,* 208-209. Voir encore ORIGÈNE, *Hom. Lév.,* 8, 3 (*SC* 287,
p. 16, 20 s.), et, plus généralement, A. STUIBER, art. « Geburtstag »,
RAC 9, 1976, c. 217-243.

conuiuia celebrat, cum eum *a lacte depellit* et ad *cibos fortes* et *solidos*[m] applicat, quasi si per haec diceret Isaac : « *Cum* 40 *factus sum uir, deposui quae erant paruuli*[n]. »

Oportebat ergo talem esse hunc, qui offertur Deo, ut habitet in sanctis, qui possit uesci *carnibus* sanctis, de quibus 9 scriptum est : « *Sanctificamini, ut manducetis carnes*[o] » ; | sed uideamus, quali eum prece Anna, id est gratia, consecrat Deo. Nouum quippe aliquid in ipsis principiis obserua- bimus. Ait enim : « *Et orauit Anna et dixit*[a]. » Et nusquam 5 eam quasi ad Deum orantem inuenio uel loquentem, nisi per duo tantum uerba, ubi dicit : « *Laetata sum in salutari tuo*[b] », et aliud : « *Quia non est praeter te*[c]. » Initium autem sic habet : « *Exsultauit cor meum in Domino*[d] », non dixit : Exsultauit cor meum in te ; si enim esset oratio, ita dici 10 consequens erat : Exsultauit cor meum in te. Et iterum in sequenti uersu dicit : « *Exaltatum est cornu meum in Deo*[e] », non dixit : Exaltatum est cornu meum in te, sed « *in Deo* ». « *Dilatatum est super inimicos meos os meum, laetata sum in salutari tuo*[e] ». Vnus, ut dixi, sermo continet : « *Laetata sum* 15 *in salutari tuo* », et in consequentibus non dicit : Quia non est sanctus nisi tu, sed : « *Non est,* inquit, *sanctus sicut Dominus* » : Et « *Non est praeter te*[f] » ; hic sermo uidetur seruasse orationis ordinem ; in nouissimis autem longe a supplicationis specie etiam commonitiones quasdam intro- 20 ducit dicens : « *Nolite multiplicare loqui mala, neque exeat magniloquacitas de ore uestro, quia fortis in scientia Dominus*[g] », in quo iam nec uidetur ad Dominum loqui. Quid ergo dicemus de his ? Ego cum legerem aliquando apud apos- tolum, quod dixit : « *Sine intermissione orate*[h] », quaerebam si 25 praeceptum hoc possibile esset impleri. Quis enim potest numquam desinere ab oratione, ita ut neque cibum aut

---

m. Hébr. 5, 12.14 ‖ n. I Cor. 13, 11 ‖ o. Nombr. 11, 18.
9. a. I Sam. 1, 28 ‖ b. I Sam. 2, 1 ‖ c. I Sam. 2, 2 ‖ d. I Sam. 2, 1 ‖ e. I Sam. 2, 1 ‖ f. I Sam. 2, 2 ‖ g. I Sam. 2, 3 ‖ h. I Thess. 5, 17

festin le jour où il *sèvre* son fils et le met à des *nourritures fortes* et *solides*[m], comme si Isaac disait par là : *Quand je suis devenu homme, j'ai quitté ce qui était de l'enfant*[n]. »

Le Cantique d'Anne est-il une prière ? Il fallait donc que celui qui est offert à Dieu soit tel qu'il puisse habiter parmi les saints de manière à pouvoir se nourrir des *viandes* saintes dont il est dit : « *Devenez saints pour manger des viandes*[o] » ; | mais voyons par quelle prière Anne, c'est-à-dire «Grâce», le consacre à Dieu. Le fait est que nous remarquons tout au début quelque chose de nouveau. Il est dit : « *Et Anne pria et dit*[a]. » Or je ne la vois nulle part ni prier ni parler à Dieu, si ce n'est par ces deux phrases : « *Je me suis réjouie dans ton salut*[b] » et « *Il n'y a personne excepté toi*[c] ». Mais elle commence ainsi : « *Mon cœur a exulté dans le Seigneur*[d] » ; elle n'a pas dit : 'Mon cœur a exulté en toi'; si c'était une prière, il aurait été normal de dire : 'Mon cœur a exulté en toi'. Et de nouveau, au verset suivant, elle dit : « *Ma corne s'est élevée en Dieu*[e] » ; elle n'a pas dit : 'Ma corne s'est élevée en toi', mais « *en Dieu*». « *Ma bouche s'est grande ouverte contre mes ennemis, je me suis réjouie en ton salut*[e] » ; une seule phrase, comme j'ai dit, emploie la seconde personne : « *Je me suis réjouie en ton salut*», et ensuite Anne ne dit pas : 'Car il n'y a de saint que toi', mais : « *Il n'y a pas de saint comme le Seigneur*[f] ». On a encore : « *Il n'y a personne d'autre que toi*[f] », parole qui suit apparemment les règles de la prière, mais à la fin Anne, s'éloignant beaucoup du genre de la supplique, introduit même des recommandations : « *Ne multipliez pas les paroles mauvaises et qu'aucun langage hautain ne sorte de votre bouche, car le Seigneur est puissant par sa science*[g] » ; là on ne la voit plus s'adresser à Dieu. Que dire de cela ? Un jour que je lisais dans l'Apôtre la parole : « *Priez sans cesse*[h] », je me demandais si ce précepte pouvait être accompli. Qui peut en effet ne jamais cesser de prier au point de n'avoir plus le temps

potum sumendi tempus habeat, quippe si, ut haec fiant,
intermittenda uidetur oratio? Sed nec dormiendi aut aliquid aliud humani usus agendi ueniam secundum istud
30 praeceptum oratio communiter intellecta concedit. Videamus ergo ne forte omnes actus eius, qui in diuino uersatur
officio et omnia gesta uel dicta, quae secundum Deum
gerit et dicit, ad orationem reportantur. Si enim oratio
hoc solum intelligatur, quod communiter scimus, neque
35 Anna in his uerbis orasse uidebitur neque ullus iustorum
secundum apostoli mandatum *sine intermissione orare* doce-
bitur; si uero omnis actus iusti, quem secundum Deum agit
et secundum mandatum diuinum, oratio reputatur, quia
iustus sine intermissione, quae iusta sunt, agit, per hoc *sine*
40 *intermissione* iustus *orabit* nec umquam ab oratione cessabit,
nisi si iustus esse desistat; cum enim iniustum aliquid
agimus aut delinquimus, certum est quod eo tempore etiam
ab oratione cessamus. Puto quod haec edocemur et in
Psalmis, cum dicitur : « *Eleuatio manuum mearum sacrificium*
45 *uespertinum*[i]. » Non enim puto quod, si quis eleuauerit uel
extendit manus ad caelum – ut habitus esse orantium solet –,
continuo sacrificium obtulerit Deo. Sed uideamus ne
forte hoc est, quod ibi indicat sermo Dei, quia per *manus*
opera intelliguntur : eleuat *manus* ille, qui eleuat actus suos
50 a terra, et *conuersatio* eius adhuc in terra ambulantis *in caelis*

i. Ps. 140, 2

1. Cf. ORIGÈNE, *De oratione,* 12, 2 (*GCS Origenes* 2, p. 324, 25) : « Si
l'on considère les actes de vertu et la pratique des commandements
comme une partie de la prière, alors il prie sans cesse celui qui joint la
prière aux œuvres bonnes et les œuvres bonnes à la prière. La seule
façon, en effet, de pouvoir admettre que la parole 'Priez sans cesse' est
réalisable, c'est de dire que toute la vie du saint est une seule et grande
prière continue, dont fait aussi partie ce qu'on appelle ordinairement
prière. »
2. Cf. ORIGÈNE, *Hom. Ex.,* 11, 4 (*GCS Origenes* 6, p. 255, 21) :
« Élever ses mains, c'est élever ses œuvres vers Dieu » ; on retrouve dans

de prendre ni nourriture ni boisson puisque pour faire cela
il faut interrompre la prière? Dormir, ou faire quoi que ce
soit d'autre qui est de nécessité pour les hommes, est aussi
interdit par ce précepte si on prend la prière dans le sens
ordinaire du mot. Voyons donc si, par hasard, tous les
actes de celui qui vit habituellement dans le service de
Dieu, tous les gestes et toutes les paroles qu'il fait ou dit
selon Dieu ne reviendraient pas à prier. En effet, si l'on
entend par prière seulement ce que tout le monde connaît
sous ce nom, Anne n'apparaîtra pas comme ayant prié dans
ce discours et l'on n'apprendra à aucun juste à *prier sans
cesse* selon le commandement de l'Apôtre; mais si tout acte
d'un juste qui agit selon Dieu et selon le commandement
divin est considéré comme une prière[1], le juste, par le fait
même qu'il fait sans cesse ce qui est juste, *priera sans cesse,* et
il ne cessera jamais de prier, à moins qu'il ne cesse d'être
juste, car lorsque nous faisons quelque chose d'injuste ou
péchons, il est certain qu'à ce moment-là nous cessons aussi
de prier. Je pense que c'est aussi l'enseignement que nous
donnent les Psaumes par cette parole : *« L'élévation de mes
mains est un sacrifice du soir*[i].*»* Je ne crois pas en effet que si
quelqu'un élève ou étend les mains vers le ciel, selon
l'attitude habituelle de ceux qui prient, il aura offert pour
autant un sacrifice à Dieu. Mais voyons si ce que la parole
de Dieu nous indique par ces mots ne serait pas ceci, en
entendant par les *mains* les œuvres[2] : il élève ses *mains* celui
dont les actions s'élèvent plus haut que terre et dont *le
séjour,* alors même qu'il marche encore sur terre, *est dans le*

---

le même passage les autres thèmes que nous avons ici : la citation de
Ps. 140, 2 : «L'élévation de mes mains est un sacrifice du soir», le
combat de Moïse contre les Amalécites, les mains de Jésus étendues sur
la croix. Le *De oratione,* 31, 2 (*GCS Origenes* 2, p. 396, 2.11) ne fait
qu'une brève mention du geste avec cette recommandation : «avant les
mains, étendre pour ainsi dire son âme» devant Dieu.

est[j]. Excelsi ergo actus et sublimes, *quos uidentes homines magnificant patrem caelestem*[k], *eleuatio manuum* dicitur et *sacrificium uespertinum*. Aut non hoc et in lege per myste-rium docebatur, cum Moyse eleuante manus uincebat

55 Istrahel, demittente uero et deiciente deorsum uincebat Amalec[l]? Et si omnia «*haec figuraliter contingebant illis, scripta sunt uero propter nos, in quos fines saeculorum deuene-runt*[m]», intelligere debemus quia, donec *famulus Dei*[n] eleuat actus suos ad Deum, uincit gens Dei; cum autem

60 deiecerit et demiserit *manus,* id est actus suos, uincit Amalec inimicus Dei. Aut quid uidetur? – uolo enim paululum immorari cum his, qui nolunt haec spiritaliter, sed secundum litteram intelligi – numquidnam putandum est quod omnipotens Deus ad manus respiceret Moysei

65 et, si quidem uideret eas sursum eleuatas, Istrahel uicto-riam daret, si uero deorsum deiectas, Amalechitis? Sicine dignum est de sancti Spiritus sentire sermonibus? An illud potius putandum est quod futura in his mysteria praefor-mabat? Quae quidem de crucis sacramento et affixione

70 manuum Saluatoris intelligi tritum iam et a multis saepe dissertum est. Sed quoniam *innouari*[o] semper iubetur is, qui *secundum euangelium uiuit*[p], et nouum Testamentum semper debet nouis sensibus illustrari et *cantare Domino* iubemur *canticum nouum*[q] et *interior homo noster,* non dixit Paulus quia

75 *renouatur* et stetit, sed *renouatur de die in diem*[r], oportebat etiam nos et de orationis modo, qualiter *sine intermissione orandum*[s] sit, et de *eleuatione manuum,* quod *sacrificium* dicitur *uespertinum*[t], non solum usitatis et attritis, sed aliquantulum etiam *innouatis* dissertionibus explanare.

j. Phil. 3, 20 ‖ k. Matth. 5, 16 ‖ l. Ex. 17, 11 ‖ m. I Cor. 10, 11 ‖ n. Jos. 1, 1.2.13 etc. ‖ o. I Cor. 4, 16 ‖ p. I Cor. 9, 14 ‖ q. Is. 42, 10 ‖ r. II Cor. 4, 16 ‖ s. I Thess. 5, 17 ‖ t. Ps. 140, 2.

1. Ps.-Barnabé, *Ep.* 12, 1-2; Justin, *I Apol.,* 35, 3; *Dial.,* 90; 97; etc.

ciel[j] ; ce sont les actes élevés et sublimes *dont la vue porte les hommes à rendre gloire au Père céleste*[k] qui sont appelés *élévation des mains* et *sacrifice du soir*. Et n'est-ce pas ce qui était enseigné symboliquement dans la Loi : lorsque Moïse élevait les mains, Israël était vainqueur, et lorsqu'il les laissait retomber, c'est Amalec qui était vainqueur[l]? Si tout « *cela leur est arrivé en figure et a été écrit pour nous qui touchons à la fin des temps*[m] », nous devons comprendre que, aussi longtemps que le *serviteur de Dieu*[n] élève ses actes vers Dieu, le peuple de Dieu est vainqueur, mais quand il abaisse ses *mains,* c'est-à-dire ses actes, le vainqueur est Amalec, l'ennemi de Dieu. Ou quoi? – car je veux m'attarder un peu avec ceux qui veulent que ces paroles ne soient pas à entendre spirituellement mais littéralement – faut-il donc penser que le Dieu tout-puissant regardait les mains de Moïse et que, s'il les voyait élevées, il donnait la victoire à Israël, mais s'il les voyait abaissées, il la donnait aux Amalécites? Une telle interprétation est-elle digne des paroles du Saint Esprit? Ne faut-il pas plutôt penser qu'il préfigurait par là les mystères à venir? Il est courant d'appliquer ce récit au mystère de la croix et aux mains du Sauveur fixées sur elle, et beaucoup de gens en ont souvent parlé[1], mais puisque *celui qui vit selon l'Évangile*[p] a l'ordre de toujours *se renouveler*[o], que le Nouveau Testament doit toujours être éclairé par des sens nouveaux, que nous avons l'ordre de *chanter au Seigneur un cantique nouveau*[q] et que notre *homme intérieur* est *rénové,* aux dires de Paul, et pas simplement *rénové* mais *rénové de jour en jour*[r], il fallait que nous aussi, pour expliquer à la fois la manière de prier qui permet de *prier sans cesse*[s], et l'*élévation des mains* qui est appelée *sacrifice du soir*[t], nous ne recourrions pas seulement aux considérations usuelles et banales, mais que nous les *renouvelions* aussi quelque peu.

10   Videamus ergo, quid sibi uult ratio ista orationis Annae, quam si didicerimus, similiter fortassis et nos orare poterimus. « *Exsultauit,* inquit, *cor meum in Domino*[a]. » Necessarie addidit : *in Domino;* est enim exsultatio, quae non est 5 *in Domino,* sicut et illud dicitur : *« Gaudete in Domino*[b] *» ;* potest enim quis *gaudere* in carnalibus et non *in Domino.* Si enim *gaudeam* quod inueni thesaurum uisibilem, istud gaudium carnis est et non est *in Domino;* si *gaudeam* quod me homines laudant et forte non pro merito, non est 10 hoc *gaudere in Domino;* si *gaudeam* in rebus fragilibus et caducis, haec omnia non habent laudabile gaudium; si uero *gaudeam* quoniam dignus habitus sum *pro nomine Domini* injuriam *pati*[c], istud gaudium *in Domino* est, quia ipse dixit super his : « *Gaudete et exsultate, quia merces uestra multa in* 15 *caelis est*[d]*. »* Si *gaudeam,* cum *odia in me*[e] exercentur iniusta, si *gaudeam,* cum *impugnor propter Verbum* Dei[f], si *gaudeam,* cum castigor *in languoribus, in persecutionibus, in angustiis*[g], si haec omnia laetus excipiam, istud gaudium *in Domino* est. Et ideo nos docet scriptura, ut abicientes gaudia terrena, 20 fragilia et caduca de aeternis gaudiis *exsultemus in Domino,* ut merito dicamus, quod Anna dixit : « *Exsultauit cor meum in Domino. »* Et quoniam, cum haec dicuntur, quidam de adstantibus suppletus est spiritu immundo et exclamauit ita, ut fieret populi concursus, dicamus et nos, quia, Anna 25 dicente : « *Exsultauit cor meum in Domino »,* contrarius spiritus exsultationem nostram *in Domino* ferre non potuit, sed uult eam mutare, ut ablata ea introducat tristitiam et

---

10. a. I Sam. 2, 1 ǁ b. Phil. 4, 4 ǁ c. Act. 9, 16 ǁ d. Matth. 5, 12 ǁ e. Matth. 24, 9 par. ǁ f. Matth. 13, 24 par. ǁ g. II Cor. 12, 10

---

1. La même parole « Réjouissez-vous dans le Seigneur » fait l'objet d'un commentaire semblable en forme d'anaphore dans *Hom. Nombr.,* 11, 8 (*GCS Origenes* 7, p. 91, 30 s.) : « Si je me réjouis en subissant l'injustice... Si je me réjouis d'endurer les tribulations, la pauvreté... Si je me réjouis de la science des mystères de Dieu... » Origène se souvient de la page célèbre de Paul dans *I Cor.* 13, 1 s.

Commentaire du Cantique d'Anne

Voyons donc ce que signifie cette manière de prier d'Anne, car si nous l'apprenons, peut-être pourrons-nous prier nous aussi comme elle. *« Mon cœur, dit-elle, a exulté dans le Seigneur*[a]. » Il était nécessaire qu'elle ajoute : *dans le Seigneur,* car il y a une exultation qui n'est pas *dans le Seigneur.* Il est dit de même : *« Réjouissez-vous dans le Seigneur*[b] »*, car on peut se *réjouir* dans des choses charnelles et non *dans le Seigneur.* Si je me *réjouis* de ce que j'ai trouvé un trésor visible, c'est une joie de la chair et elle n'est pas *dans le Seigneur;* si je me *réjouis* de ce que les hommes me louent, peut-être même sans que je le mérite, ce n'est pas là se *réjouir dans le Seigneur;* si je me *réjouis* dans des choses périssables et caduques, rien de tout cela ne produit une joie digne d'éloges. Si au contraire je me *réjouis* d'avoir été jugé digne de *souffrir* l'injustice *pour le nom du Seigneur*[c], cette joie est *dans le Seigneur,* parce qu'il a dit à ce propos : *« Réjouissez-vous et exultez, car votre récompense est grande dans les cieux*[d] »; si je me *réjouis* d'être l'*objet de haines*[e] injustes, si je me *réjouis* d'être *combattu à cause de la parole* de Dieu[f], si je me *réjouis* d'être corrigé par des *fatigues,* des *persécutions,* des *angoisses*[g], si je suis heureux de recevoir tout cela, cette joie est *dans le Seigneur*[1]. C'est pourquoi l'Écriture nous enseigne à rejeter les joies terrestres, périssables et caduques, pour *exulter* de joies éternelles *dans le Seigneur,* de manière à dire avec raison comme Anne : *« Mon cœur a exulté dans le Seigneur. »* Et puisqu'au moment où ces paroles sont dites, un des assistants a été rempli de l'esprit impur et a poussé un cri qui a provoqué un attroupement[2], disons-les nous aussi. Car, lorsque Anne disait : *« Mon cœur exulte dans le Seigneur »,* l'esprit adverse n'a pu supporter notre exultation *dans le Seigneur,* mais il veut la changer pour introduire à sa place la

2. Sur cet incident, voir Introduction, p. 67.

prohibeat nos dicere : «*Exsultauit cor meum in Domino.*»
Verum nos non impediamur, sed magis ac magis dicamus :
30 «*Exsultauit cor meum in Domino*» et pro hoc ipso, quod
uidemus immundos spiritus flagellari, quia et per haec
multi conuertuntur ad Deum, multi emendantur, multi ad
fidem ueniunt et nihil est, quod sine causa faciat Deus, nec
aliquid frustra fieri permittit. Nam quoniam multi sunt, qui
35 Verbo non credunt nec rationem doctrinae suscipiunt, in
hos cum daemon insiluerit, tunc conuertuntur, ut «*ubi
abundauit peccatum, superabundet gratia*[h]», et ubi maligna
uirtus operata est, ibi plus postmodum Domini gratia
operetur, quia, cum expulerit Domini gratia malignum
40 spiritum, introducit Spiritum sanctum et anima, quae
repleta fuerat *spiritu immundo*[i], repletur postmodum Spiritu
sancto.

Ideo pro his omnibus «*exsultauit cor meum in Domino,
exaltatum est cornu meum in Deo meo*[j].» Sunt quaedam *cornua*
45 iustorum, quibus utuntur uel agentes aliquid uel loquentes,
sicut cum dicunt : «*In te inimicos nostros uentilabimus cornu*[k]»
(in graeco κερατιοῦμεν dicit, quod est cornu petemus uel
cornu uentilabimus), sed et alibi dicit quia : «*Exaltabuntur
cornua iusti*[l].» Oportet ergo nos habere ista *cornua,* quae
50 *iustis* de crucis Christi apicibus conferuntur, ut in his
destruamus et deiciamus aduersarias uirtutes de anima
nostra, quibus prostratis et expulsis possit in nobis plantari
uinea, quia «*uinea facta est dilecto in cornu in loco uberi*[m]».

10, 50 *post* de *add.* causis *A Baeh.*

h. Rom. 5, 20 ‖ i. Mc 1, 23.26.27 etc. ‖ j. I Sam. 2, 1 ‖ k. Ps. 43, 6 ‖
l. Ps. 74, 11 ‖ m. Is. 5, 1

1. Le texte latin ajoute : «Il dit en grec κερατιοῦμεν, c'est-à-dire :
Nous attaquons par la corne, ou : Nous frapperons par la corne.» C'est
une glose de Rufin comme on en trouve parfois chez lui pour expliquer
un mot grec qui n'est pas directement traduisible en latin.
2. Le mot «corne» s'employait pour désigner les bras d'une croix; cf.

tristesse et nous empêcher de dire : « *Mon cœur a exulté dans le Seigneur* » ; mais nous, ne nous laissons pas arrêter, disons au contraire de plus en plus : « *Mon cœur a exulté dans le Seigneur* », pour la raison même que nous voyons des esprits impurs tourmentés, car des choses comme celles-ci amènent beaucoup de gens à se convertir à Dieu, beaucoup à se corriger, beaucoup à venir à la foi. Dieu ne fait rien sans raison, et il ne permet pas que quelque chose arrive pour rien. Il y a en effet beaucoup de gens qui ne croient pas au Verbe et qui ne reçoivent pas la parole de l'enseignement, mais quand le démon les saisit, alors ils se convertissent, en sorte que « *là où le péché a abondé, la grâce surabonde*[h] », et là où la puissance mauvaise a opéré, la grâce de Dieu opère ensuite davantage, car lorsque la grâce du Seigneur a chassé l'esprit malin, elle introduit l'Esprit Saint et l'âme qui avait été remplie de l'*esprit immonde*[i] est remplie désormais de l'Esprit Saint.

Pour tout cela « *mon cœur a* donc *exulté dans le Seigneur et ma corne a été exaltée dans mon Dieu*[j]. » Les justes ont des *cornes*, dont ils se servent quand ils font ou disent quelque chose, comme quand ils disent : « *En toi nous frapperons de la corne nos ennemis*[k 1] », et l'Écriture dit encore ailleurs : « *Les cornes du juste seront exaltées*[l]. » Il faut donc que nous ayons ces *cornes*, qui sont données aux *justes* à partir des extrémités de la croix du Christ[2], pour pouvoir grâce à elles détruire et chasser de notre âme les puissances adverses, parce qu'une fois que celles-ci seront terrassées et expulsées, une *vigne* pourra être plantée en nous, car « *une vigne a été faite pour le bien-aimé grâce à une corne sur un coteau fertile*[m]. »

TERTULLIEN, *Adu. Marc.*, 3, 18 (*CSEL* 47, p. 406, 24) : « In antemna, quae crucis pars est, extremitates cornua uocantur. » D'où l'habitude des auteurs chrétiens d'appliquer à la croix les textes bibliques parlant d'une corne ; ainsi JUSTIN, *Dial.*, 91, 2. Origène ne fait que suivre cette tradition.

Exaltatum est ergo *cornu* et *iustae* huius gratiae et omnis
55 *iusti in Domino; «dilatatum est os meum super inimicos meos*[n].*»*
Scriptum est : *«Dilata os tuum et adimplebo illud*[o]*»,* et nunc
dicit haec *iusta : «Dilatatum est os meum».* Si idoneus et
fortis effectus fuero in Verbo et ualidus in Sapientia, ita ut
non angustis assertionibus, sed *dilatatis* et affluentibus
60 *confutare* possim *omnem scientiam extollentem se aduersum
fidem*[p] et ueritatem Christi, uel cum incredulitatem uel
perfidiam arguens Iudaeorum ex lege et prophetis osten-
dero esse Christum Iesum et in omnibus potuero redar-
guere ueritatis inimicos, tunc digne possum etiam ego
65 dicere : *«Dilatatum est os meum super inimicos meos.»* Si mihi
certamen moueat Basilides et eum uehementer obtriuero, si
Valentini discipulus occurrat in quaestionibus et de hoc
certamine uictor exiero, si his prostratis Marcion occurrat
et discesserit etiam ipse superatus, *«dilatatum est os meum
70 super inimicos meos».* Si istis confutatis occurrant philosophi
insultantes simplicitati fidei nostrae et idiotas nos imperi-
tosque clamitantes, conuertar etiam ad ipsos et uerae

---

n. Ps. 74, 11; I Sam. 2, 1 ‖ o. Ps. 80, 11 ‖ p. II Cor. 10, 5

---

1. La parole «Ma corne a été exaltée dans le Seigneur» est dite en effet
par Anne, dont le nom signifie «Grâce».

2. Ces mots ne signifient pas simplement : «Si j'acquiers capacité et
force pour la parole et compétence dans la sagesse...» il faut se rappeler
que, pour Origène, *Sagesse* et *Verbe* sont les deux notions (ἐπίνοιαι)
suprêmes qui définissent le Fils de Dieu, la première en tant qu'il est la
pensée intérieure de Dieu, la seconde en tant qu'il se communique aux
autres. Chez Origène comme chez tous les écrivains chrétiens anciens,
dans un contexte concernant l'Écriture sainte, le mot λόγος n'est jamais
compris dans un sens purement profane de discours, parole, raisonnement, mais comporte toujours une référence au *Verbe* subsistant. Si l'on
suit, comme nous l'avons fait, l'usage de Baehrens, qui a mis ailleurs une
majuscule à *Verbum,* il faut la lui mettre également dans cette occur-
rence, comme aussi à *Sapientia.*

3. Origène va envisager successivement les trois catégories d'adver-

La *corne* de cette femme *juste,* « Grâce[1] », et de tout *juste* a
donc été *exaltée dans le Seigneur ; « ma bouche a été grand ouverte
contre mes ennemis*[n]. » Il est écrit : *« Ouvre grand ta bouche et je
la remplirai*[o] », et maintenant cette femme *juste* dit : *« Ma
bouche a été grand ouverte.* » Si j'acquiers capacité et force pour
la Parole et compétence dans la Sagesse[2], de telle sorte que
je puisse *confondre* par des démonstrations qui ne soient pas
restreintes mais *grandement* développées *toute science qui se
dresse contre la foi*[p] et contre la vérité du Christ, ou que, en
réfutant l'incrédulité et l'incroyance des Juifs[3] par la Loi
et les Prophètes, je montre que Jésus est le Christ, et
qu'ainsi je confonde les ennemis de la vérité en tous les
domaines, alors je puis dire à bon droit moi aussi : *« Ma
bouche a été grand ouverte contre mes ennemis.* » Si Basilide me
cherche querelle et que je l'écrase avec vigueur, si un
disciple de Valentin me provoque par des questions et que
je sorte vainqueur de ce combat, si après que je les ai
terrassés, Marcion[4] se présente et qu'il reparte lui aussi
battu, *« ma bouche a été grand ouverte contre mes ennemis ».* Si,
eux confondus, viennent les philosophes se moquant de la
simplicité de notre foi et nous traitant d'ignorants et
d'incultes et que je me tourne aussi contre eux, que je

saires contre lesquels est dirigée l'apologétique chrétienne de cette
époque : Juifs, hérétiques et philosophes, et auxquels correspondent
trois genres littéraires : « Contre les Juifs », « Contre les hérésies »,
« Contre les Grecs ». Ce qu'il dit ici de la réfutation des Juifs « par la Loi
et les Prophètes » pour « montrer que Jésus est le Christ » décrit bien le
contenu des ouvrages « Contre les Juifs », en particulier de celui qui fut
la source de tous les autres et qui était bien connu d'Origène (*C. Celse,*
IV, 52-53), le *Dialogue de Jason et de Papiscus,* tel qu'on peut le
reconstituer à partir de ses utilisateurs (Justin, *Dial.;* Irénée, *Dém.;*
Tertullien, *Adu. Marc.,* 3 ; *Adu. Iud.;* etc.) ; cf. P. NAUTIN, « Histoire des
dogmes et des sacrements chrétiens », *AEHE, V[e] sect.,* 1967-1968,
p. 162-167.
    4. Basilide, Valentin, Marcion : les trois noms de gnostiques qui
reviennent le plus souvent chez Origène quand il s'agit d'hérésies.

sapientiae uiribus falsae ac fucatae *sapientiae* nebulas obtur-
bauero et non solum *huius mundi* sed et *principum huius mundi*
75 *sapientiam* [q] destruxero, tunc plenius *« dilatatum est os meum*
super inimicos meos [r]. *»* Sancti est ergo uox ista et perfecti, qui
rebus ipsis et ueritate subnixum huiuscemodi possit pro-
ferre sermonem et dicere : *« Dilatatum est os meum super*
inimicos meos. *»* Oportet ergo nos primo *dilatare os* nostrum,
80 ut *impleat* [s] illud Deus. Quomodo autem *os* primo *dilatamus ?*
Per meditationem Verbi diuini, ut possimus eo usque
proficere, ut a *dilatatione oris* etiam ad *cordis* dilatationem
ueniamus, et cum apostolo dicere : *« Cor meum dilatatum est*
ad uos, o Corinthii [t]. *» Ex latitudine enim cordis abundantia* [u] ori
85 Sapientiae ministratur.

II   *« Quia laetata sum in salutari tuo* [a]. *»* Si *laetatus fuero in*
salutari Dei, tunc *dilatatur os meum super inimicos meos.*

« Non est sanctus sicut Dominus [b]. *»* Si scriptum esset : Non
est sanctus nisi Dominus, consequens erat omnes nos
5 renuntiare nobismet ipsis ab hac spe, ut sancti efficeremur ;
nunc autem necessaria distinctione utitur et dicit : *Non est*
sanctus sicut Dominus, hoc est, etiamsi sint multi sancti, sed
nullus ita *sanctus est ut Dominus.* Possunt ergo multi sancti
fieri, sicut et mandatum Dei dicit : *« Sancti estote, quoniam et*
10 *ego sanctus sum* [c]. *»* Sed quantumcumque quis in sanctitate
proficiat, quantumlibet puritatis et sinceritatis adquirat, ita
esse *sanctus* homo non potest *sicut Dominus,* quia ille
sanctitatis largitor est, iste susceptor, ille sanctitatis *fons* [d]
est, hic autem sancti fontis potator, ille sanctitatis *lux* [d] est,
15 hic sanctae lucis inspector.

Et ideo *« non est sanctus sicut Dominus, et non est praeter*

q. I Cor. 2, 6 ‖ r. I Sam. 2, 1 ‖ s. Ps. 80, 11 ‖ t. II Cor. 6, 11 ‖
u. Matth. 12, 34
    11. a. I Sam. 2, 1 ‖ b. I Sam. 2, 2 [a] ‖ c. Lev. 20, 26 ‖ d. Ps. 35, 10

dissipe avec les forces de la vraie Sagesse les nuages de la fausse et artificielle *sagesse,* et que je détruise la *sagesse* non seulement *de ce monde* mais *des princes de ce monde*[q], alors plus pleinement encore *« ma bouche a été grand ouvert contre mes ennemis*[r]. *»* Au saint et au parfait appartient donc cette voix qui peut proférer de telles paroles, fondées sur la réalité et la vérité, et dire : *« Ma bouche a été grand ouvert contre mes ennemis. »* Il faut donc que nous *ouvrions* d'abord *grand la bouche* pour que Dieu la *remplisse*[s], et comment *ouvrons*-nous d'abord *grand la bouche?* Par la méditation de la Parole divine, de manière à pouvoir progresser assez pour passer de *l'ouverture* de la *bouche* à l'ouverture du *cœur* et dire avec l'Apôtre : *« Mon cœur a été grand ouvert pour vous, ô Corinthiens*[t]*»*, car c'est un *cœur grand ouvert* qui procure à la bouche *l'abondance* [u] de la Sagesse.

« Car je me suis réjouie en ton salut[a] *»* : si *je me suis réjouie dans le salut* de Dieu, alors *ma bouche est grand ouverte contre mes ennemis.*

« Il n'est de saint comme le Seigneur[b]. *»* S'il était écrit : 'Il n'est de saint que le Seigneur', il serait logique que nous renoncions tous à l'espoir de devenir nous-mêmes des saints, mais voici que l'Écriture fait la distinction nécessaire et dit : *« Il n'est de saint comme le Seigneur »,* c'est-à-dire : même s'il y a beaucoup de saints, aucun n'est *saint comme le Seigneur.* Beaucoup peuvent donc devenir saints, conformément au commandement de Dieu qui dit : *« Soyez saints parce que moi aussi je suis saint*[c] *»,* mais quelque progrès qu'on fasse dans la sainteté, quelle que soit la pureté et la sincérité qu'on acquierre, un homme ne peut pas être *saint comme le Seigneur,* car c'est lui qui donne la sainteté et l'homme la reçoit, c'est lui qui est la *source*[d] de la sainteté et l'homme boit à cette source sainte, c'est lui qui est la *lumière*[d] de sainteté et l'homme regarde cette lumière sainte.

« Il n'est donc *de saint comme le Seigneur, et il n'est que toi*[e]. *»*

*te*ᵉ*»*. Quid est quod dixit : «*Non est praeter te*», non
aduerto. Si dixisset : Non est Deus praeter te, uel : Non est
creator praeter te, aut tale aliquid addidisset, nihil requi-
20 rendum uidebatur; nunc autem, quia dicit : «*Non est praeter
te*», mihi hoc uidetur in loco designari : nihil eorum, quae
sunt, hoc ipsum, quod sunt, naturaliter habent; tu solus es,
cui, quod es, a nullo datum est; nos enim omnes, id est
uniuersa creatura, non eramus, antequam crearemur, et
25 ideo, quod sumus, uoluntas est creatoris. Et quia aliquando
non fuimus, non est integrum, si dicatur de nobis, quia
sumus, quantum ad illud spectat, cum non essemus. Sed
solus est Deus, qui, quod est, semper habuit, et non
accepit, ut esset, initium. Denique Moyses cum discere
30 uellet a Deo, quod ei nomen esset, docens eum Deus dicit :
«*Ego sum, qui sum, et hoc mihi nomen est*ᶠ.» Si ergo aliud
aliquid in creaturis hoc nomine uel hac significantia appel-
lari posset, numquam diceret Dominus *hoc* sibi *esse nomen;*
sciebat enim se solum esse, creaturas uero a se accepisse, ut
35 essent. Nam et umbra ad comparationem corporis non est
et fumus ad comparationem ignis non est. Sic ergo et *quae
in caelis sunt et quae in terra, uisibilia et inuisibilia*ᵍ, quantum
ad naturam Dei pertinet, non sunt, quantum ad uoluntatem
creatoris, sunt hoc, quod ea esse uoluit ille, qui fecit.

12   Ideo ergo dicitur quia «*praeter te non est; non est potentia
sicut Deus noster*ᵃ». Simile est hoc illi, quod superius dictum

---

e. I Sam. 2, 2 ‖ f. Ex. 3, 14-15 ‖ g. Col. 1, 16
12. a. I Sam. 2, 2

---

1. Simple procédé de style pour stimuler l'attention de l'auditoire.
Origène connaît la réponse à la question posée et il va la donner.

2. Pour rendre l'article τὸ suivi d'un infinitif, les Latins, qui n'ont pas
d'article dans leur langue, doivent recourir à des périphrases. Ici *hoc
ipsum quod sunt* et plus loin *quod es* (l. 23), *quod sumus* (l. 25) et *quod est*
(l. 28) équivalent à τὸ εἶναι. Elles ne signifient pas : «ce qu'ils sont», «ce
que tu es», «ce que nous sommes», «ce qu'il est», mais «le fait même

Qu'est-ce qu'a dit Anne : *« Il n'est que toi »*? Cela m'é-
chappe[1]. Si elle avait dit : 'Il n'est de Dieu que toi' ou 'Il
n'est de créateur que toi', ou qu'elle ait ajouté quelque
chose de semblable, il n'y aurait eu apparemment rien à
chercher, mais maintenant qu'elle dit : *« Il n'est que toi »*,
voici, me semble-t-il, ce qui est indiqué à cet endroit : rien
parmi les êtres qui existent n'a l'être[2] par nature. Tu es le
seul à qui il n'est donné par personne d'être. Nous tous, en
effet, c'est-à-dire toute la création, nous n'étions pas avant
d'être créés et ce n'est que par la volonté du Créateur que
nous sommes. Et comme il y eut un temps où nous n'étions
pas, il n'est pas tout à fait exact de dire de nous que nous
sommes, si l'on considère l'époque où nous n'étions pas.
Dieu, au contraire, est le seul qui a toujours eu l'être et n'a
pas eu de commencement dans l'être. Le fait est que,
lorsque Moïse voulut apprendre de Dieu quel était son
nom, Dieu le lui enseigna en ces termes : *« Je suis l'Être[3],
c'est là mon nom* [f]. » S'il y avait quelque autre chose parmi les
créatures qui puisse recevoir ce nom et cette désignation, le
Seigneur ne dirait jamais que *c'est là* son *nom*. Il savait que
seul il est, tandis que les créatures ont reçu de lui d'être.
L'ombre, en comparaison du corps, n'est pas, et la fumée,
en comparaison du feu, n'est pas ; de la même manière *ce qui
est dans les cieux et ce qui est sur la terre, les choses visibles et les
invisibles* [g], par rapport à la nature de Dieu ne sont pas, mais
par rapport à sa volonté elles sont ce qu'il a voulu qu'elles
soient, lui qui les a faites.

Il est donc dit : *« Il n'est que toi ; il n'est de puissance comme
notre Dieu* [a]. » C'est semblable à ce qui a été dit plus haut :

qu'ils soient», «le fait que tu sois», «le fait que nous soyons», «le fait
qu'il soit».
3. Rufin traduit cette parole célèbre (*Ex.* 3, 14) d'après la Vetus
Latina à laquelle il était habitué : *Ego sum qui sum,* mais Origène la cite
toujours d'après la Septante : Ἐγώ εἰμι ὁ ὤν, et l'entend comme

est, quia *« non est sanctus sicut Dominus »*. Sicut enim ibi non
dixit quia non est sanctus quisquam, sed : *« Non est sanctus
sicut Dominus*[b]*»*, ut ostenderet quia, etsi sunt sancti, sed
nemo ita est sanctus *ut Dominus,* ita et in hoc loco, etiamsi
sit aliquis potens, *« non est,* inquit, *potentia sicut Deus noster. »*

13   *« Nolite multiplicare loqui excelsa*[a]*. »* Cur non dixit : nolite
loqui excelsa? Ergo licet mihi aliqua *loqui excelsa, multiplicare* autem *excelsa* et ardua non mihi licet; hoc enim uidetur
designari per id, quod dictum est : *« Nolite multiplicare loqui
excelsa. »* Quid ergo per hoc indicetur, consideremus. Non
permittitur humanae naturae multa *excelsa loqui* neque
multa *excelsa* intelligere; nam et Solomon dicit : *« Altiora te
ne quaesieris, et fortiora te ne scruteris; de quibus praeceptum est
tibi, haec intellige*[b]*. »* Ergo et in hoc loco dicitur *excelsa,* non
ut omnino non quaeras, sed ne de his *multiplices* questiones.
Respicienti quippe ad imbecillitatem conditionis humanae
sufficiat tibi ea de *excelsis* et arduis uel inquisisse uel
proloqui, quae uitam uel inquirentibus uel loquentibus
tribuant. Quae autem sunt, in quibus *excelsa* me *loqui*
necesse est? Quando de omnipotentia Dei loquor, de
inuisibilitate et sempiternitate eius, *excelsa loquor;* quando
de unigeniti eius coaeternitate ceterisque mysteriis pro-
nuntio, *excelsa loquor;* quando de Spiritus sancti magnifi-
centia dissero, *excelsa loquor.* In his nobis tantum conceditur
loqui excelsa. Post haec tria iam nihil *loquar excelsum.* Omnia
enim humilia sunt et deiecta, quantum ad Trinitatis huius
celsitudinem spectat. *« Nolite ergo multiplicare loqui excelsa »*

b. I Sam. 2, 2[a]
13. a. I Sam. 2, 3 ‖ b. Sir. 3, 21.22

signifiant : Je suis celui qui est, je suis l'Être. Cf. P. NAUTIN, *« Je suis celui
qui est* (Exode 3, 14) dans la théologie d'Origène», dans *Dieu et l'être.
Exégèses d'Exode 3, 14 et de Coran 20, 11-24* (École pratique des Hautes
Études, section des sciences religieuses), Paris 1978, p. 109-119.
    1. Passage retouché par Rufin; voir Introduction, p. 49.

« *Il n'est de saint comme le Seigneur.* » De même en effet que là
il n'était pas dit que personne n'est saint, mais : « *Il n'est de
saint comme le Seigneur*[b] », pour montrer que, même s'il y a
des saints, personne n'est saint *comme le Seigneur,* ici
pareillement, même si quelqu'un est puissant, « *il n'est de
puissance comme notre Dieu* ».

« *Ne multipliez pas les paroles élevées*[a]. » Pourquoi n'est-il
pas dit : 'Ne prononcez pas de paroles élevées'? Il m'est
donc permis de dire quelques *paroles élevées,* mais *multiplier
les paroles élevées* et ardues ne m'est pas permis; c'est ce qui
me paraît indiqué par les mots : « *Ne multipliez pas les
paroles élevées.* » Que faut-il donc entendre par là? Voyons. Il
n'est pas permis à la nature humaine de prononcer beaucoup de *paroles élevées* ni de comprendre beaucoup de choses
élevées, car Salomon dit aussi : « *Ne cherche pas les choses plus
hautes que toi et ne scrute pas ce qui te dépasse, comprends
seulement les commandements qui te sont donnés*[b]. » De même
donc, si notre verset parle de choses *élevées,* ce n'est pas
pour qu'on ne les cherche pas du tout, mais pour qu'on ne
multiplie pas les questions sur elles. En considération de la
faiblesse de la condition humaine, contente-toi, dans les
choses *élevées* et ardues, de chercher ou de dire celles qui
donnent la vie à ceux qui les cherchent ou les disent. Quels
sont les domaines dans lesquels il m'est nécessaire de dire
des *paroles élevées?* Quand je parle de la Toute-Puissance de
Dieu, de son invisibilité et de son éternité, je dis des *paroles
élevées.* Quand je traite de la coéternité[1] du Fils unique et
des autres mystères, je dis des *paroles élevées,* quand je traite
de la grandeur de l'Esprit Saint, je dis des *paroles élevées.*
C'est dans ces domaines-là seulement qu'il nous est permis
de dire des *paroles élevées.* Après ces Trois-là, je ne dois plus
dire *aucune parole élevée.* Car tout est bas et terre-à-terre en
comparaison de la Trinité. « *Ne multipliez* donc *pas les*

nisi de Patre et Filio et Spiritui sancto. Et ut plenius
manifestum fiat, quod loquimur, utamur adhuc, si uidetur,
25 exemplis. Verbi gratia, gentes multos introducunt deos;
isti *multiplicant loqui excelsa*. Haereticorum quidam derelin-
quentes creatorem mundi et filium eius fingunt sibi alium
nescio quem excelsiorem Deum et alios similiter introducunt, siue quos aeonas siue quos deos appellant; et isti ergo
30 *multiplicant loqui excelsa*.

14   « *Non exeat magniloquium de ore uestro*ᵃ.» Vere quod
dictum est ab apostolo : « *Miser ego homo, quis me liberabit de
corpore mortis huius?*ᵇ», conueniet dici de omni homine :
miserum namque est mortalium genus, siquidem non solum
5 in malis, sed et in bonis periclitamur. Verbi gratia, *uisiones*
quasdam uidi bonas, factae sunt mihi *reuelationes*ᶜ, *signa* et
*prodigia*ᵈ per me impleta sunt, effectus sum in bonis, seruaui
iustitiam, continentiam, uirtutem : et in his periclitor.
Quando enim nihil aliud fecerit Zabulus, pro his omnibus
10 suscitat mihi superbiam, ita ut opus habeam « *angelum
Satanae, qui me colaphizet, uti ne extollar*ᵉ» et *exeat magniloquium de ore meo,* id est uti ne magna de me ipso loquar,
quoniamquidem *exterminat Dominus labia dolosa et linguam
magniloquacem, qui dixerunt : Linguam nostram magnificabimus*ᶠ.

15   « *Non* ergo *exeat magniloquium de ore uestro, quia fortis*
15 *scientiarum Dominus. | Et non emendauerunt occasiones*ᵃ»,
sicut et alibi dictum est : « *Non declines cor meum in uerba
mala, ad excusandas excusationes in peccatis, cum hominibus
operantibus iniquitatem*ᵇ.» Et in Prouerbiis dicitur : « *Occa-
5 siones accipit piger et dicit : Leo est in uiis, in plateis autem*

15, 2 alibi *scripsimus :* ibi *codd. Baeh.*

---

14. a. I Sam. 2, 3 ‖ b. Rom. 7, 24 ‖ c. II Cor. 12, 1 ‖ d. Act. 8, 13 ‖
e. II Cor. 12, 7 ‖ f. Ps. 11, 4-5
15. a. I Sam. 2, 3 ‖ b. Ps. 140, 4

---

1. Origène pense aux gnostiques.

paroles élevées» si ce n'est à propos du Père, du Fils et du Saint Esprit. Et pour rendre plus clair ce que nous disons là, prenons encore des exemples, si vous le voulez bien. Les païens font intervenir beaucoup de dieux : ils *multiplient les paroles élevées*. Certains hérétiques, délaissant le Créateur du monde et son Fils, se fabriquent je ne sais quel autre Dieu plus élevé et en font intervenir beaucoup d'autres, soit qu'ils les appellent «éons» ou «dieux[1]» : eux aussi *multiplient les paroles élevées*.

«Qu'un langage d'orgueil ne sorte pas de votre bouche[a].*»* En vérité la parole de l'Apôtre : *« Malheureux que je suis, qui me délivrera de ce corps de mort*[b]*?»* pourra être appliquée à tout homme, car *malheureuse* est la race des mortels, puisque, soit dans les maux soit dans les biens, nous sommes en danger. Par exemple : ai-je eu de belles *visions*, des *révélations*[c] m'ont-elles été faites, des *signes* et des *prodiges*[d] ont-ils été opérés par moi, ai-je vécu dans le bien, ai-je gardé la justice, la continence, la vertu? Même au milieu de ces biens je suis en danger, car à défaut de pouvoir faire autre chose, le diable se sert de tout cela pour susciter en moi la vanité au point que j'ai besoin d'«*un ange de Satan pour me souffleter, afin que je ne m'enorgueillisse pas*[e]», et *qu'un langage d'orgueil ne sorte pas de ma bouche,* c'est-à-dire pour que je ne dise pas de moi des choses orgueilleuses, puisque *Dieu détruit les lèvres trompeuses et la langue grandiloquente, les gens qui disent : Nous hausserons notre langage*[f].

«Qu'un langage d'orgueil ne sorte pas de votre bouche, parce que le Seigneur est puissant en savoir. | Et ils n'ont pas corrigé leurs mauvaises excuses[a]*»,* comme il est dit ailleurs : *«N'incline pas mon cœur vers des paroles mauvaises pour inventer des excuses à mes péchés avec les hommes qui commettent l'iniquité*[b]*»,* et dans les Proverbes : *« Le paresseux invoque des occasions et dit : Il y a un lion dans les rues et des assassins sur les places*[c].*»* Nous trouvons

homicidae[c].» Inuenimus ergo tales esse peccatores accu-
santes omnia magis quam semet ipsos et *occasiones* sibimet
excusationum fingentes, cum dicunt : Zabulus me supplan-
tauit, mulier me seduxit, ille mihi *occasionem* praestitit,
10 ut peccarem, cum utique oporteret meminisse praecepti
dicentis : *« Dic tu peccata tua prior, ut iustificeris*[d] *» ; non* enim
emendant excusationes.

Sed et illud in excursu contingere necessarium uidetur –
mirum quippe continet sensum – quod scriptum est :
15 *« Iustus autem ipse sui accusator fit in principio sermonis sui*[e] *» ;*
ergo iniustus non fit *sui accusator,* sed aliorum, sicut et
Zabulus *accusator* quidem est, *accusator* autem non sui, sed
fratrum. Interim omnes necesse est accusari, sed si quidem
iustus fuero, non exspecto, ut alius me accuset, sed *ipse* mei
20 *accusator* exsisto. Plenius tamen uelim discutere, quomodo
potest *iustus accusator sui* esse : certum est quia, donec quis
peccat et permanet in delictis, neque *iustus* est neque
accusator est *sui ; non* enim accusat, quod agit; cum uero
paenituerit a delictis, tunc *iustus* efficitur et non alterius, sed
25 *sui accusator* exsistit.

16   *« Arcus potentium infirmatus est*[a].» Iacula maligni, quae
dicuntur *ignita*[b], per *arcum potentium* emittuntur. *Potentes*
autem uirtutes dicuntur aduersae, de quibus dicitur quia
« ecce peccatores intenderunt arcum[c] *»,* et : *« In ipso parauerunt*
5 *uasa mortis*[d] *»,* et iterum : *« Sagittas suas ardentibus effecit*[d] *».*
Sed nunc dicitur quia *« arcus potentium infirmatus est ».* Si

c. Prov. 22, 13 ‖ d. Is. 43, 26 ‖ e. Prov. 18, 17
16. a. I Sam. 2, 4 ‖ b. Éphés. 6, 16 ‖ c. Ps. 10, 2 ‖ d. Ps. 7, 14

1. La même parole est commentée d'une manière semblable dans
Hom. Lév., 3, 4, (*SC* 286, p. 140, 60 s.) et *In Ps. 37 hom.,* 2, 2 (*PG* 12,
1382 C – 1383 A).
2. Allusion à l'étymologie du mot *Satan, diabolos* : « accusateur »;
cf. LAGARDE, p. 61, 9.

donc (dans l'Écriture) qu'il y a des pécheurs de cette sorte, qui accusent tout plutôt qu'eux-mêmes et s'inventent des *occasions* comme *excuses* en disant : 'Le diable m'a fait tomber', 'une femme m'a séduit', 'cet homme-là m'a donné l'*occasion* de pécher', alors qu'il faut se rappeler le précepte : « *Avoue toi-même tes péchés le premier pour être justifié*[d] » ; ces gens-là en effet *ne corrigent pas leurs mauvaises excuses.*

Mais il me semble nécessaire, parce qu'ils contiennent un sens admirable, de faire une digression sur ces mots : « *Le juste se fait son propre accusateur pour commencer*[e1]. » Donc l'injuste ne se fait pas *son propre accusateur* mais celui des autres, tout comme le diable est *accusateur*[2] certes, mais *accusateur* des frères et non de lui-même. Ici-bas, tous doivent être accusés, mais si je suis un *juste,* je n'attends pas qu'un autre m'accuse, je me *fais mon propre accusateur.* Toutefois je voudrais expliquer plus complètement comment le *juste* peut être *son propre accusateur* : aussi longtemps que quelqu'un pèche et continue de commettre des fautes, il n'est certainement ni *juste,* ni *son propre accusateur,* car il ne met pas en accusation ce qu'il fait ; mais quand il se repent de ses fautes, alors il devient *juste* et *se fait l'accusateur* non d'un autre mais *de lui-même.*

« *L'arc des puissants a perdu sa force*[a]. » Les *traits du Mauvais,* qui sont dits *enflammés*[b], sont envoyés par l'*arc des puissants :* les *puissants* désignent les puissances adverses dont il est dit : « *Voici que les pécheurs ont tendu leur arc*[c] » et : « *Contre lui ils ont préparé des instruments de mort*[d] », et encore[3] : « *Il a fait ses flèches avec des brandons*[d]. » Mais maintenant il est dit que « *l'arc des puissants a perdu sa force.* »

---

3. *Et iterum.* Ces mots peuvent avoir été rajoutés par Rufin, car la citation qui suit ne fait que continuer la précédente (*Ps.* 7, 14).

enim tu indutus sis *armis Dei*[e], si *scuto fidei*[f] sis munitus et
galea salutis[g] obtectus et *lorica caritatis*[h], et *gladio spiritus*[i]
accinctus, *arcus* contra te *potentium* pro munimentis talibus
10 *infirmabitur*. Si enim iaculatus fuerit contra te unum aliquod
iaculum ignitum[b], id exceptum *scuto fidei* continuo restin-
guitur; iecit et aliud *iaculum*, repulsum id quoque a *thorace
iustitiae*[j] est; iecit et tertium, etiam id *gladio spiritus* detrun-
catum est; emittit fortassis et quartum, quod similiter per
15 *galeam salutis* abiectum est. Cumque par haec omnia homo
Dei peritus inuulnerabilis manserit, tunc *arcus potentium*
nequaquam tot directis spiculis *infirmabitur*.

17   « *Et infirmi accincti sunt fortitudinem*[a]. » Si uideas quomodo
« *quae stulta sunt mundi, elegit Deus, ut confundat sapientes, et,
quae infirma sunt mundi, elegit, ut confundat fortia*[b] », intelligis
quomodo *infirmi accincti sunt fortitudine*. *Infirmus* erat gentilis
5 populus, quippe qui *alienus* erat *a testamento*[c] Dei; hic
adeptus est *fortitudinem*. Quam *fortitudinem? « Fortitudo mea
et laudatio mea Dominus, et factus est mihi in salutem*[d] ».
Fortitudo ergo ipse est Christus *Dominus,* qua *accincti* sumus
nos, qui eramus aliquando *alieni a testamento, et sine Deo in
10 hoc mundo*[e].

18   « *Saturati panibus deducti sunt ad seruitutem*[a]. » Culpabile
ostendit esse *saturati panibus,* quia *Iacob manducauit* et bibit *et
repletus est et incrassatus est et recalcitrauit dilectus*[b].

         « *Esurientes dereliquerunt*[c]. » Illos dicit, qui *saturati* fuerant
5 *panibus,* quia *reliquerunt esurientes;* uenit enim fames, non
fames panis neque sitis aquae, sed *audiendi Verbum Dei*[d].

e. Éphés. 6, 11 ‖ f. Éphés. 6, 16 ‖ g. Éphés. 6, 17 ‖ h. I Thess. 5, 8 ‖
i. Éphés. 6, 17 ‖ j. Éphés. 6, 14
17. a. I Sam. 2, 5 ‖ b. I Cor. 1, 27 ‖ c. Éphés. 2, 12 ‖ d. Ps. 117, 18 ‖
e. Éphés. 2, 12
18. a. I Sam. 2, 5[a] ‖ b. Deut. 32, 15 ‖ c. I Sam. 2, 5[b] ‖ d. Amos 8, 11

Si en effet tu t'es revêtu de l'*armure de Dieu*[e], si tu t'es protégé du *bouclier de la foi*[f], couvert du *casque du salut*[g], de la *cuirasse de la charité*[h], et ceint du *glaive de l'Esprit*[i], *l'arc des puissants perdra sa force* contre toi en face de telles protections. Lance-t-il sur toi quelque *trait enflammé*[b], celui-ci reçu par le *bouclier de la foi* s'éteint aussitôt ; en lance-t-il un autre, celui-là aussi est repoussé par la *cuirasse de justice*[i] ; en lance-t-il un troisième, il est encore émoussé par le *glaive de l'Esprit ;* peut-être en lance-t-il un quatrième, qui est rejeté pareillement par le *casque du salut.* Et comme l'homme de Dieu expérimenté sera demeuré invulnérable grâce à tout cela, *l'arc des puissants,* après que tant de flèches auront manqué complètement leur but, aura *perdu sa force.*

« *Et les faibles ont été ceints de force*[a]. » Si tu vois comment « *Dieu a choisi ce qui est stupide dans le monde pour confondre les sages, et ce qui est faible dans le monde pour confondre ce qui est fort*[b] », tu comprends comment les *faibles ont été ceints de force. Faible* était le peuple des Gentils, puisqu'il était *étranger à l'alliance*[c] de Dieu. Il a reçu *la force,* quelle *force ?* « *Ma force et l'objet de ma louange sont le Seigneur et il est devenu mon salut*[d]. » La *force* est donc le Christ *Seigneur,* dont nous avons été *ceints,* nous qui étions jadis *étrangers à l'alliance et sans Dieu dans le monde*[e].

« *Rassasiés de pains, ils ont été réduits en esclavage*[a]. » L'Écriture montre que c'est une faute que d'être *rassasié de pains,* car Jacob *a mangé,* bu, *et a été rassasié, il s'est épaissi et a regimbé, lui, le bien-aimé*[b].

« *Affamés, ils ont abandonné*[c]. » L'Écriture dit de ceux qui avaient été *rassasiés de pains* que, *affamés, ils ont abandonné.* Une famine en effet est venue, non pas une *faim de pain* et une soif d'eau, mais une *faim d'entendre la parole de Dieu*[d].

Propterea ergo «*esurientes dereliquerunt, usque quo sterilis peperit septem, et fecunda in filiis infirmata est*[e]». «*Multi etenim filii desertae magis quam eius, quae habet uirum*[f].» Sterilis mater nostra est ecclesia, haec «*peperit septem*», septenarium numerum, cui requies adscripta est. Et «*fecunda in filiis infirmata est.*» Patroni litterae Iudaei uelim uidere, quomodo asserunt quod *fecunda in filiis infirmatur* et *sterilis* quomodo «*peperit septem*»; sed illorum fabulis spretis nos consideremus, ne forte unusquisque nostrum habet intra se *sterilem*, quae *parit septem*, habet et *fecundam in filiis*, quae *infirmatur*. *Fecunda* in progenie erat caro mea habens plurimos carnis fructus, *fornicationem, immunditiam, impudicitiam, idolatriam, ueneficia, inimicitias, contentiones, ae-mulationes, incitationes, dissensiones*[g]. Haec erat carnis nostrae numerosa progenies. Sed cum uenimus ad fidem crucis Christi et *mortificationem Iesu coepimus circumferre in corpore nostro*[h] et *mortificare membra nostra, quae sunt super terram*[i]», et *exhibere ea seruire iustitiae*[j] et sobrietati, tunc fecunditas probrosae huius generationis exclusa est, et hoc modo *fecunda in filiis infirmata est.*

Quomodo autem *sterilis septem pariat*[k] uideamus. *Sterilis* erat in me anima mea, non afferebat *fructus iustitiae*[l]; nunc autem ubi per fidem Christi meruit *gratiam Spiritus sancti*[m] et *repleuit eam spiritus sapientiae et intellectus, spiritus consilii et fortitudinis,* spiritus iustitiae et misericordiae, *et repleuit eam*

e. I Sam. 2, 5[b] ‖ f. Is. 54, 1 ‖ g. Gal. 5, 19-20 ‖ h. II Cor. 4, 10 ‖ i. Col. 3, 5 ‖ j. Rom. 6, 19 ‖ k. I Sam. 2, 5 ‖ l. Jac. 3, 18 ‖ m. Act. 10, 45

1. Dans *Hom. Gen.,* 6, 3 (*SC* 7 bis, p. 192, 51 s.), Origène critique de la même manière l'interprétation littérale de ces versets par les Juifs.

2. *Spiritus iustitiae et misericordiae.* Ces mots ne correspondent pas au texte d'*Is.* 11, 2 ni selon la Septante (πνεῦμα γνώσεως καὶ εὐσεβείας, «Esprit de connaissance et de piété»), ni selon l'hébreu («Esprit de connaissance»). Qui est responsable de l'altération? Origène, qui aurait eu ici une défaillance de mémoire, alors qu'il cite très souvent ce texte

C'est pourquoi « *affamés, ils ont abandonné, jusqu'à ce qu'une femme stérile ait enfanté sept fois, et que celle qui était féconde en enfants ait perdu sa force*[e]. » En effet « *les enfants de la femme délaissée sont plus nombreux que ceux de l'épouse*[f]. » La mère qui était *stérile*, c'est notre Église. C'est elle qui a « *enfanté sept fois* », l'hebdomade étant le nombre du repos. Et « *celle qui était féconde en enfants a perdu sa force* ». Je voudrais voir comment les Juifs, défenseurs de la lettre[1], expliquent que *celle qui était féconde en enfants a perdu sa force* et comment *la stérile « a enfanté sept fois* ». Mais rejetons les histoires qu'ils inventent et faisons attention, nous, que personne des nôtres n'ait en soi une *femme stérile* qui *engendre sept fois* ou qu'il ait *une femme féconde en enfants* qui ait *perdu sa force*. *Féconde* en progéniture était ma chair, qui avait de nombreux fruits de la chair : *fornication, impureté, impudicité, idolâtrie, art des philtres, haines, discordes, jalousies, emportements, dissensions*[g]. Voilà quelle était la nombreuse progéniture de notre chair. Mais quand nous sommes arrivés à croire à la croix du Christ et que nous avons commencé à *porter dans notre corps la mort de Jésus*[h], à mortifier nos *membres terrestres*[i] et à les *mettre au service de la justice*[j] et de la continence, alors la fécondité dans cette progéniture-là, qui était répréhensible, a été rejetée et de cette façon celle qui était *féconde en enfants a perdu sa force*.

Et voyons comment *la stérile enfante sept fois*[k]. *Stérile* était en moi mon âme, elle ne portait pas de *fruits de justice*[l], mais maintenant que par la foi au Christ elle a mérité de recevoir la *grâce de l'Esprit Saint*[m] et qu'elle a été remplie de l'*Esprit de sagesse et d'intelligence,* de l'*esprit de conseil et de force,* de l'esprit de justice et de miséricorde[2], et *remplie de l'esprit de*

correctement selon la Septante? Rufin? Mais il serait étonnant qu'il ait traduit de la sorte s'il avait trouvé dans son modèle le texte correct. Un copiste grec? ou latin? Dans l'impossibilité de trancher, nous traduisons le texte du manuscrit sous toutes réserves.

spiritus timoris[n] Dei, certum est quia « *sterilis peperit septem et fecunda in filiis infirmata est* ».

19   « *Dominus mortificat et uiuificat*[a]. » Quem *mortificat* Dominus et quem *uiuificat*? Me ipsum *mortificat,* cum me facit *mortuum esse peccato*[b]; et me ipsum *uiuificat,* cum me facit *uiuere Deo.* Peccator eram et in delictis uiuebam; *mortificauit* me a peccatis, mori me fecit uitae priori, et *uiuificauit* me, ut in timore suo uiuam, ut *in fide sua stem*[c], ut ultra non *uiuam peccato*[d], sed Deo, qui me *a mortuis suscitauit*[e], ut *in nouitate uitae ambulem*[f] in Christo Iesu Domino nostro, *cui est gloria et imperium in saecula saeculorum.* Amen![g]

n. Is. 11, 2-3 + I Cor. 4, 21
19. a. I Sam. 2, 6 ‖ b. Rom. 6, 2 ‖ c. I Cor. 16, 13 ‖ d. Rom. 6, 2 ‖ e. Jn 12, 17 ‖ f. Rom. 6, 4 ‖ g. I Pierre 4, 11

crainte[n] de Dieu il est sûr que «*la stérile a enfanté sept fois et que celle qui était féconde en enfants a perdu sa force.*»

«*Le Seigneur fait mourir et fait vivre*[a].» Qui le Seigneur *fait-*il *mourir* et qui *fait-*il *vivre?* C'est moi qu'il *fait mourir* quand il fait que je sois *mort au péché*[b] et moi qu'il *fait vivre* quand il me fait *vivre pour Dieu.* J'étais pécheur et je vivais dans les fautes : il m'a *fait mourir* aux péchés, il m'a *fait mourir* à ma vie antérieure et il m'a *fait vivre* pour que je *vive* dans la crainte de lui, que je me tienne *ferme dans la foi*[c] en lui, pour que je ne *vive* plus *pour le péché*[d], mais pour Dieu qui m'a *ressuscité des morts*[e], afin que *je marche dans une nouvelle vie*[f] en Christ Jésus notre Seigneur, *à qui sont la gloire et la puissance dans les siècles des siècles. Amen*[g].

HOMÉLIES II - IV

Fragments

HOMÉLIE II

Frgt 1 (*I Sam.* 3, 11-21)

Ἐπειδὴ ἔμελλεν ἡ θεία γραφὴ τὴν ἀπώλειαν τῶν υἱῶν
Ἠλὶ προλέγειν, ὅτι τε ἡ κιβωτὸς[a] τοῦ θεοῦ ληφθήσεται
ὑπὸ τῶν ἀλλοφύλων, προλαβοῦσα θεραπεύει τὴν ἀκοήν,
μήποτέ τις οἰηθῇ σκληρὸν εἶναι τὸν θεόν. Διὰ τοῦτο, ὡς
5 ἔφην, ἱστορεῖ ὡς οὐκ ἠλαττώθη τῶν υἱῶν Ἠλὶ ἡ κακία καὶ
ἡ ἁμαρτία διὰ τῆς ἀπειλῆς καὶ τῆς κατ' αὐτῶν προρρή-
σεως, ἀλλ' ηὐξήθη μᾶλλον[b].

Frgt 2 (*I Sam.* 4, 13)

Εὐσεβὴς ὁ Ἠλὶ καθ' ἑαυτόν · οὐ γὰρ περὶ τῆς σωτηρίας
τῶν τέκνων ἠγωνία προηγουμένως ἀλλ' ὑπὲρ τῆς κιβωτοῦ,
μήποτε γένοιτο ὑπὸ τοῖς ἀλλοφύλοις[c] · ὃ δὴ καὶ συνέβη.

Frgt 3 (*I Sam.* 5, 3)

Ἵνα γνῶσιν οἱ ἀλλόφυλοι ὅτι οὔτε ὁ θεὸς ἡττήθη διὰ
τῶν Ἰσραηλιτῶν οὔτε αὐτὸν νενικήκασι τῇ οἰκείᾳ δυνάμει,
ἀλλὰ τῶν Ἰουδαίων αἱ ἁμαρτίαι καὶ ἀσέβειαι τὴν ἧτταν
πεποιήκασιν. Πέπτωκε δὲ πρὸ τῆς κιβωτοῦ ὁ Δαγών[d], οὐχ
5 ἵνα προσκυνήσῃ, οὐ γὰρ ἦν ἄξιος, ἀλλ' ἵνα συντριβῇ · ὃ δὴ
καὶ γέγονεν.

---

a. I Sam. 4, 11 ‖ b. I Sam. 2, 22-25 ‖ c. I Sam. 4, 13 ‖ d. I Sam. 5, 4

HOMÉLIE II

Les fils d'Héli et l'arche

Frgt 1 (*I Sam.* 3, 11-21)

Comme la divine Écriture allait prédire que les fils d'Héli périraient et que l'*arche*[a] de Dieu serait prise par les étrangers, elle prend les devants et prépare les oreilles des auditeurs pour qu'ils ne croient pas que Dieu est dur. C'est pourquoi, comme j'ai dit, elle raconte que le vice et le péché des fils d'Héli n'avaient pas diminué à la suite de la menace et de la prédication faite contre eux, mais bien plutôt augmenté[b].

Frgt 2 (*I Sam.* 4, 13)

Héli par lui-même était pieux, car ce n'était pas de sauver ses enfants qu'il se préoccupait d'abord, mais de l'*arche,* en craignant qu'elle ne tombe entre les mains des étrangers[c], ce qui arriva en effet.

Frgt 3 (*I Sam.* 5, 3)

... afin que les étrangers sachent que Dieu n'avait pas été vaincu à travers les Israélites et que leur propre victoire n'était pas due à leur puissance, mais que c'étaient les péchés et les impiétés qui avaient causé la défaite des Juifs. *Et Dagon tomba devant l'arche*[d], non pour adorer, car il n'en était pas digne, mais pour être broyé, ce qui se produisit en effet.

HOMÉLIE III

Frgt 4 (*I Sam.* 15, 9-11)

Ὥσπερ <ἐπ'> ἀνθρώπων μὲν χεὶρ καὶ πούς καὶ
ὀφθαλμὸς καὶ οὖς καὶ εἴ τι τοιοῦτον ὀνομάζεται σημαντικὰ
τῶν μελῶν τοῦ ἡμετέρου σώματός ἐστιν, ἐπὶ δὲ θεοῦ χεὶρ
μὲν τὸ δημιουργικόν, ὀφθαλμὸς δὲ τὸ ἐποπτικόν, καὶ οὖς
5 μὲν τὸ ἀκουστικόν, πούς δὲ τὸ τῆς παρουσίας ὅταν ἐνεργῇ
τι· οὕτω καὶ θυμὸς μὲν θεοῦ λέγεται παιδεία ἡ κατὰ
τῶν πταιόντων, οὐ πάθος θεοῦ, μεταμέλεια[a] δὲ ἡ ἀπὸ
πράγματος εἰς πρᾶγμα μετάθεσις τῆς τοῦ θεοῦ οἰκονομίας.
Ὁ γὰρ ἡμεῖς μεταμελούμενοι ποιοῦμεν, τουτέστιν ἐκεῖνα
10 μὲν φεύγομεν ἐφ' οἷς μετεμελήθημεν, ἕτερα δὲ διώκομεν τὰ
χρείττω, τοῦτο μεταμέλεια θεοῦ λέγεται. Διατί; Ἐπειδὴ
σωματικώτερον τοῖς βαρυτάτοις τὴν διάνοιαν ἔδει περὶ τοῦ
θεοῦ τοὺς προφήτας ὁμιλεῖν, ἵνα χωρηθῇ· οἱ γὰρ ἀγάλματα
ἅπερ ἔγλυφον καὶ ἐχώνευον θεοὺς νομίζοντες, ἤδη δὲ καὶ
15 ἄλογα, πῶς ἂν ἐχώρησαν διὰ πνευματικῶν νοημάτων τε
καὶ ῥημάτων τὰ περὶ θεοῦ λεγόμενα;

a. I Sam. 15, 11

---

1. Tout ce développement est provoqué par *I Sam.* 15, 11 : «*Je me
repens d'avoir fait Saül roi.*» Origène traite par la même occasion
de la *colère* de Dieu si souvent mentionnée dans la Bible (*Ex.* 4, 14;
15, 7; etc.). C'étaient les deux exemples types d'anthropomorphismes

HOMÉLIE III

.

Repentir de Dieu et portrait de David

Frgt 4 (*I Sam.* 15, 9-11)

De même que chez les hommes la main, le pied, l'œil, l'oreille et toutes les dénominations semblables indiquent les membres de notre corps tandis qu'en Dieu la main signifie la puissance de créer, l'œil celle d'inspecter, l'oreille celle d'entendre, le pied celle de se rendre présent quand il agit, de même l'Écriture désigne par *colère*[1] de Dieu un châtiment contre les auteurs d'une faute et non une passion de Dieu, et par *repentir*[a] le changement du dessein de Dieu d'une chose à une autre. Ce que nous faisons nous-mêmes en nous repentant, à savoir d'éviter ce dont nous nous sommes repentis et de rechercher ce qui est meilleur, c'est cela que l'Écriture appelle *repentir* de Dieu. Pourquoi? Parce qu'il fallait que les prophètes parlent de Dieu d'une manière passablement corporelle pour qu'il soit saisi par des gens très lourds d'esprit. En effet, les hommes qui prenaient pour des dieux des statues qu'ils avaient taillées et fondues et même des animaux, comment auraient-ils pu saisir par des pensées et paroles spirituelles ce que l'Écriture disait de Dieu?

bibliques. Voir un développement semblable dans l'homélie 20 sur Jérémie, où ils sont pareillement réunis : *Hom. Jér.*, 20, 1, 15 à 2, 7 (*SC* 238, p. 252-255).

Καὶ πάλιν ·

Εἰ πάντα πρόοιδεν ὁ θεός, οὐκ ἀφ᾽ ὧν δὲ οἶδε θυμοῦται
ἢ μεταμελεῖται, οὐ πάθος ἄρα θεοῦ θυμὸς ἢ μεταμέλεια,
20 ἀλλὰ τοῦ θυμοῦ ἔργον ἡ κόλασις καὶ τὸ τῆς μεταμελείας
ὁμοίως ἀπόστασις μὲν τοῦ προτέρου πράγματος, μετάθεσις
δὲ εἰς τὴν ἑτέραν οἰκονομίαν. Οὕτω καὶ περὶ ῥομφαίας
λέγεται · Ῥομφαία ὀξύνου καὶ σφάζε[b], οὕτω καὶ χεὶρ
ὠνόμασται σιδήρου (ὁ Σολομών · Ἵνα ῥύσηταί σε ἐκ χειρὸς
25 σιδήρου[c]) καὶ ῥομφαίας (ὡς ὁ Δαβὶδ φησιν · «Εἰς χεῖρας
ῥομφαίας[d]»). Οὕτω καὶ ὁ θυμὸς τοῦ θεοῦ ὀργίζεσθαι[e]
λέγεται καὶ πρόσωπον[f] ἔχειν ἁμαρτία κατὰ τὸν Δαβίδ, καὶ
πρόσωπον ὁ τοῦ θεοῦ θυμός, ὡς ἐν τῷ τριακοστῷ ἑβδόμῳ
ψαλμῷ[g], καὶ χερσὶν οἱ ποταμοὶ κροτεῖν[h], οὔτε δὲ ποταμοῖς
30 χεῖρές εἰσιν οὔτε πρόσωπον ἁμαρτίαις. Μὴ τοίνυν διὰ τὰ
σωματικῶς περὶ θεοῦ λεγόμενα, ὡς ἐχώρουν οἱ παλαιοί,
σῶμα τὸν θεὸν νομίζωμεν ἢ παθῶν αὐτὸν πεπληρῶσθαι.

Frgt 5 (*I Sam.* 15, 11)

Ἐκ τούτων δείκνυται ὃ προεῖπον, ὅτι μεταμέλεια[i] θεοῦ
λέγεται τῆς τοῦ θεοῦ οἰκονομίας ἀπὸ πράγματος εἰς
πρᾶγμα μετάθεσις.

Frgt 6 (*I Sam.* 16, 12)

Ὁ μὲν Ἠσαῦ «πυρράκης ἦν ὡσεὶ δορὰ δασύς[j]», τὴν ἐξ
ἁμαρτίας ἔχων νεκρότητα καὶ φονῶν κατὰ τοῦ Ἰακώβ · ὁ
δὲ Δαβὶδ «πυρράκης» ἦν «μετὰ κάλλους ὀφθαλμῶν[k]», ἵνα
τὸ διορατικὸν δηλώσῃ τοῦ Δαβίδ.

---

b. Éz. 21, 14-15 ‖ c. Job 5, 20 ‖ d. Ps. 62, 11 ‖ e. Is. 7, 4; 9, 19; etc. ‖
f. Ps. 37, 4 ‖ g. Ps. 37, 4ᵃ ‖ h. Ps. 99, 8 ‖ i. I Sam. 15, 10 ‖ j. Gen.
25, 25 ‖ k. I Sam. 16, 12

---

1. Même expression dans *C. Celse,* IV, 72.

Et de nouveau :

Si Dieu sait tout d'avance et qu'il ne se fâche pas ni ne se repent de ce qu'il sait, la colère et le repentir de Dieu ne sont pas une passion[1] mais désignent l'effet de la colère, le châtiment, ou l'effet du repentir, qui est l'abandon d'une chose et le passage à un autre dessein. De la même manière il est dit de l'épée : *Épée aiguise-toi et égorge*[b] ; de même encore l'épée est appelée «main de fer» – Salomon : *Pour qu'il t'arrache à la main de fer*[c] – ou «main de l'épée» comme dit David : *«Aux mains de l'épée*[d]*»* ; pareillement il est dit de la colère de Dieu qu'elle *se fâche*[e] et du péché, dans David, qu'il a un *visage*[f] ; il est dit aussi de la colère de Dieu qu'elle a *un visage* comme dans le Psaume 37[g], et que *les fleuves battent des mains*[h] ; pourtant les fleuves n'ont pas de *mains* ni les péchés un *visage*. Ce n'est donc pas parce que l'Écriture parle de Dieu d'une manière corporelle comme les anciens pouvaient le comprendre, que nous devons supposer que Dieu est un corps ou qu'il est plein de passions.

Frgt 5 (*I Sam.* 15, 11)

On voit par là, comme je l'ai dit, que l'Écriture appelle *repentir*[i] de Dieu le passage du dessein de Dieu d'une chose à une autre.

Frgt 6 (*I Sam.* 16, 12)

Esaü était *« roux, velu comme une peau*[j] *»,* parce qu'il portait la mortalité[2] par suite d'un péché, car il avait des pensées de meurtre contre Jacob. Mais David était *« roux avec de beaux yeux*[k] *»* pour montrer la perspicacité de David.

---

2. Explication suggérée par la mention de la *peau,* qui symbolise pour Origène la mortalité ; cf. *Hom. Anne,* **6,** 28, avec la note ; *De Pascha,* 36, 30-31.

Frgt 7 (*I Sam.* 16, 18)

Πῶς «ἀνήρ», καὶ πῶς «συνετὸς» ἐν «λόγῳ», πῶς δὲ
καὶ «πολεμιστὴς¹» ὁ ἔτι πρόβατα ποιμαίνων^m; Οὐκ ἄρα
ἀφ' ἑαυτοῦ ἐλάλησεν εἰπών, ἀλλὰ τὰ ἐσόμενα προειπὼν ὡς
παρόντα, καὶ μαρτυρεῖ τῷ Δαβὶδ ἅπερ ἔμελλεν εἶναι, πλὴν
5 τοῦ κύριος μετ' αὐτοῦ τοῦ τε «ἀγαθὸς» τῷ εἴδει^n, ἅπερ ἐκ
παιδικῆς ἡλικίας προσῆν αὐτῷ καὶ παρέμενε, τὸ μὲν φύσει,
τὸ δὲ χάριτι.

l. I Sam. 16, 18 ‖ m. I Sam. 16, 11 ‖ n. I Sam. 16, 12

Frgt 7 (*I Sam.* 16, 18)

Comment David était-il *« viril »*, comment *« intelligent »* dans ses *« paroles »* et comment *« homme de guerre[1] »* alors qu'il n'était encore que berger de brebis[m]? Le serviteur ne parlait donc pas de son propre fonds en disant cela, mais il prédisait le futur comme s'il était présent[1] et il rendait témoignage sur ce que David allait être, sauf que David avait le Seigneur avec lui et qu'il était *« beau »* d'aspect[n], avantages qu'il avait reçus et conservait depuis l'enfance, l'un par nature, l'autre par grâce.

---

1. Origène ne fait qu'appliquer une remarque que ses prédécesseurs avaient faite depuis longtemps sur les prophéties; cf. JUSTIN, *Dial.*, 114, 1 (texte traduit *infra*, p. 167, n. 2; CLÉMENT D'ALEXANDRIE, *Eclogae proph.*, 56, 2 (*GCS, Clemens Alex.* 3, p. 153, 1-5), qui se réclame de Pantène.

HOMÉLIE IV

Frgt 8 (*I Sam.* 19, 23.24)

'Επειδὴ δυνατὸς ἦν ὁ Σαοὺλ πλῆθος ἔχων βοηθοῦν αὐτῷ κακῶς κατὰ τοῦ Δαβίδ, οἱ δὲ δύο μόνοι ἐδιώκοντο ὁ Σαμουὴλ καὶ ὁ Δαβίδ[a], ἡ τοῦ θεοῦ χάρις ποιεῖ προφητεύειν[b] τὸν Σαοὺλ οὐ μόνον ὅσα κατ' αὐτοῦ ἦν, ἀλλὰ καὶ
5 τὰ ὑπὲρ τοῦ Δαβίδ, καὶ ῥίπτει γυμνόν[c], προσημαίνουσα ὅτι γυμνωθήσεται τῆς βασιλείας.

Frgt 9 (*I Sam.* 21, 4)

Βεβήλους[d] λέγει νῦν οὐ τοὺς ἀκαθάρτους, ἀλλὰ τοὺς οὐχ ἁγίους, πρὸς ἀντιδιαστολὴν τῶν ἁγίων ἄρτων τῶν ἐπὶ τῆς τραπέζης παρατιθεμένων[e]. Ἓξ γὰρ εἶχεν ἄρτους ἡ τράπεζα διαπαντὸς ἀλλασσομένους[f] ὑπὲρ τῶν δώδεκα φυλῶν τοῦ
5 Ἰσραήλ, οὓς ἐνωπίους[g] ἐκάλουν, ὡς εἶναι ἕκαστον τῶν ἄρτων ὑπὲρ δύο φυλῶν προσφερόμενον, τοὺς δὲ ἓξ ὑπὲρ τῶν δώδεκα φυλῶν.

Τί οὖν ἐκ τούτου καλὸν ἐγίνετο; Τὰς φυλὰς τοῦ Ἰσραὴλ πρὸς ὁμόνοιαν συνάπτεσθαι. Τί δὲ κρεῖττον προεσημαίνετο;

---

a. I Sam. 19, 22 ‖ b. I Sam. 19, 23 ‖ c. I Sam. 19, 24 ‖ d. I Sam. 21, 5 ‖ e. Lév. 24, 6 ‖ f. Lév. 24, 8 ‖ g. Ex. 25, 30

---

1. L'adjectif «bon» vient d'être employé pour l'exégèse littérale et «meilleur» l'est ici pour l'exégèse allégorique parce que la première considérait l'Ancien Testament et la seconde le Nouveau. Origène s'inspire essentiellement de l'Épître aux Hébreux qui se sert fréquem-

HOMÉLIE IV

Les pains de l'offrande

Frgt 8 (*I Sam.* 19, 23-24)

Comme Saül était puissant et avait une foule de gens qui l'aidaient méchamment contre David tandis que ceux qu'ils poursuivaient n'étaient que deux : *Samuel et David*[a], la grâce de Dieu fit *prophétiser*[b] par Saül non seulement les choses qui lui étaient défavorables mais encore celles qui étaient favorables à David, puis elle le fit tomber *nu*[c] pour signifier à l'avance qu'il serait dépouillé de la royauté.

Frgt 9 (*I Sam.* 21, 4)

Les *pains* que l'Écriture appelle maintenant *profanes*[d] ne sont pas les pains impurs mais ceux qui n'étaient pas consacrés, par opposition aux pains consacrés déposés *sur la Table*[e]. La *Table* avait en effet six pains, *constamment changés*[f], pour les douze tribus d'Israël, pains qu'on appelait *pains du face à face*[g], de telle manière que chacun des pains était offert pour deux tribus et les six pour les douze tribus.

Qu'en résultait-il de *bon*? Que les tribus d'Israël étaient associées pour s'entendre entre elles. Et qu'est-ce qui était signifié de *meilleur*[1]? Que les bienheureux apôtres seraient

---

ment de κρείττων pour caractériser la supériorité de la Nouvelle Alliance sur l'Ancienne (*Hébr.* 7, 19; 8, 5-6; 9, 23; 11, 6; 11, 40), mais il se souvient aussi de *I Cor.* 7, 38, qui dans un contexte différent marquait la même progression qu'ici entre le καλόν et le κρεῖττον.

10 Τοὺς μακαρίους ἀποστόλους ἀνὰ δύο δύο[h] πέμπεσθαι ὑπὸ τοῦ σωτῆρος τὰ πρῶτα κηρύττειν ἐν ταῖς φυλαῖς τοῦ Ἰσραήλ[i], ὡς εἶναι ἐξ ἅμα τῶν δώδεκα μαθητῶν τὸν ἀριθμόν.

Frgt 10 (*I Sam.* 21, 5.6)

Σήμερον ἁγιασθήσεται διὰ τὰ σκεύη[i] ἀσαφέστερον μὲν εἶπε, σημαίνει δὲ τοῦτο · τὰ μὲν παιδία μου ἡγίασται[k] καὶ ἀπέσχηται γυναικὸς καὶ χθὲς καὶ τρίτην ἡμέραν[l] – τοῦτο γὰρ τὸ φάναι αὐτὸν καὶ τὰ παιδία ἡγνισμένα, εἰ δὲ οὐκ ἦν,
5 πάντως ἡγιάζετο διὰ τοῦ φαγεῖν τὸν ἄρτον τῆς προθέ-σεως[m] –. Πεισθεὶς ὁ ἱερεὺς τοῖς εἰρημένοις δίδωσι τῷ Δαβὶδ τῶν ἄρτων[n], οὓς οὐκ ἐχρῆν ἑτέρους φαγεῖν ἢ μόνους τοὺς ἱερέας. Τοῦτο δὲ τῆς προφητείας ἐστὶ τῆς δι᾽ ἔργων δηλούσης ὅτι μήποτε ἄλλης οὔσης τῆς βασιλικῆς φυλῆς,
10 τουτέστι τῆς Ἰούδα, καὶ ἄλλης τῆς ἱερατικῆς φυλῆς, λέγω δὴ <τῆς> Λευιτικῆς, ἔμελλον συνάπτεσθαι καὶ ἐν ἀποτε-λεῖσθαι τό τε ἱερατικὸν ἀξίωμα καὶ τὸ <βασιλικὸν> ἐν τῇ παρουσίᾳ τοῦ ἐκ Δαβὶδ σωτῆρος ἡμῶν ἱερέως τε ὁμοῦ καὶ βασιλέως τοῦ «κατὰ τὴν τάξιν Μελχισεδέκ[o]».

Frgt 11 (*I Sam.* 21, 8)

Τὸ νεεσσὰρ δηλοῖ ἢ ὅτι δι᾽ ἁμαρτίας παρέμενε Δωὴκ ὁ Ἰδουμαῖος ἐνώπιον κυρίου[p] θεραπευόμενος καὶ ἐξομολο-

Frgt 11, 1 τὸ scripsimus : τὸν codd. Kl.

h. Mc 6, 7 ‖ i. Matth. 10, 6-7; 15, 24 ‖ j. I Sam. 21, 6[c] ‖ k. I Sam. 21, 6[b] ‖ l. I Sam. 21, 6[a] ‖ m. I Sam. 21, 7 ‖ n. I Sam. 21, 7 ‖ o. Ps. 109, 4 ‖ p. I Sam. 21, 8

1. «choses» : euphémisme biblique pour désigner les organes virils.
2. Sur la distinction entre les prophéties en paroles et celles en actes, cf. ORIGÈNE, *De pascha*, 40, 8-12. Elle faisait partie du bagage tradi-tionnel des exégètes; cf. JUSTIN, *Dial.*, 114, 1 : «Tantôt le Saint Esprit faisait se produire un acte visible qui était la figure de l'avenir, tantôt il prononçait des paroles sur les choses futures, en parlant d'elles comme si

envoyés *deux par deux*[h] par le Sauveur pour *prêcher* d'abord parmi les tribus d'Israël[i], si bien que le nombre était de six en même temps que les apôtres étaient douze.

Frgt 10 (*I Sam.* 21, 5-6)

Aujourd'hui sera sanctifié quant aux choses[j][1], dit David d'une manière peu claire, pour signifier ceci : Mes *serviteurs ont été sanctifiés*[k] en *s'abstenant de femme hier et avant-hier*[l] – car tel est le sens quand il dit que lui et ses *serviteurs ont été sanctifiés*, et s'ils ne l'étaient pas, ils le seraient en tout cas en mangeant *le pain de l'offrande*[m]. – Convaincu par ces paroles, le prêtre donne à David de ces pains[n] que les prêtres seuls et personne d'autre devaient manger. Cela relève de la prophétie en actes[2], pour annoncer peut-être que, puisqu'il y avait une tribu royale, à savoir Juda, et une tribu sacerdotale, celle de Lévi, la dignité de prêtre et celle de roi allaient être réunies et n'en former plus qu'une seule lors de la venue de notre Sauveur issu de David et tout ensemble *prêtre et roi « selon l'ordre de Melchisédec*[o] ».

Frgt 11 (*I Sam.* 21, 8)

Le mot *neessar*[3] montre que *Doeg l'Édomite restait devant le Seigneur*[p] ou bien à cause de ses péchés pour se soigner et

---

elles étaient présentes ou même passées. Si les lecteurs ne connaissent pas ces procédés, ils ne pourront pas suivre les paroles des prophètes comme il faut »; IRÉNÉE, *Haer.*, IV, 20, 12 (*SC* 100, p. 668, 19 s.) : « Ce n'est pas seulement par les visions qu'ils contemplaient et par les paroles qu'ils prêchaient, mais c'est jusque dans leurs actes qu'il s'est servi des prophètes pour préfigurer et montrer d'avance par eux les choses à venir. »

3. Le verset *I Sam.* 21, 8 contient une énigme dans la Septante : il offre côte à côte la traduction du mot hébreu נֶעְצָר , συνεχόμενος, et la translittération grecque du même mot : νεεσσαρ. Ne trouvant aucun sens à ce terme barbare, Origène suppose que Doeg était atteint ou de maladie mentale ou de délire démoniaque comme Saül.

γούμενος, ἢ δαιμονῶν[q] ὡς ὁ Σαούλ, οὗ τὰς ἡμιόνους[r] ἔβοσκεν.

Frgt 12

Ὁ Σαούλ τοῦ πονηροῦ πνεύματος[s] τύπον φέρει, ἄρξαντος τοῦ Ἰσραὴλ τότε εἰπόντος · Οὐκ ἔχομεν βασιλέα. Καὶ γὰρ ὁ πάλαι λαὸς ἐξουδενώσας[t] τὸν κύριον βασιλεύοντα αὐτοῦ ἤτησε τὸν Σαοὺλ ἄρχοντα αὐτῷ δοθῆναι[u].

q. I Sam. 19, 23-24 || r. I Sam. 21, 8 || s. I Sam. 19, 9 || t. I Sam. 8, 7 || u. I Sam. 8, 5-6.20-21.

confesser ses fautes, ou bien parce qu'il avait un démon[q],
comme Saül dont il faisait paître les mules[r].

Frgt 12

Saül est la figure de l'*esprit mauvais*[s] qui gouvernait Israël
depuis que celui-ci avait dit : 'Nous n'avons pas de roi.' En
effet, le peuple ancien, *méprisant*[t] le Seigneur qui régnait sur
lui, avait demandé que Saül lui soit donné pour le
gouverner[u].

HOMÉLIES V - VI

Sur la nécromancienne

> «Il y a des histoires qui ne nous touchent pas, et d'autres qui sont nécessaires pour nous faire espérer» (2, 1-2).

HOMÉLIE V

Ὠριγένους εἰς τὴν τῶν Βασιλειῶν α′

1   Τὰ ἀναγνωσθέντα πλείονά ἐστιν, καὶ ἐπεὶ χρὴ ἐπιτεμνόμενον εἰπεῖν, δ′ εἰσὶν περικοπαί. Ἀνεγνώσθη τὰ ἑξῆς τῶν περὶ Νάβαλ τὸν Καρμήλιον[a] εἶτα μετὰ τοῦτο ἡ ἱστορία ἡ περὶ τοῦ κεκρύφθαι τὸν Δαβὶδ παρὰ τοῖς Ζιφαίοις καὶ
5 διαβεβλῆσθαι αὐτὸν ὑπ' αὐτῶν, ἐληλυθέναι δὲ τὸν Σαοὺλ βουλόμενον λαβεῖν τὸν Δαβὶδ καὶ εἰληλυθότα ἐπιτηρῆσαι καιρόν, ἐπεληλυθέναι τε τῷ Σαοὺλ τὸν Δαβὶδ καὶ εἰληφέναι, κοιμωμένου αὐτοῦ καὶ τῶν φρουρούντων αὐτόν, τὸ δόρυ καὶ τὸν φακὸν τοῦ ὕδατος καὶ μετὰ τοῦτο ἔλεγχον προσενηνο-
10 χέναι τοῖς πεπιστευμένοις μὲν φυλάττειν αὐτόν, ἀποκοιμηθεῖσιν δέ[b]· εἶτα ἑξῆς ἡ ἱστορία ἦν ἡ τρίτη, ὅτι κατέφυγε πρὸς <Ἀγχοὺς υἱὸν> Ἀμμὰχ βασιλέα Γὲθ ὁ Δαβίδ, καὶ ὅσην εὗρε χάριν παρ' αὐτῷ μετὰ τὰ πολλὰ ἀνδραγαθήματα ὁ Δαβίδ, πρὸς ὃν «ἀρχισωματοφύλακα θήσομαί σε»
15 φησίν[c]· ἑξῆς τούτοις ἦν ἡ ἱστορία ἡ διαβόητος ἡ περὶ τῆς ἐγγαστριμύθου καὶ περὶ τοῦ Σαμουήλ, ὅτι ἔδοξεν ἀνενηνοχέναι ἡ ἐγγαστρίμυθος τὸν Σαμουὴλ καὶ ὁ Σαμουὴλ προφητεύει τῷ Σαούλ[d].

Τεσσάρων οὐσῶν περικοπῶν, ὧν ἑκάστη πράγματα οὐκ
20 ὀλίγα ἔχει, ἀλλὰ καὶ τοῖς δυναμένοις ἐξετάζειν δυνάμενα ἀσχολῆσαι ὥρας οὐ μιᾶς συνάξεως ἀλλὰ καὶ πλειόνων,

---

1, 2 δ′ εἰσιν Blass : δισιν M ‖ 8 αὐτόν al : αὐτῶν M ‖ 9 τοῦτο Blass : τούτου M ‖ 11 εἶτα + τὰ M ‖ 12 Ἀγχοὺς υἱὸν Ἀμμαχ Kl : αρχ′ M.

HOMÉLIE V

D'Origène,
sur le premier livre des Règnes

Préambule   Ce qui a été lu est bien long; puisqu'il faut résumer, il y a quatre péricopes : on a lu (d'abord) la suite de ce qui concerne Nabal le Carmélite[a]; puis le récit sur David se cachant chez les gens de Ziph et dénoncé par eux, après quoi Saül vient pour s'emparer de David et, une fois là, guette l'occasion, mais David s'approche de Saül pendant qu'il dort, lui et ses gardes, il lui prend sa lance et sa gourde d'eau, et il adresse après cela des reproches à ceux qui avaient la charge de garder le roi et qui s'étaient endormis[b]; à la suite, venait le troisième récit racontant que David s'est réfugié chez Ankus, fils de Ammak, roi de Geth, et montrant à quel point, après de nombreux exploits, il obtint sa faveur, puisque celui-ci lui dit : *« Je ferai de toi le chef de mes gardes du corps*[c] *»;* ensuite il y avait le célèbre récit sur la nécromancienne et Samuel, relatant que la nécromancienne a évoqué apparemment Samuel et que Samuel a fait une prophétie à Saül[d].

Puisqu'il y a quatre péricopes dont chacune contient un bon nombre d'événements et des événements qui, même pour des gens capables de les expliquer, auraient de quoi occuper des heures, non d'une seule synaxe mais de

---

1. a. I Sam. 25 ‖ b. I Sam. 26 ‖ c. I Sam. 27, 1 – 28, 2 ‖ d. I Sam. 28, 3-25

ὅτίποτε βούλεται ὁ ἐπίσκοπος προτεινάτω τῶν τεσσάρων,
ἵνα περὶ τοῦτο ἀσχοληθῶμεν.

Τὰ περὶ τῆς ἐγγαστριμύθου, φησίν, ἐξεταζέσθω.

2   Ἔνιαι μὲν ἱστορίαι οὐχ ἅπτονται ἡμῶν, ἔνιαι δὲ
ἀναγκαῖαι πρὸς τὴν ἐλπίδα ἡμῶν · οὕτω δ' εἶπον ἱστορίαι,
ἐπεὶ οὐδέπω φθάνομεν ἐπὶ τὰ τῆς ἀναγωγῆς παντὶ τῷ
εἰδότι ἀνάγειν ἢ ἀκούειν ἀναγομένων χρήσιμα. <Τῶν οὖν
5 τῆς ἱστορίας τινὰ μὲν χρήσιμα> πᾶσιν, τινὰ δὲ οὐ πᾶσιν,
οἷον ὡς ἐπὶ παραδείγματος ἡ ἱστορία ἡ περὶ τοῦ Λὼτ καὶ
τῶν θυγατέρων αὐτοῦ[a] εἰ μέν τι κατὰ τὴν ἀναγωγὴν ἔχει
χρήσιμον, θεὸς οἶδεν καὶ ᾧ ἂν χαρίσηται τοὺς λόγους
ἐκείνους ἐξετάζειν, εἰ δὲ κατὰ τὴν ἱστορίαν, ζητήσαις ἄν ·
10 τί γὰρ ὄφελός μοι ἐκ τῆς ἱστορίας τῆς περὶ τοῦ Λὼτ καὶ
τῶν θυγατέρων αὐτοῦ; Ὁμοίως τί ὄφελός μοι ἁπλῶς
λεχθεῖσα ἡ ἱστορία τοῦ Ἰούδα καὶ τῆς Θάμαρ καὶ τῶν κατ'
αὐτήν[b]; Ἐπεὶ μέντοιγε ἡ ἱστορία ἡ περὶ τὸν Σαοὺλ καὶ
τὴν ἐγγαστρίμυθον πάντων ἅπτεται, ἀναγκαία ἀλήθεια κατὰ
15 τὸν λόγον. Τίς γὰρ ἀπαλλαγεὶς τούτου τοῦ βίου θέλει εἶναι

2, 4-5 τῶν – χρήσιμα add Kl ‖ 9 ζητήσαις ἄν Al : ζητήσεσαν M ‖ 10
ὄφελός Pearson : ὠφελός M.

2. a. Gen. 19, 30-38 ‖ b. Gen. 38, 1-30

1. Le mot «histoire» s'emploie pour le sens littéral du récit par
opposition à l'*anagogê*, «élévation», dont il est question à la fin de la
phrase. Il y a des «histoires» qui ne nous «touchent» pas, c'est-à-dire ne
nous intéressent pas, ne nous font rien. Ce n'est pas le cas du récit sur la
nécromancienne, parce qu'il comporte un enseignement sur l'Au-delà et
conditionne notre espérance; cf. 5, 1-3.

2. En réalité, l'homélie s'en tiendra jusqu'à la fin au sens littéral. Ce
qui tiendra lieu d'*anagogê*, ce sont les considérations sur l'utilité de la
descente du Christ et des prophètes en enfer, qui suivront la lecture
glosée du texte.

3. L'histoire des filles de Lot enivrant leur père pour avoir de lui un
enfant scandalisait, prise au sens littéral. PHILON avait déjà tenté dans
Poster., 175-176 de lui trouver un sens spirituel en voyant dans Lot le

plusieurs, que l'évêque veuille bien choisir parmi les quatre celle, quelle qu'elle soit, qu'il préfère, pour que nous nous en occupions.

– Qu'on explique, dit-il, ce qui concerne la nécromancienne!

L'intérêt du sujet   Il y a des histoires qui ne nous touchent pas, et d'autres qui sont nécessaires pour nous faire espérer[1]. Je parle d'histoires, car nous n'en sommes pas encore aux élévations spirituelles[2] utiles pour tout homme qui sait ou les faire ou les entendre. En ce qui concerne donc l'histoire, il y a des choses utiles pour tous et d'autres qui ne le sont pas pour tous. Ainsi, pour prendre un exemple, l'histoire de Lot et de ses filles a-t-elle une utilité au sens spirituel[a3]? Dieu le sait, comme le saurait aussi celui à qui il ferait la grâce de savoir expliquer ce passage[4]. Mais au sens historique, on peut toujours chercher! Quel profit, en effet, ai-je à tirer de Lot et de ses filles? Pareillement quel profit ai-je à tirer, si on se borne à la raconter, de l'histoire de Juda, de Tamar et de ce qui advint à cette dernière[b5]? Cependant, puisque l'histoire concernant Saül et la nécromancienne nous touche tous, c'est qu'il y a nécessairement une vérité dans la lettre du texte. Qui, en effet, après avoir quitté cette vie,

symbole de l'intellect et dans ses deux filles celui de la βουλὴ (délibération) et de la συγκατάθεσις (consentement); cf. *Quaest. in Gen.,* IV, 56.

4. ORIGÈNE, *De princ.,* IV, 2, 2 (*SC* 268, p. 302, 60) : «Si quelqu'un soulève la question de l'inceste de Lot avec ses filles... on dira qu'il y a là des mystères qui ne sont pas compris de nous.»

5. Autre histoire scandaleuse : Tamar était l'épouse de Er, fils de Juda; après la mort de son mari, Juda la donna à son autre fils, Onan, pour qu'il assure une postérité à son frère, mais Onan, sachant que cette postérité ne serait pas la sienne, n'avait avec Tamar que des rapports incomplets; alors Tamar usa d'un subterfuge pour être enceinte de Juda lui-même.

176   SUR SAMUEL

ὑπὸ ἐξουσίαν δαιμονίου, ἵνα ἐγγαστρίμυθος ἀναγάγῃ οὐ τὸν
τυχόντα τῶν πεπιστευκότων ἀλλὰ Σαμουὴλ τὸν προφήτην,
περὶ οὗ φησιν ὁ θεὸς διὰ τοῦ Ἱερεμίου · «Οὐδ' ἂν Μωσῆς
καὶ Σαμουὴλ πρὸ προσώπου μου, οὐδὲ τούτων εἰσακούσο-
20 μαιᶜ», περὶ οὗ φησιν ἐν ὕμνοις ὁ προφήτης · «Μωσῆς καὶ
Ἀαρὼν ἐν τοῖς ἱερεῦσιν αὐτοῦ, καὶ Σαμουὴλ ἐν τοῖς
ἐπικαλουμένοις τὸ ὄνομα αὐτοῦ · ἐπεκαλοῦντο τὸν κύριον
καὶ αὐτὸς εἰσήκουεν αὐτῶν, ἐν στύλῳ νεφέλης ἐλάλει πρὸς
αὐτούςᵈ», καὶ ἀλλαχοῦ · «Ἐὰν στῇ Μωσῆς καὶ Σαμουὴλ
25 καὶ προσεύξωνταιᶜ» καὶ τὰ ἑξῆς; Ἆρ' οὖν, εἰ ὁ τηλικοῦτος
ὑπὸ τὴν γῆν <ἦν> καὶ ἀνήγαγεν αὐτὸν ἡ ἐγγαστρίμυθος,
ἐξουσίαν ἔχει δαιμόνιον ψυχῆς προφητικῆς; Τί εἴπω;
Ἐγγέγραπται ταῦτα; Ἀληθῆ ἐστιν ἢ οὐκ ἔστιν ἀληθῆ; Τὸ
μὲν μὴ εἶναι ἀληθῆ λέγειν εἰς ἀπιστίαν προτρέπει, χωρήσει
30 ἐπὶ κεφαλὰς τῶν λεγόντων, τὸ δὲ εἶναι ἀληθῆ ζήτησιν καὶ
ἐπαπόρησιν ἡμῖν παρέχει.

3   Καὶ μὴν γοῦν ἴσμεν τινὰς τῶν ἡμετέρων ἀδελφῶν
ἀντιβλέψαντας τῇ γραφῇ καὶ λέγοντας · Οὐ πιστεύω τῇ
ἐγγαστριμύθῳ · λέγει ἡ ἐγγαστρίμυθος ἑωρακέναι τὸν
Σαμουήλ, ψεύδεται · Σαμουὴλ οὐκ ἀνήχθη, Σαμουὴλ οὐ
5 λαλεῖ, ἀλλ' ὥσπερ εἰσί τινες ψευδοπροφῆται λέγοντες ·

18 Μωϋσῆς M ‖ 20 Μωυσῆς M ‖ 25 προσεύξωνται Al : -ξονται M ‖ εἰ M,
om. Eust. ‖ 26 ἦν Eust., om. M ‖ 27-28 εἴπω ἐγγέγραπται T Eust. :
εἴπομεν γέγραπται M.
3, 1 γοῦν M, om. Eust.

c. Jér. 15, 1-2 ‖ d. Ps. 98, 6-7 ‖ e. Jér. 15, 1.

1. Même expression dans JUSTIN, à propos de la nécromancienne :
Dial., 105, 4 (traduction plus haut p. 78).
2. Il s'agit de David, les «hymnes» étant les Psaumes.
3. Origène présente cette parole comme différente de la parole de Jér.
15, 1, qu'il a citée quelques lignes plus haut. Klostermann renvoie à
Éz. 14, 14 avec un double point d'interrogation. En fait, la parole citée
n'a rien à voir avec ce passage. Elle semble n'être rien d'autre que Jér.
15, 1, dont Origène avait conservé le souvenir sous deux formes
différentes en croyant que ces deux formes constituaient deux paroles

voudrait être au pouvoir d'un petit démon[1], pour qu'une nécromancienne puisse évoquer, non pas le premier venu des croyants, mais le prophète Samuel, dont Dieu dit par la bouche de Jérémie : « *Même si Moïse et Samuel étaient devant moi, je ne les écouterais pas eux non plus*[c] », et dont le prophète[2] dit dans des hymnes : « *Moïse et Aaron sont parmi ses prêtres et Samuel parmi ceux qui invoquent son nom ; ils invoquaient le Seigneur et il les écoutait, dans la colonne de nuée il leur parlait*[d] », et ailleurs[3] : « *Si Moïse et Samuel comparaissaient et me suppliaient*[e] », etc... N'est-il pas vrai que, si un personnage de cette importance était sous terre et que la nécromancienne l'ait évoqué, un démon a pouvoir sur une âme de prophète ? Que dire ? Ces choses sont-elles écrites ? Sont-elles vraies ou ne sont-elles pas vraies ? Si l'on dit qu'elles ne sont pas vraies, on encourage l'incroyance et cela retombera sur la tête de ceux qui le disent, mais si elles sont vraies, cela nous pose une question et fait problème.

La thèse qui nie la réalité de l'apparition de Samuel

Nous savons bien que certains parmi nos frères[4] résistent à l'Écriture et disent : 'Je ne crois pas la nécromancienne ; quand la nécromancienne prétend qu'elle a vu Samuel, elle ment ; Samuel n'a pas été évoqué, Samuel ne parle pas, mais de même qu'il y a de faux prophètes qui

---

distinctes. On a un exemple semblable dans le traité *Sur la Pâque*, 15, 29-30 et 15, 35 – 16, 1-4, à propos de *Gal.* 6, 14. Origène citera un peu plus loin (3, 29-30) la même parole de *Jér.* 15, 1 en agglomérant les deux formes.

4. « Certains parmi nos frères » : cela ne veut pas dire que le problème ait été agité dans les communautés chrétiennes qu'Origène connaissait. Le pronom indéterminé « certains » sert souvent à désigner quelqu'un de précis qu'on ne veut pas nommer. Origène pense selon toutes les vraisemblances à l'écrivain Josipe qui avait écrit un livre spécial pour soutenir cette thèse et qui était chrétien (« parmi nos frères ») ; cf. l'étude citée plus haut p. 51, n. 2.

Τάδε λέγει κύριος, καὶ ὁ κύριος οὐκ ἐλάλησεν, οὕτως
καὶ τὸ δαιμόνιον τοῦτο ψεύδεται ἐπαγγελλόμενον ἀνάγειν τὸν
ὑπὸ τοῦ Σαοὺλ προστασσόμενον · «Τίνα» γὰρ «ἀναγάγω;»
φησίν · «Σαμουὴλ ἀνάγαγέ μοι[a]». Ταῦτα λέγεται ὑπὸ τῶν
10 φασκόντων τὴν ἱστορίαν ταύτην μὴ εἶναι ἀληθῆ. Σαμουὴλ
ἐν ᾅδου, Σαμουὴλ ὑπὸ ἐγγαστριμύθου ἀνάγεται ὁ ἐξαίρετος
τῶν προφητῶν, ὁ ἀπὸ τῆς γενέσεως ἀνακείμενος τῷ θεῷ[b],
ὁ πρὸ γενέσεως ἐν τῷ ἱερῷ λεγόμενος ἔσεσθαι, ὁ ἅμα τῷ
ἀπογαλακτισθῆναι ἐνδυσάμενος ἐφοὺδ καὶ περιβεβλημένος
15 διπλοΐδα καὶ ἱερεὺς γενόμενος τοῦ κυρίου[c], ᾧ παιδίῳ ἔτι
ὄντι ἐχρημάτισεν ὁ κύριος λαλῶν[d]; Σαμουὴλ ἐν ᾅδου,
Σαμουὴλ ἐν τοῖς καταχθονίοις ὁ διαδεξάμενος Ἡλὶ διὰ τὰ
τῶν τέκνων ἁμαρτήματα καὶ παρανομήματα καταδι-
κασθέντα ὑπὸ τῆς προνοίας[e]; Σαμουὴλ ἐν ᾅδου, οὗ ὁ θεὸς
20 ἐπήκουσεν ἐν καιρῷ θερισμοῦ πυρῶν καὶ ὑετὸν ἔδωκεν
ἐλθεῖν ἀπ' οὐρανοῦ[f]; Σαμουὴλ ἐν ᾅδου ὁ τοιαῦτα παρρησια-
σάμενος εἰ ἐπιθύμημά τινος ἔλαβεν; Οὐκ ἔλαβεν τὸν
μόσχον, οὐκ ἔλαβεν τὸν βοῦν · ἔκρινεν καὶ κατεδίκασεν τὸν
λαὸν μένων πένης, οὐδέποτε ἐπεθύμησεν λαβεῖν τι ἀπὸ
25 τηλικούτου λαοῦ καὶ τοσούτου[g]. Σαμουὴλ ἵνα τί ἐν ᾅδου;
Ὁρᾶτε τί ἀκολουθεῖ τῷ Σαμουὴλ ἐν ᾅδου · Σαμουὴλ ἐν
ᾅδου, διὰ τί οὐχὶ καὶ Ἀβραὰμ καὶ Ἰσαὰκ καὶ Ἰακὼβ ἐν
ᾅδου; Σαμουὴλ ἐν ᾅδου, διὰ τί οὐχὶ καὶ Μωσῆς ὁ
συνεζευγμένος τῷ Σαμουὴλ κατὰ τὸ εἰρημένον · «Οὐδὲ ἐὰν
30 στῇ Μωσῆς καὶ Σαμουήλ, οὐδὲ ἐκείνων εἰσακούσομαι[h]»;
Σαμουὴλ ἐν ᾅδου, ἵνα τί μὴ καὶ Ἱερεμίας ἐν ᾅδου, πρὸς ὃν
εἴρηται · «Πρὸ τοῦ με πλάσαι σε ἐν κοιλίᾳ ἐπίσταμαί σε,
καὶ πρὸ τοῦ σε ἐξελθεῖν ἐκ μήτρας ἡγίακά σε[i]»; Ἐν ᾅδου
καὶ Ἡσαΐας, ἐν ᾅδου καὶ Ἱερεμίας, ἐν ᾅδου πάντες οἱ
35 προφῆται, ἐν ᾅδου.

6 ὁ Τ, om. Μ ‖ οὕτως Μ : οὗτος Τ ‖ 10 ταύτην Μ, om. Τ ‖ 13 τῷ
Pearson : τὸ Μ ‖ 26 ὁρᾶτε Al : ὁρᾶται Μ ‖ 31 ἵνα Μ : διὰ Τ.

───────

3. a. I Sam. 28, 11 ‖ b. I Sam. 1, 11 ‖ c. I Sam. 1, 22-23; 2, 18-19 ‖
d. I Sam. 3, 4-14 ‖ e. I Sam. 2, 31 s. ‖ f. I Sam. 12, 17-18

affirment : Voici ce que dit le Seigneur, alors que le
Seigneur n'a pas parlé, de même ce petit démon[1] ment
lorsqu'il se fait fort d'évoquer quelqu'un à la demande de
Saül : *«Qui ferai-je monter? – Fais-moi monter Samuel*[a]*»'*.
Voilà ce que disent ceux qui prétendent que cette histoire
n'est pas vraie. Samuel en enfer? Samuel évoqué par la
nécromancienne, lui prophète de choix, lui voué à Dieu
depuis sa naissance[b] et dont on disait dès avant sa naissance
qu'il vivrait dans le Temple, lui qui en même temps qu'il a
été sevré a revêtu l'éphod, a porté le manteau double et est
devenu prêtre du Seigneur[c], lui avec qui, tout enfant, le
Seigneur s'entretenait et parlait[d]? Samuel en enfer? Samuel
dans les lieux souterrains, lui qui a recueilli la succession
d'Héli condamné par la Providence à cause des fautes et des
illégalités commises par ses enfants[e]? Samuel en enfer, lui
que Dieu a exaucé au temps de la moisson de blé en faisant
venir la pluie du ciel[f]? Samuel en enfer, lui qui a demandé
avec tant d'assurance s'il avait jamais pris quelque chose
qu'il convoitait? Il n'a pas pris de veau, pas pris de bœuf, il
a jugé et condamné le peuple en restant pauvre; jamais il
n'a désiré prendre quelque chose à un peuple comme
celui-là[g]. Samuel, pourquoi en enfer? Voyez ce qui s'ensuit
si Samuel est en enfer! Samuel en enfer? Pourquoi pas aussi
Abraham, Isaac et Jacob en enfer? Samuel en enfer?
Pourquoi pas aussi Moïse, qui est joint à Samuel dans la
parole : *« Même si Moïse et Samuel comparaissaient, je n'écouterais pas ce peuple-là*[h]*. »* Samuel en enfer? Pourquoi pas aussi
Jérémie en enfer, lui à qui il est dit : *« Avant de t'avoir façonné
dans le ventre de ta mère je te connais, et avant que tu ne sortes du
sein maternel, je t'ai sanctifié*[i]*»*? En enfer aussi Isaïe, en enfer
aussi Jérémie, en enfer tous les prophètes, en enfer!

g. I Sam. 12, 1-6 ‖ h. Jér. 15, 1 ‖ i. Jér. 1, 5.

---

1. Voir plus loin, p. 184, n. 1. – δαιμόνιον, diminutif marquant le
mépris; cf. σωμάτιον, «ce corps de rien», fréquent chez Origène.

4   Ταῦτα μὲν ἐρεῖ ὁ μὴ βουλόμενος ἀγῶνα παραδέξασθαι,
ὅτι Σαμουήλ ἐστιν ὄντως ὁ ἀναχθείς · ἐπεὶ δὲ δεῖ εὐγνώ-
μονα εἶναι ἐν τῷ ἀκούειν τῶν γραφῶν, πιθανῶς καταβομβήσαντος ἡμῶν τοῦ λόγου καὶ ἀληθῶς δυναμένου ταράξαι καὶ
5 κινῆσαι ἡμᾶς, ἴδωμεν πότερόν ποτε νενόηται ἡ γραφὴ τῷ
τοῦτο μὴ παραδεξαμένῳ, ἢ ἀπὸ ἐνδόξων μὲν ἐπιχειρεῖ,
ἐναντία δὲ λέγει τοῖς γεγραμμένοις.

Τίνα γάρ ἐστιν τὰ γεγραμμένα; «Καὶ εἶπεν ἡ γυνή ·
Τίνα ἀναγάγω σοι[a];» Τίνος πρόσωπόν ἐστιν τὸ λέγον ·
10 «Εἶπεν ἡ γυνή»; ᾽Αρα τὸ πρόσωπον τοῦ ἁγίου πνεύματος,
ἐξ οὗ πεπίστευται ἀναγεγράφθαι ἡ γραφή, ἢ πρόσωπον
ἄλλου τινός; Τὸ γὰρ διηγηματικὸν πρόσωπον πανταχοῦ, ὡς
ἴσασιν καὶ οἱ περὶ παντοδαποὺς γενόμενοι λόγους, ἐστὶ
πρόσωπον τοῦ συγγραφέως · συγγραφεὺς δ᾽ ἐπὶ τούτων τῶν
15 λόγων πεπίστευται εἶναι οὐκ ἄνθρωπος, ἀλλὰ συγγραφεὺς
τὸ πνεῦμα τὸ ἅγιον τὸ κινῆσαν τοὺς ἀνθρώπους.

Οὐκοῦν τὸ πνεῦμα τὸ ἅγιον λέγει · «Καὶ εἶπεν ἡ γυνή ·
Τίνα ἀναγάγω σοι; Καὶ εἶπεν · Σαμουὴλ ἀνάγαγέ μοι[a]».
Τίς λέγει · «Καὶ εἶδεν ἡ γυνὴ τὸν Σαμουήλ, καὶ ἐβόησεν ἡ
20 γυνὴ φωνῇ μεγάλη λέγουσα[b]»; ᾽Εροῦμεν πρὸς ἐκεῖνον τὸν

4, 2 ἐπεὶ δὲ Kl : ἐπειδὴ M ‖ 3-4 καταβομβήσαντος ἡμῶν Kl : καταπομπή-
σαντος ἡμᾶς M ‖ 16 τὸ πνεῦμα τὸ ἅγιον M : τὸ ἅγιον πνεῦμα T ‖ 18 τίνα T : τί M

4. a. I Sam. 28, 11 ‖ b. I Sam. 28, 12

---

1. Josipe, qui niait la réalité de l'évocation de Samuel, le faisait pour
un motif louable : il lui paraissait indigne qu'un saint prophète comme
Samuel soit au pouvoir d'un démon.

2. Les auteurs et lecteurs des traités de rhétorique.

3. Cf. *Hom. Nombr.*, 26, 3 (*SC* 29, p. 497) : «Le *narrateur* des faits
dont nous lisons le récit n'est ni un enfant..., ni un homme..., ni un
vieillard, ni en aucune manière un être humain; que dis-je? Ce n'est ni
un ange ni une puissance céleste, c'est l'Esprit Saint, suivant une
tradition des Anciens, qui est le *narrateur*» (texte latin dans *GCS Origenes*
7, p. 247, 9-13).

**Réfutation
par le texte
de l'Écriture**

Voilà ce que dira celui qui ne veut pas assumer la difficulté d'expliquer que c'est vraiment Samuel qui a été évoqué. Mais puisqu'il faut être loyal quand on écoute les Écritures, maintenant que la question a été rebattue à nos oreilles avec vraisemblance et peut véritablement nous troubler et nous émouvoir, voyons si celui qui n'admet pas la vérité de cette histoire comprend bien l'Écriture ou si, en partant d'une intention honorable[1], il ne dit pas le contraire de ce qui est écrit.

Qu'est-ce qui est écrit en effet? *« Et la femme dit : Qui te ferai-je monter*[a]*? »* Dans la bouche de qui sont mis ces mots : *« La femme dit »*? Est-ce dans la bouche du Saint Esprit, par qui nous croyons que l'Écriture a été écrite, ou dans la bouche de quelqu'un d'autre? Car – comme le savent aussi ceux qui se sont occupés de discours de toutes sortes[2] – ce qui est mis dans la bouche du narrateur est partout la pensée de l'auteur. Or pour ces discours-ci, on croit que l'auteur n'est pas un homme, mais que l'auteur est l'Esprit Saint[3], qui a mu[4] les hommes.

Donc c'est l'Esprit Saint qui déclare : *« Et la femme dit : Qui te ferai-je monter? Et il répondit : Fais-moi monter Samuel*[a][5]. Qui est-ce qui déclare ensuite : *« Et la femme vit Samuel, et la femme poussa un cri et dit d'une voix forte...*[b] *»*?

---

4. Terme souvent employé pour des écrivains inspirés. Cf. JUSTIN, *I Apol.*, 36, 1 : les prophètes ne parlent pas de leur propre fonds mais sous l'action du Verbe qui les *meut* : ἀπὸ τοῦ κινοῦντος αὐτοὺς θείου λόγου; ATHÉNAGORE, *Legatio*, 9, 2 : κινήσαντος αὐτοὺς τοῦ θείου πνεύματος, etc.

5. On remarquera ici et dans la suite de cette lecture glosée comment Origène, lorsqu'il prend la suite du texte biblique, répète la fin de la parole qu'il vient de commenter («Et la femme dit : Qui te ferai-je monter?») et lui accroche la partie nouvelle («Et il répondit : Fais-moi monter Samuel»). Sur ce procédé de la reprise, qui vaut aussi pour passer d'un développement à un autre, voir *SC* 232, Introduction, p. 115; 126-129.

τοσαῦτα ἡμῶν καταβομβήσαντα καὶ εἰρηκότα ὡς ἄρα
Σαμουήλ οὐκ ἦν ἐν ᾅδου · «Εἶδεν ἡ γυνὴ τὸν Σαμουήλ», ἡ
διηγηματικὴ φωνὴ τοῦτο ἔφησεν.

«Καὶ ἐβόησεν ἡ γυνὴ φωνῇ μεγάλῃ καὶ εἶπεν πρὸς
25 Σαούλ · ἵνα τί παρελογίσω με; καὶ σὺ εἶ Σαούλ. Καὶ εἶπεν
αὐτῇ ὁ βασιλεύς · Τί γάρ ἐστιν; μὴ φοβοῦ, τί ἑώρακας;
Καὶ εἶπεν ἡ γυνὴ πρὸς τὸν Σαούλ · Θεοὺς εἶδον ἀναβαίνοντας ἐκ τῆς γῆς. Καὶ εἶπεν αὐτῇ · Τί τὸ εἶδος αὐτοῖς;
Καὶ εἶπεν αὐτῷ · Ἀνὴρ πρεσβύτερος ἀναβαίνων, καὶ αὐτὸς
30 περιβεβλημένος διπλοΐδα[c]» [ἐφούδ]. Λέγει αὐτὴν ἑωρακέναι
καὶ τὸ ἱμάτιον τὸ ἱερατικόν. Οἶδα δὲ ὅτι ἐναντίου ἐκ τοῦ
λόγου λέγει · «Οὐ θαῦμα · αὐτὸς γὰρ ὁ σατανᾶς μετασχη-
ματίζεται εἰς ἄγγελον φωτός. Οὐ μέγα οὖν, εἰ καὶ οἱ
διάκονοι αὐτοῦ μετασχηματίζονται ὡς διάκονοι δικαιοσύ-
35 νης.[d]» Ἀλλὰ τί ἐστιν ὅπερ «εἶδεν ἡ γυνή»; «Τὸν
Σαμουήλ», καὶ διὰ τί οὐκ εἴρηται · Εἶδεν ἡ γυνὴ δαιμόνιον,
ὃ προσεποιεῖτο εἶναι Σαμουήλ;

Ἀλλὰ γέγραπται ὅτι «ἔγνω Σαοὺλ ὅτι Σαμουήλ
ἐστιν[e]». Εἰ μὴ ἦν Σαμουήλ, ἔδει γεγράφθαι · Καὶ ἐνόμισεν
40 Σαοὺλ εἶναι αὐτὸν Σαμουήλ, νῦν δὲ γέγραπται · «Ἔγνω
Σαούλ», οὐδεὶς δὲ ἔγνω τὸ μὴ ὄν.

«Ἔγνω» οὖν «Σαοὺλ ὅτι Σαμουήλ ἐστιν καὶ ἔπεσεν ἐπὶ
πρόσωπον ἐπὶ τὴν γῆν καὶ προσεκύνησεν[f]», εἶτα πάλιν τὸ
πρόσωπον τῆς γραφῆς · «Καὶ εἶπεν Σαμουὴλ πρὸς Σαούλ ·
45 Ἵνα τί παρώργισάς με τοῦ ἀναγαγεῖν με;[g]» «Εἶπεν»,
φησὶν ἡ γραφή, ᾗ δεῖ πιστεύειν, «εἶπεν Σαμουήλ · Ἵνα τί
παρώργισάς με τοῦ ἀναγαγεῖν με;» εἶτα πρὸς τοῦτο
ἀποκρίνεται Σαούλ · «< Θλίβομαι > σφόδρα · οἱ ἀλλόφυλοι
πολεμοῦσιν ἐν ἐμοί, καὶ ὁ θεὸς ἀπέστη ἀπ' ἐμοῦ καὶ οὐκ

---

30 ἐφούδ seclusimus, cf. p. 27 || 37 προσεποιεῖτο M : προσεποιειται (sic) T
|| 39 εἰ μὴ ἦν Σαμουήλ Eust, om. M || 39-40 ἔδει – Σαμουηλ T Eust, om. M ||
39 ἐνόμισεν Eust : ἐνόμιζεν T || 40 Σαοὺλ Eust : Σαμουὴλ T || 40-42 νῦν –
ἐστιν Eust, om. M || 46 ᾗ δεῖ Kl : ἤδη M || 48 θλίβομαι addidimus e LXX

Nous répondrons à l'homme qui nous a tant rebattu les oreilles et répété mille fois que Samuel n'était pas en enfer : « *La femme vit Samuel* », c'est la voix du narrateur qui l'a dit.

« *Et la femme poussant un grand cri dit à Saül : Pourquoi m'as-tu trompée ? Tu es Saül ! Le roi lui dit : Qu'y a-t-il ? N'aie pas peur ; qu'as-tu vu ? Et la femme dit à Saül : J'ai vu des dieux montant de la terre. Et il lui demanda : Quelle était leur forme ? Elle répondit : C'était un homme âgé qui montait et il portait un manteau double*[c] ». Le texte affirme que la femme a même vu le vêtement sacerdotal. Je sais que l'Écriture dit dans le sens de la thèse adverse : « *Ce n'est pas étonnant, car Satan lui-même se transforme en ange de lumière. Il n'est donc pas extraordinaire que ses serviteurs se transforment aussi en serviteurs de la justice*[d]. » Mais qu'est-ce que « *vit la femme* » ? « *Samuel* ». Pourquoi n'est-il pas dit : La femme vit un démon qui se faisait passer pour Samuel ?

Il est écrit au contraire que « *Saül connut que c'était Samuel*[e] ». Si ce n'était pas Samuel, il aurait fallu écrire : Et Saül s'imaginait que c'était Samuel. Mais voici qu'il est écrit : « *Saül connut.* » Or personne n'a jamais connu ce qui n'existe pas.

« *Saül connut* donc *que c'était Samuel, il tomba le visage contre terre et se prosterna*[f] », puis de nouveau celui qui parle dans l'Écriture[1] dit : « *Et Samuel dit à Saül : Pourquoi as-tu troublé mon repos pour me faire monter*[g] *?* » « *Samuel dit* », c'est l'Écriture qui l'affirme, à laquelle il faut croire. « *Samuel dit : Pourquoi as-tu troublé mon repos pour me faire monter ?* », puis Saül répond à cela : « *Je suis dans une grande angoisse, les étrangers me font la guerre et Dieu s'est détourné de moi, il ne m'a*

c. I Sam. 28, 12-14 ‖ d. II Cor. 11, 14-15 ‖ e. I Sam. 28, 14[b] ‖ f. I Sam. 28, 14[b] ‖ g. I Sam. 28, 15[a]

---

1. Littéralement : « le personnage de l'Écriture », pour désigner le narrateur, qui, dans l'Écriture, est l'Esprit Saint, cf. **4**, 8-16.

50 ἀπεκρίθη μοι ἔτι καίγε ἐν χειρὶ τῶν προφητῶν καὶ ἐν τοῖς
ἐνυπνίοις ἐκάλεσά τοῦ δηλῶσαί μοι τί ποιήσω[h]» · πάλιν ἡ
γραφὴ οὐκ ἄλλως εἶπεν ἀλλ' ὅτι αὐτὸς «Σαμουὴλ» ἔφη ·
«Καὶ ἵνα τί ἐπηρώτησάς με; καὶ κύριος ἀπέστη ἀπὸ σοῦ[i]».
Ἀληθεύει ἢ ψεύδεται ταῦτα λέγων;

55   «Κύριος ἀπέστη ἀπὸ σοῦ καὶ ἐγενήθη κατὰ σοῦ καὶ
ἐποίησεν ἄλλον αὐτῷ, ὃν τρόπον ἐλάλησεν ἐν χειρὶ μου, καὶ
διαρρήξει τὴν βασιλείαν ἐκ χειρός σου[j].» Καὶ δαιμόνιον
προφητεύει περὶ βασιλείας Ἰσραηλιτικῆς; Τί φησιν ὁ
ἐναντίος λόγος; Ὁρᾶτε ὅσος ἀγών ἐστιν ἐν τῷ λόγῳ τοῦ
60 θεοῦ χρείαν ἔχων καὶ ἀκροατῶν δυναμένων ἁγίων ἀκούειν
λόγων μεγάλων καὶ ἀπορρήτων τῶν περὶ τῆς ἐξόδου, ἔτι
ἐπαπορουμένων τε τῶν προτέρων οὐδὲ τῶν δευτέρων σαφῶν
5 ὄντων · ἀλλ' ὁ λόγος ἔτι ἐξετάζεται, | λέγω δὲ ὅτι
ἀναγκαία καὶ ἡ ἱστορία καὶ ἡ ἐξέτασις ἡ περὶ αὐτῆς, ἵνα
ἴδωμεν τί ἡμᾶς ἔχει μετὰ τὴν ἔξοδον.

«Λελάληκεν ἐν χειρί μου καὶ διαρρήξει κύριος τὴν
5 βασιλείαν ἐκ χειρός σου καὶ δώσει αὐτὴν τῷ πλησίον σου
τῷ Δαβίδ[a]» — δαιμόνιον δὲ οὐ δύναται εἰδέναι τὴν βασιλείαν Δαβὶδ τὴν ὑπὸ τοῦ κυρίου χειροτονηθεῖσαν[b] —
«καθότι οὐκ ἤκουσας τὴν φωνὴν τοῦ κυρίου, οὐκ ἐποίησας
ὀργὴν θυμοῦ αὐτοῦ ἐν Ἀμαλήκ[c]». Ταῦτα οὐκ ἔστι ῥήματα
10 θεοῦ; οὐκ ἔστιν ἀληθῆ; Ἀληθῶς γὰρ οὐκ ἐποίησεν τὸ

53 ἐπηρώτησας Blass : ἐπερώτησας M ‖ 56 αὐτῷ Pearson : αὐτῷ M.
5, 8 ἐποίησας Kl : ἐποίησαν M.

h. I Sam. 28, 15[b] ‖ i. I Sam. 28, 16 ‖ j. I Sam. 28, 17.
5. a. I Sam. 28, 17 ‖ b. I Sam. 16, 1-13 ‖ c. I Sam. 28, 18[a]

1. Les paroles de la magicienne sont attribuées à un démon qui réside
en elle et parle par sa voix (d'où le nom qu'elle porte dans la Septante :
ἐγγαστρίμυθος, ventriloque). Cette conception est dérivée des idées
grecques sur les oracles et notamment sur la Pythie; cf. ORIGÈNE,
C. Celse, VII, 3; et déjà CLÉMENT D'ALEXANDRIE, Pédagogue, II, I, 15, 4
(GCS Clemens Alex. 1, p. 165, 11-12).

2. Origène, qui croyait d'après les ouvrages grecs sur les oracles ou
sur la divination, que certaines prédictions des oracles ou des devins

plus répondu par les prophètes ni en songe, alors j'ai appelé pour
qu'on m'indique ce que je dois faire[h].» Une fois de plus
l'Écriture n'affirme rien d'autre sinon que *«Samuel»* lui-
même a répondu : *«Pourquoi me consulter quand le Seigneur*
s'est détourné de toi[i]*?»* Dit-elle vrai ou ment-elle en affirmant
cela?

    «Le Seigneur s'est détourné de toi et a pris parti contre toi; il
s'en est choisi un autre comme il l'a dit par mon intermédiaire, et il
arrachera de ta main le royaume[j].» Alors, un petit démon[1] fait
une prophétie sur le royaume d'Israël[2]? Qu'en dit
la thèse adverse? Voyez[3] quelles difficultés soulève la
parole de Dieu, difficultés qui requièrent aussi des auditeurs capables d'entendre des doctrines saintes, élevées,
indicibles comme celles sur notre départ d'ici-bas, car au
point où nous en sommes les objections s'accumulent
contre la thèse précédente et l'autre n'est pas encore claire.
Mais nous n'en avons pas terminé avec l'examen du texte; |
or je dis que le sens historique lui-même et son examen
sont nécessaires pour voir ce qui nous attend après la mort.

    «Le Seigneur a parlé par mon intermédiaire, il arrachera de ta
main le royaume et le donnera à ton voisin, à David[a]*»* – un petit
démon ne peut pas savoir que David avait été sacré roi par
le Seigneur[b] – *«parce que tu n'as pas écouté la voix du Seigneur*
et que tu n'as pas exécuté la colère de son courroux sur Amalec[c]*».*
Ces paroles ne sont-elles pas de Dieu? Ne sont-elles pas
vraies? Il est tout à fait vrai que Saül n'a pas fait la volonté

s'étaient réalisées, admettait que les démons pouvaient avoir «quelque
discernement de l'avenir»; cf. *C. Celse,* IV, 92. Mais, comme nous le
voyons ici, il niait qu'ils puissent connaître d'avance des faits de
l'Histoire sainte; voir encore **5**, 6-7.16-17.20-24; **8**, 15-18; et, pour
l'origine de cette idée, l'Introduction, p. 84-86.

    3. Jusqu'à la fin de ce paragraphe, Origène, en bon pédagogue, fait
une petite pause dans le commentaire de l'Écriture pour ranimer
l'attention des auditeurs.

θέλημα κυρίου Σαούλ, ἀλλὰ περιέπει τὸν «βασιλέα
Ἀμαλὴκ ζῶντα^d», ἐφ᾽ ᾧ καὶ πρὸ τῆς κοιμήσεως αὐτοῦ
καὶ ἐπὶ τῆς ἐξόδου ὠνείδισεν Σαμουὴλ τῷ Σαούλ^c.

«Καὶ διὰ τοῦτο τὸ ῥῆμα τοῦτο ἐποίησέν σοι κύριος ἐν
15 τῇ ἡμέρᾳ ταύτῃ· καὶ δώσει κύριος καίγε τὸν Ἰσραὴλ ἐν
χειρὶ ἀλλοφύλων^f.» Περὶ ὅλου λαοῦ θεοῦ δύναται δαιμόνιον
προφητεῦσαι ὅτι κύριος μέλλει παραδιδόναι τὸν Ἰσραήλ;

«Καίγε τὴν παρεμβολὴν Ἰσραὴλ παραδώσει κύριος
αὐτὴν ἐν χειρὶ ἀλλοφύλων· τάχυνον δὲ Σαούλ, αὔριον καὶ
20 σὺ καὶ οἱ υἱοί σου μετ᾽ ἐμοῦ^g.» Καὶ τοῦτο δύναται εἰδέναι
δαιμόνιον <μετὰ Δαβὶδ> βασιλέα χειροτονηθέντα μετὰ
χρίσματος προφητικοῦ, ὅτι αὔριον ἔμελλεν ἐξελεύσεσθαι ὁ
Σαοὺλ τὸν βίον καὶ οἱ υἱοὶ αὐτοῦ μετ᾽ αὐτοῦ· «Αὔριον σὺ
καὶ υἱοί σου μετ᾽ ἐμοῦ»;

6   Ταῦτα μὲν οὖν <δηλοῖ> ὅτι οὐκ ἔστιν ψευδῆ τὰ ἀνα-
γεγραμμένα καὶ ὅτι Σαμουὴλ ἐστιν ὁ ἀναβεβηκώς· τί οὖν
ποιεῖ ἐγγαστρίμυθος ἐνθάδε, τί ποιεῖ ἐγγαστρίμυθος περὶ
τὴν ἀναγωγὴν τῆς ψυχῆς τοῦ δικαίου; Ἐκεῖνο ἔφυγεν ὁ
5 τὸν πρῶτον λόγον εἰπών. Ἵνα γὰρ μὴ ἀγῶνα ἔχειν δοκῇ
κατὰ τοσαῦτα ἄλλα τὰ κατὰ τὸν τόπον ζητούμενα, καὶ
λέγει· Οὐκ ἔστι Σαμουήλ, ψεύδεται τὸ δαιμόνιον, ἐπεὶ οὐ
δύναται ψεύδεσθαι ἡ γραφή. Τὰ δὲ ῥήματα τῆς γραφῆς
ἐστιν· οὐκ ἔστιν ἐκ προσώπου τοῦ δαιμονίου αὐτοῦ ἀλλ᾽ ἐκ
10 προσώπου αὐτῆς· «Καὶ εἶδεν ἡ γυνὴ τὸν Σαμουήλ»,
«Εἶπεν Σαμουήλ» τὰ λελαμμένα ἀπὸ τοῦ Σαμουήλ.

21 μετὰ Δαβὶδ addidimus.
6, 1 δηλοῖ add. Huet ‖ 3 τί + οὖν Eust ‖ 4 ἐκεῖνο scripsimus : ἐκεῖνος M
‖ 11 Σαμουήλ¹ scripsimus : Σαοὺλ M.

d. I Sam. 15, 9 ‖ e. I Sam. 15, 16-23; 28, 16-19 ‖ f. I Sam. 28, 18^a – 19^a
‖ g. I Sam. 28, 19^c.

du Seigneur, mais qu'il a entouré d'égards le *« roi Amalec et l'a laissé vivre* [d] *»*, comme Samuel l'a reproché à Saül avant sa mort et au moment même où Saül allait mourir[e].

« Et à cause de cela le Seigneur a porté cette sentence contre toi en ce jour et le Seigneur donnera Israël aux étrangers [f]. *»* Un démon peut-il prophétiser sur tout le peuple de Dieu et dire que le Seigneur livrera Israël ?

« Oui, le Seigneur livrera le camp d'Israël aux mains des étrangers. Hâte-toi, Saül, demain toi et tes fils vous serez avec moi [g]. *»* Est-ce là une chose qu'un petit démon peut savoir : que David avait reçu l'onction royale avec l'huile du prophète et que le lendemain Saül allait quitter la vie et ses fils avec lui : *« Demain toi et tes fils vous serez avec moi »* ?

Le Christ est descendu en enfer Voilà qui montre bien que ce qui est raconté n'est pas mensonger et que c'est Samuel qui est monté. Que vient donc faire ici une nécromancienne ? Que vient faire une nécromancienne pour faire monter l'âme du juste[1] ? C'est cela que voulait éviter l'homme qui soutenait la première thèse. En effet, pour ne pas avoir l'air d'éprouver de la difficulté devant tant d'autres choses qui font question dans ce chapitre, il dit encore : 'Ce n'est pas Samuel ; le petit démon ment, car l'Écriture, elle, ne peut mentir.' Mais ce sont là les paroles de l'Écriture ; elles ne sont pas mises dans la bouche du petit démon lui-même, mais c'est l'Écriture qui affirme : *« Et la femme vit Samuel »*, *« Samuel a dit »* les choses dites comme venant de Samuel.

---

1. L'examen littéral du texte a prouvé, contre la thèse adverse, que c'est bien Samuel qui a été évoqué. Mais il reste la difficulté qu'elle voulait éviter : comment se peut-il qu'une nécromancienne ait autorité sur un saint prophète ?

Πῶς οὖν λυόμενα τὰ τῆς ἐγγαστριμύθου φανεῖται τὰ κατὰ τὸν τόπον; Πυνθάνομαι τοῦ προειρηκότος τὰ πρότερα · Σαμουὴλ ἐν ᾅδου καὶ τὰ ἑξῆς, καὶ ἀποκρινάσθω 15 πρὸς τὸ ἐπηρωτημένον · Τίς μείζων, Σαμουὴλ ἢ Ἰησοῦς ὁ Χριστός; τίς μείζων, οἱ προφῆται ἢ Ἰησοῦς ὁ Χριστός; τίς μείζων, Ἀβραὰμ ἢ Ἰησοῦς ὁ Χριστός; Ἐνθάδε μὲν οὐ τολμήσει τις τῶν ἅπαξ φθασάντων τὸν κύριον εἰδέναι Ἰησοῦν Χριστὸν τὸν ὑπὸ τῶν προφητῶν προκηρυχθέντα 20 εἶναι εἰπεῖν ὅτι μείζων οὐκ ἔστιν ὁ Χριστὸς τῶν προφητῶν. Ὅταν οὖν ὁμολογήσῃς ὅτι Ἰησοῦς Χριστὸς μείζων ἐστίν, Χριστὸς ἐν ᾅδου ἢ οὐ γέγονεν ἐκεῖ; Οὐκ ἔστιν ἀληθὲς τὸ εἰρημένον ἐν Ψαλμοῖς, ἑρμηνευθὲν ὑπὸ τῶν ἀποστόλων ἐν ταῖς Πράξεσιν αὐτῶν περὶ τοῦ τὸν σωτῆρα ἐν ᾅδου 25 καταβεβηκέναι[a]; Γέγραπται ὅτι ἐπ' αὐτὸν φέρεται τὸ ἐν πεντεκαιδεκάτῳ ψαλμῷ · «Ὅτι οὐκ ἐγκαταλείψεις τὴν ψυχήν μου εἰς ᾅδου, οὐδὲ δώσεις τὸν ὅσιόν σου ἰδεῖν διαφθοράν[b].» Εἶτα Ἰησοῦς μὲν Χριστὸς ἐν ᾅδου, φοβῇ δὲ εἰπεῖν ὅτι ναὶ καὶ ἐκεῖ προφητεῦσαι καταβαίνει καὶ 30 ἔρχεσθαι πρὸς τὰς ψυχὰς τὰς ἑτέρας;

Εἶτα μετὰ τοῦτο ἐὰν ἀποκρίνηται ὅτι Χριστὸς ἐν ᾅδου καταβέβηκεν, ἐρῶ · Χριστὸς εἰς ᾅδου καταβέβηκεν τί ποιήσων, νικήσων ἢ νικηθησόμενος ὑπὸ τοῦ θανάτου; Καὶ κατελήλυθεν εἰς τὰ χωρία ἐκεῖνα οὐχ ὡς δοῦλος τῶν ἐκεῖ 35 ἀλλ' ὡς δεσπότης παλαίσων, ὡς πρώην ἐλέγομεν ἐξηγούμενοι τὸν κα' ψαλμόν · «Περιεκύκλησάν με μόσχοι πολλοί, ταῦροι πίονες περιέσχον με · ἤνοιξαν ἐπ' ἐμὲ τὸ στόμα

16 ὁ M, om. T ‖ 17 ὁ M, om. T.

6. a. Act. 2, 27-31 ‖ b. Ps. 15, 10

1. φανεῖται : il ne s'agit pas de trouver une apparence de solution, mais une solution *manifeste*, satisfaisante. Origène définit ainsi ce qu'il veut faire. A cet effet il va poser à l'adversaire des questions progressives : 1° Qui est le plus grand, Jésus-Christ ou les prophètes? Évidemment Jésus-Christ; 2° Christ est-il descendu en enfer? Oui (preuve par le *Ps.* 15, 10); 3° Il y est descendu pour quoi faire? Pour sauver; 4° Y est-il

Comment donc trouver une solution satisfaisante[1] au rôle de la nécromancienne dans ce passage? J'interroge celui qui a soutenu plus haut la première thèse : 'Samuel en enfer? etc...' Qu'il réponde à la question : Qui est le plus grand, Samuel ou Jésus-Christ? Qui est le plus grand, les prophètes ou Jésus-Christ? Qui est le plus grand, Abraham ou Jésus-Christ? Ici, quiconque est parvenu à savoir que le Seigneur Jésus-Christ est celui que les prophètes annonçaient n'osera nier que Jésus-Christ est plus grand que les prophètes. Lorsqu'on admet donc que Jésus-Christ est plus grand, je demande : Christ a-t-il été en enfer ou n'y a-t-il pas été? N'est-elle pas vraie la parole des Psaumes que les apôtres dans leurs Actes ont interprétée de la descente du Sauveur en enfer[a]? Il y est écrit que c'est à lui que se rapporte le verset du Psaume 15 : *« Tu ne laisseras pas mon âme en enfer et tu ne laisseras pas ton saint voir la corruption[b]. »* Alors : Jésus-Christ était *en enfer* et tu as peur de dire que c'est bien pour prophétiser[2] là-bas aussi et pour venir auprès des autres âmes qu'il y descend?

Puis, si on répond que Christ est descendu *en enfer,* je dirai : Christ est descendu *en enfer* pour faire quoi? Pour vaincre la mort ou être vaincu par elle? Il est descendu dans ces lieux-là non pas en esclave de ceux qui s'y trouvent, mais tel un maître qui va lutter, comme nous le disions naguère en expliquant le Psaume 21 : *« De nombreux taureaux m'ont encerclé, des bœufs gras m'ont entouré ; ils ont ouvert*

---

allé après y avoir été annoncé par les prophètes? Bien évidemment. Origène imite ici le mode d'argumentation de Socrate dans les *Dialogues* de Platon, même si l'enchaînement des questions n'est pas aussi rigoureux. Ainsi sera justifiée la présence de Samuel en enfer, ce qui devrait suffire aux yeux d'Origène à expliquer que le démon présent dans la nécromancienne ait pouvoir sur ce prophète.

2. On attendrait plutôt : «pour évangéliser», mais comme il s'agit de montrer par l'exemple de Jésus que Samuel est allé en enfer pour *prophétiser,* Origène emploie le même mot pour Jésus.

αὐτῶν, ὡς λέων ἁρπάζων καὶ ὠρυόμενος · διεσκορπίσθησαν
τὰ ὀστᾶ μου^c.» Μεμνήμεθα, εἴγε μεμνήμεθα τῶν ἱερῶν
40 γραμμάτων · μέμνημαι γὰρ αὐτῶν <τῶν> εἰρημένων εἰς
τὸν κα′ ψαλμόν.

Οὐκοῦν ὁ σωτὴρ κατελήλυθεν σώσων · κατελήλυθεν ἐκεῖ
προκηρυχθεὶς ὑπὸ τῶν προφητῶν ἢ οὔ; 'Αλλ' ἐνθάδε μὲν
προεκηρύχθη ὑπὸ τῶν προφητῶν, ἀλλαχοῦ δὲ κατέρχεται
45 οὐ διὰ προφητῶν; Καὶ Μωσῆς αὐτὸν κηρύσσει ἐπιδημή-
σοντα τῷ γένει τῶν ἀνθρώπων^d, ὥστε λέγεσθαι καλῶς ὑπὸ
τοῦ κυρίου καὶ σωτῆρος ἡμῶν · «Εἰ ἐπίστευτε Μωσεῖ,
ἐπίστευτε ἂν ἐμοί · περὶ γὰρ ἐμοῦ ἐκεῖνος ἔγραψεν · εἰ δὲ
τοῖς ἐκείνου γράμμασιν οὐ πιστεύετε, πῶς τοῖς ἐμοῖς
50 ῥήμασι πιστεύσητε^e;» Καὶ ἐπιδεδήμηκεν τούτῳ τῷ βίῳ
Χριστὸς καὶ προκηρύσσεται Χριστὸς ἐπιδημῶν τούτῳ τῷ
βίῳ · εἰ δὲ Μωσῆς προφητεύει αὐτὸν ἐνθάδε, οὐ θέλεις
αὐτὸν κἀκεῖ καταβεβηκέναι, ἵνα προφητεύσῃ Χριστὸν ἐλεύ-
σεσθαι; Τί δέ; Μωσῆς μέν, οἱ δὲ ἑξῆς προφῆται οὐχί,
55 Σαμουὴλ δὲ οὐχί^f; Τί ἄτοπόν ἐστι τοὺς ἰατροὺς καταβαί-
νειν πρὸς τοὺς κακῶς ἔχοντας, τί δὲ ἄτοπόν ἐστιν ἵνα καὶ ὁ
ἀρχίατρος καταβῇ πρὸς τοὺς κακῶς ἔχοντας; 'Εκεῖνοι
ἰατροὶ μὲν ἦσαν πολλοί^g, ὁ δὲ κύριός μου καὶ σωτὴρ
ἀρχίατρός ἐστι · καὶ γὰρ τὴν ἔνδον ἐπιθυμίαν, ἢ οὐ δύναται
60 ὑπὸ ἄλλων θεραπευθῆναι, αὐτὸς θεραπεύει · ἥτις «οὐκ
ἴσχυσε ὑπ' οὐδενὸς θεραπευθῆναι^h» τῶν ἰατρῶν, Χριστὸς
'Ιησοῦς αὐτὴν θεραπεύει · «Μὴ φοβοῦⁱ», μὴ θαμβοῦ.

40 τῶν addidimus

c. Ps. 21, 13 ‖ d. Deut. 18, 15.18 ‖ e. Jn 5, 46-47 ‖ f. I Sam. 3, 20 ‖
g. Mc 5, 26 ‖ h. Lc 8, 43 ‖ i. Mc 5, 36.

1. Moïse était considéré traditionnellement comme un prophète à
cause de la parole que Dieu lui dit dans *Deut.* 18, 18 : « Je susciterai pour
eux *un prophète comme toi* du milieu de leurs frères.» Si Origène mentionne
ici Moïse plutôt qu'un autre prophète, c'est pour citer la parole de Jésus à
son sujet : «Si vous aviez cru en Moïse, vous auriez cru en moi», qui
montrait bien l'utilité des prophètes pour faire accéder à la foi en Jésus.

leur bouche contre moi, comme un lion rapace et rugissant; mes os ont été disloqués[c].*»* Nous nous en souvenons, si du moins nous nous souvenons des saintes Écritures; je me souviens effectivement des paroles mêmes qui ont été dites sur le Psaume 21.

Donc le Sauveur est descendu pour sauver : est-il descendu là-bas après avoir été annoncé par les prophètes ou non? Eh quoi, ici-bas il a été annoncé par les prophètes, mais ailleurs il descendrait sans se servir des prophètes? Moïse aussi annonce que le Sauveur viendra dans le genre humain[d 1], en sorte que notre Maître et Sauveur dit à juste titre : *« Si vous aviez cru en Moïse, vous auriez cru en moi, car c'est à mon sujet qu'il a écrit. Mais si vous ne croyez pas à ses écrits, comment auriez-vous pu croire à mes paroles*[e]*?»* Christ est venu dans cette vie et il est annoncé à l'avance que Christ viendrait dans cette vie; or si Moïse prophétise sa venue ici-bas, pourquoi ne veux-tu pas qu'il soit descendu là-bas aussi pour prophétiser que Christ viendrait? Alors : Moïse, oui, mais pas les prophètes suivants? Pas Samuel[f]? Qu'y a-t-il d'absurde à ce que les médecins descendent vers les malades, et qu'y a-t-il d'absurde à ce que le médecin-chef descende lui aussi vers les malades? Les prophètes étaient de *nombreux médecins*[g] et mon Seigneur et Sauveur est médecin-chef. Le fait est que la concupiscence intérieure, qui ne peut être guérie par d'autres[2], lui la guérit; celle qui *« n'a pas pu être guérie par aucun*[h]*»* des médecins, Christ Jésus la guérit : *« N'aie pas peur*[i 3]*»*, ne crains pas.

---

2. Il s'agit de la guérison de l'hémorrhoïsse (*Matth.* 9, 18-22; *Mc* 5, 21-34; *Lc* 8, 40-48) comme le montre la phrase suivante. Origène s'exprime comme si l'écoulement anormal de sang était dû chez cette femme à un dérèglement de la concupiscence.

3. Origène applique par erreur à l'hémorrhoïsse une parole de Jésus qui est adressée deux versets plus loin au chef de la synagogue (*Mc* 5, 36; *Lc* 8, 50).

7
Ἰησοὺς εἰς ᾅδου γέγονεν, καὶ οἱ προφῆται πρὸ αὐτοῦ, καὶ προκηρύσσουσι τοῦ Χριστοῦ τὴν ἐπιδημίαν · | εἶτα καὶ ἄλλο τι θέλω εἰπεῖν ἀπ' αὐτῆς τῆς γραφῆς. Σαμουὴλ ἀναβαίνει καὶ ἰδοὺ <οὐ> Σαμουὴλ λέγει ἑωρακέναι <ἡ γυνή, οὐ λέγει ἑωρακέναι> ψυχήν, οὐ λέγει ἑωρακέναι
5 ἄνθρωπον · ἔπτηξεν τοῦτον ὃν εἶδεν · τίνα ὁρᾷ; «Θεοὺς ἐγώ», φησίν, «εἶδον, θεοὺς ἀναβαίνοντας ἀπὸ τῆς γῆς[a].» Καὶ τάχα Σαμουὴλ οὐ μόνος ἀναβέβηκεν καὶ τότε προφη- τεύσων τῷ Σαούλ, ἀλλ' εἰκός, ὥσπερ ἐνταῦθα «μετὰ ὁσίου ὁσιωθήσῃ καὶ μετὰ ἀνδρὸς ἀθῴου ἀθῷος ἔσῃ καὶ μετὰ
10 ἐκλεκτοῦ ἐκλεκτὸς ἔσῃ[b]» καὶ εἰσὶν ἐνταῦθα διατριβαὶ ἁγίων μετὰ ἁγίων, οὐχὶ δὲ ἁγίων μετὰ ἁμαρτωλῶν, καὶ εἰ ἄρα ποτέ, ἐστὶ τῶν ἁγίων ἡ διατριβὴ μετὰ τῶν ἁμαρτωλῶν ὑπὲρ τοῦ καὶ τοὺς ἁμαρτωλοὺς σῶσαι, οὕτω τάχα καὶ <ζητήσεις> εἰ ἀναβαίνοντι τῷ Σαμουὴλ συναναβεβήκασιν
15 ἤτοι ἅγιαι ψυχαὶ ἄλλων προφητῶν <ἢ> τάχα ζητήσεις εἰ ἄγγελοι ἦσαν ἐπὶ τῶν πνευμάτων[c] αὐτῶν – ὁ προφήτης

---

63 καὶ οἱ M : καινοὶ T ‖ 64 τοῦ – ἐπιδημίαν M : τὴν Χριστοῦ ἐπιδημίαν T.
7, 3 οὐ addidimus ‖ 3-4 ἡ γυνή, οὐ λέγει ἑωρακέναι addidimus ‖ 6 εἶδον T : ἴδον M ‖ 7 προφητεύσων M : προφητεύων T ‖ 14 ζητήσεις addidimus, cf. l. 15 ‖ εἰ T, om. M ‖ 15 ἢ addidimus.

---

7. a. I Sam. 28, 13 ‖ b. Ps. 17, 26-27 ‖ c. I Pierre 3, 19

---

1. Cette phrase, qui n'a pas de connexion logique avec celle qui la pré- cède, n'appartient pas au paragraphe précédent, mais elle le résume pour introduire un nouveau développement comme Origène aime à le faire.
2. En hébreu le mot «élohim» est traité généralement comme un singulier, mais ici il commande un participe au pluriel. D'où la traduction des Septante : «des dieux». Origène se demande si ce pluriel «dieux» ne désignerait pas ici les âmes d'autres prophètes descendus comme Samuel en enfer et montant avec lui. Il y était porté par la manière dont il interprétait couramment une autre parole de l'Écriture qui contenait le même terme : «J'ai dit : Vous êtes des dieux» (Ps. 81, 6); il pensait que cette déclaration s'adressait aux spirituels, parce qu'ils ne sont plus des hommes ordinaires; cf. Hom. Jér., 15, 6 (SC 238, p. 126, 22-24); Com. Jn, XX, 27 (22), § 242; 28, § 246; etc. Si l'Écriture employait le mot «dieux»

Qui sont les «dieux» que la nécromancienne a vu monter?

Jésus est allé en enfer, et les prophètes avant lui, et ils ont annoncé la venue du Christ[1]. | Puis je veux dire encore une autre chose qui est suggérée par le texte même : Samuel monte, et voici que la femme ne dit pas qu'elle a vu Samuel, elle ne dit pas qu'elle a vu une âme, elle ne dit pas qu'elle a vu un homme; elle est effrayée par celui qu'elle a vu, qui voit-elle donc? *«J'ai vu,* dit-elle, *des dieux[2], des dieux montant de la terre[a].»* Ainsi, peut-être Samuel n'est-il pas monté seul pour prophétiser une fois de plus à Saül, mais vraisemblablement, de même qu'ici-bas *«avec un homme saint on se sanctifiera, avec un homme innocent on sera innocent et avec un élu on sera élu[b]»* et de même qu'ici-bas on trouve des saints vivant avec des saints mais non des saints vivant avec des pécheurs ou que, si cela arrive, les saints vivent avec les pécheurs pour sauver aussi les pécheurs, de même tu chercheras si, quand Samuel montait, il n'y avait peut-être pas, montant avec lui, des âmes saintes d'autres prophètes, ou bien tu chercheras si ce n'étaient peut-être pas des anges[3] préposés à leurs *esprits[c][4]* – le prophète dit : *« L'ange*

---

pour des spirituels, elle pouvait s'en servir aussi bien pour des prophètes.

3. Origène envisage une autre interprétation selon laquelle le mot «dieux» désignerait des anges accompagnant les âmes des prophètes. Elle lui est suggérée comme la précédente par l'emploi du même mot dans d'autres passages de l'Écriture. Il s'agit cette fois de plusieurs versets des Psaumes qui évoquent des «dieux» gravitant autour du Dieu unique : «le Dieu des dieux» (*Ps.* 49, 1; 135, 2); «Dieu se tient dans une assemblée de dieux» (*Ps.* 81, 6). On les identifiait avec les anges; cf. *C. Celse,* V, 4 (*SC* 147, p. 20, 14) : «Ces êtres que nous avons appris à nommer 'anges' d'après leur mission, nous les trouvons appelés parfois aussi 'dieux' dans les Écritures sacrées, parce qu'ils sont divins.» Ils peuvent être, soit des anges préposés spécialement aux prophètes, soit des anges comme il y en a d'envoyés partout, car partout il y a des esprits qui ont besoin de leur aide pour être sauvés.

4. «Esprits» : c'était le mot qui se lisait dans *I Pierre* 3, 19 à propos de la descente aux enfers.

λέγει · «Ὁ ἄγγελος ὁ λαλῶν ἐν ἐμοί[d]» – ἢ ἄγγελοι ἦσαν
μετὰ τῶν πνευμάτων συναναβεβηκότες. Καὶ πάντα πλη-
ροῦται τῶν δεομένων σωτηρίας, καὶ «πάντες εἰσὶ λει-
20 τουργικὰ πνεύματα εἰς διακονίαν ἀποστελλόμενα διὰ τοὺς
μέλλοντας κληρονομεῖν σωτηρίαν[e]».

Τί φοβῇ εἰπεῖν ὅτι πᾶς τόπος χρῄζει Ἰησοῦ Χριστοῦ;
Χρῄζει τῶν προφητῶν ὁ χρῄζων Χριστοῦ · οὐδὲ γὰρ
Χριστοῦ μὲν χρῄζει, τῶν δὲ εὐτρεπιζόντων Χριστοῦ παρου-
25 σίαν καὶ ἐπιδημίαν οὐ χρῄζει. Καὶ Ἰωάννης, οὗ μείζων ἐν
γεννητοῖς γυναικῶν οὐδεὶς ἦν κατὰ τὴν τοῦ σωτῆρος
ἡμῶν μαρτυρίαν λέγοντος · «Μείζων ἐν γεννητοῖς γυναικῶν
Ἰωάννου» τοῦ βαπτιστοῦ «οὐδείς ἐστιν[f]», μὴ φοβοῦ λέγειν
ὅτι εἰς ᾅδου καταβέβηκε προκηρύσσων μου τὸν κύριον, ἵνα
30 προείπῃ αὐτὸν κατελευσόμενον. Διὰ τοῦτο, ὅτε ἦν ἐν τῇ
φυλακῇ καὶ ᾔδει τὴν ἔξοδον τὴν ἐπικειμένην αὐτῷ, πέμψας
δύο τῶν μαθητῶν ἐπυνθάνετο οὐχί · «Σὺ εἶ ὁ ἐρχόμενος;»
ᾔδει γάρ, ἀλλά · «Σὺ εἶ ὁ ἐρχόμενος ἢ ἄλλον προσδοκῶμεν[g];» Εἶδεν αὐτοῦ τὴν δόξαν[h], ἐλάλησεν πολλὰ περὶ τῆς
35 θαυμασιότητος αὐτοῦ, ἐμαρτύρησεν αὐτῷ[i] πρῶτος · «Ὁ
ὀπίσω μου ἐρχόμενος ἔμπροσθέν μου γέγονεν[j]», εἶδεν
αὐτοῦ τὴν δόξαν, «δόξαν ὡς μονογενοῦς παρὰ πατρός,
πλήρης χάριτος καὶ ἀληθείας[k]» · τηλικαῦτα ἰδὼν περὶ
Χριστοῦ ὀκνεῖ πιστεῦσαι, ἀμφιβάλλει καὶ οὐ λέγει · Εἴπατε
40 αὐτῷ · Σὺ εἶ ὁ Χριστός[l];

31 ᾔδει Pearson : εἴδη M ‖ 32 ἐπυνθάνετο + Ἰωάννης T ‖ 33 ᾔδει
Pearson : εἴδη M.

d. Zach. 1, 9 ‖ e. Hébr. 1, 14 ‖ f. Lc 7, 28 ‖ g. Lc 7, 20 ‖ h. Jn 1, 15 ‖
i. Lc 9, 32; Jn 1, 14; 12, 4; Act. 7, 55 ‖ j. Jn 1, 15; 1, 30 ‖ k. Jn 1, 14 ‖
l. Mc 14, 61

1. Origène paraît envisager l'idée qu'il y a un ange dans chaque
prophète comme il y a un démon dans la nécromancienne.
2. «Tout», y compris l'enfer.
3. Sur l'origine de cette croyance, voir p. 80, n. 1.

qui parle en moi[d1] *»* — ou s'il n'y avait pas des anges accompagnant les *esprits* : tout[2] est rempli d'êtres qui ont
besoin de salut et les anges *« sont tous des esprits liturges
envoyés au service de ceux qui doivent hériter du salut*[e] *»*.

**Jean-Baptiste
est descendu
en enfer**
Pourquoi as-tu peur de reconnaître que tout lieu a besoin de
Jésus-Christ? Celui qui a besoin de
Jésus-Christ a besoin des prophètes ;
car il ne se peut pas qu'il ait besoin du Christ et qu'il n'ait
pas besoin de ceux qui préparent la venue et l'avènement
du Christ. De Jean aussi, que personne ne surpassait *parmi
les enfants des femmes* au témoignage de notre Sauveur qui
disait : « *Parmi les enfants des femmes il n'y a personne de plus
grand que Jean*[f]-*Baptiste*», ne crains pas de dire qu'il est
descendu en enfer[3] comme héraut de mon Seigneur pour
prédire que celui-ci y descendrait. C'est la raison pour
laquelle, étant en prison et sachant sa fin prochaine, il a
envoyé deux de ses disciples demander, non pas seulement
« Es-tu celui qui vient ? » car il le savait, mais *« Es-tu celui qui
vient ou devons-nous en attendre un autre*[g4] *? »* Il a vu sa gloire[h], il
a beaucoup parlé de sa nature admirable, il *lui a rendu
témoignage*[i] le premier : *« Celui qui vient après moi a existé avant
moi*[j] *»*, il a *vu sa gloire*, « *gloire qu'il tient de son Père comme Fils
unique, plein de grâce et de vérité*[k] *»*. Après avoir vu de si
grandes choses sur le Christ, il hésite à croire, il doute, mais
il ne dit pas : Demandez-lui : *Es-tu le Christ*[l5]?

---

4. L'accent est mis sur la seconde partie de la phrase : «ou devons-
nous en attendre un autre?», car c'était le mot «attendre» qui servait à
prouver que l'incertitude de Jean-Baptiste ne portait pas sur la venue du
Christ sur terre, que Jean savait déjà réalisée, mais sur un événement
futur : sa venue en enfer.

5. C'est ainsi que Jean-Baptiste aurait formulé sa question (comme le
grand prêtre en *Mc* 14, 61) s'il avait ignoré que Jésus était le Christ.

Νῦν μὴ νοήσαντες γάρ τινες τὰ εἰρημένα λέγουσιν·
Ἰωάννης ὁ τηλικοῦτος οὐκ ᾔδει Χριστόν, ἀλλ' ἀπέστη ἀπ'
αὐτοῦ τὸ πνεῦμα τὸ ἅγιον. Καὶ ᾔδει τοῦτον, ᾧ ἐμαρτύρησεν
πρὸ γενέσεως καὶ ἐφ' ᾧ ἐσκίρτησεν, ἡνίκα ἦλθεν καὶ ἡ
45 Μαρία πρὸς αὐτόν, ὡς ἐμαρτύρησεν αὐτῷ ἡ μήτηρ αὐτοῦ
λέγουσα· «Ἰδοὺ γάρ, ὡς ἐγένετο ἡ φωνὴ τοῦ ἀσπασμοῦ
σου εἰς τὰ ὦτά μου, ἐσκίρτησεν ἐν ἀγαλλιάσει τὸ βρέφος ἐν
τῇ κοιλίᾳ μου[m].» Οὗτος οὖν ὁ σκιρτήσας πρὸ γενέσεως
Ἰωάννης, ὁ εἰπών· «Οὗτός ἐστι περὶ οὗ ἐγὼ εἶπον· Ὁ
50 ὀπίσω μου ἐρχόμενος ἔμπροσθέν μου γέγονεν[n]» καὶ· «Ὁ
πέμψας με εἶπέ μοι· Ἐφ' ὃν ἂν ἴδῃς τὸ πνεῦμα καταβαῖνον
καὶ μένον, οὗτός ἐστιν ὁ υἱὸς τοῦ θεοῦ[o]», οὗτος, φασίν,
οὐκέτι ᾔδει Ἰησοῦν Χριστόν; Ἐν κοιλίᾳ ᾔδει γὰρ αὐτόν,
ἀλλὰ δι' ὑπερβολὴν δόξης ὅμοιόν τι τῷ Πέτρῳ πεποίηκεν,
55 τί ὅμοιον; Οὗτος μέγα τι ᾔδει περὶ τοῦ Χριστοῦ· Τίς εἰμι,
«τίνα με λέγουσιν οἱ ἄνθρωποι εἶναι[p];» ὁ δέ· Τόδε καὶ
τόδε· σὺ δὲ τί[q]; «Σὺ εἶ ὁ Χριστὸς ὁ υἱὸς τοῦ θεοῦ τοῦ
ζῶντος», ἐν ᾧ καὶ μακαρίζεται, «ὅτι σὰρξ καὶ αἷμα οὐκ
ἀπεκάλυψεν» αὐτῷ «ἀλλ' ὁ πατὴρ ὁ ἐν τοῖς οὐρανοῖς[r]».
60 Ἐπεὶ οὖν μεγάλα ἤκουσεν περὶ Χριστοῦ καὶ μεγάλα
ὑπελάμβανεν καὶ οὐ παρεδέξατο τὴν βοὴ < ν τὴν > θείαν
τὴν πρὸς αὐτόν. «Ἰδοὺ ἀναβαίνομεν εἰς Ἱερουσαλὴμ καὶ
τελειωθήσεται[s]» καὶ· «Δεῖ τὸν υἱὸν τοῦ ἀνθρώπου πολλὰ
παθεῖν καὶ ἀποδοκιμασθῆναι ἀπὸ τῶν ἀρχιερέων καὶ
65 πρεσβυτέρων καὶ ἀποκτανθῆναι καὶ τῇ τρίτῃ ἡμέρᾳ
ἀναστῆναι[t]», φησίν· «Ἵλεώς σοι, κύριε[u].» Μεγάλα ᾔδει

44 καὶ[2] M, om. T ‖ 61 βοὴ < ν τὴν > θείαν Kl : βοηθείαν M.

---

m. Lc 1, 44 ‖ n. Jn 1, 14 ‖ o. Jn 1, 33 ‖ p. Matth. 16, 13 ‖
q. Matth. 16, 15 ‖ r. Matth. 16, 16-17 ‖ s. Lc 18, 31 ‖ t. Lc 9, 22 ‖
u. Matth. 16, 22

---

1. L'ouvrage où Origène a trouvé mention de la descente de
Jean-Baptiste aux enfers combattait dans le même passage la thèse selon
laquelle Jean avait perdu le charisme de prophète; cf. *supra,* p. 80, n. 1.

Maintenant, en effet, il y a des gens qui, n'ayant pas compris ce qui est écrit, disent : 'Jean, si grand qu'il fût, ne connaissait pas le Christ; l'Esprit Saint l'avait quitté[1].' Si, il connaissait celui à qui il a rendu témoignage avant de naître et devant qui il *a tressailli* quand Marie elle-même est venue à lui, comme sa mère l'a attesté en ces termes : « *Voici que lorsque les paroles de ton salut sont venues à mes oreilles, l'enfant a tressailli d'allégresse dans mon ventre*[m]. » Ce Jean, donc, qui *a tressailli* avant de naître, qui a déclaré : « *C'est lui dont j'ai dit : Celui qui vient après moi a existé avant moi*[n2] », et : « *Celui qui m'a envoyé m'a dit : Celui sur qui tu verras l'Esprit descendre et rester, c'est le Fils de Dieu*[o] », ce Jean, dit-on, ne connaissait plus Jésus-Christ? *Dans le ventre* de sa mère il le connaissait! Mais en raison de la gloire suréminente de Jésus-Christ, il a fait quelque chose de semblable à ce qu'a fait Pierre : quoi de semblable? Pierre connaissait quelque chose de grand sur le Christ : Qui suis-je? « *Qui les hommes disent-ils que je suis*[p]*?* » Et lui de répondre : ceci, cela. – *Mais toi,* que dis-tu[q]? – « *Tu es le Christ, le Fils du Dieu vivant* », et là-dessus Pierre est déclaré *bienheureux,* « *parce que ce n'est pas la chair ni le sang qui le* lui *ont révélé, mais le Père qui est dans les cieux*[r] ». Puisqu'il avait donc entendu de grandes choses sur le Christ, qu'il en devinait aussi de grandes, mais qu'il n'avait pas accepté la parole divine qui lui était adressée : « *Voici que nous montons à Jérusalem et ce sera l'accomplissement*[s] », et : « *Il faut que le Fils de l'homme souffre beaucoup, qu'il soit rejeté par les grands prêtres et les prêtres, mis à mort et que le troisième jour il ressuscite*[t] », il répondit : « *Loin de toi, Seigneur*[u] *!* » Il savait de

---

C'est pourquoi Origène fait ici une « digression » (cf. **8,** 1) pour combattre la même thèse. Il est assez probable que la comparaison qu'il va établir entre le doute de Jean et celui de Pierre vient du même ouvrage.

2. Origène combine *Jn* 1, 30 avec *Jn* 1, 15 qu'il a cité quelques lignes plus haut (7, 33).

περὶ Χριστοῦ, οὐκ ἠθέλησεν παραδέξασθαι τὸ ταπεινότερον
περὶ αὐτοῦ. Τοιοῦτόν τινά μοι νόει καὶ τὸν Ἰωάννην. Ἐν
φυλακῇ ἦν μεγάλα εἰδὼς περὶ Χριστοῦ, εἶδεν οὐρανοὺς
70 ἀνεῳγότας ᵛ, εἶδεν πνεῦμα ἅγιον ἐξ οὐρανοῦ κατερχόμενον
ἐπὶ τὸν σωτῆρα καὶ μένον ἐπ' αὐτόν ʷ · ἰδὼν τὴν τηλικαύτην δόξαν ˣ ἀμφέβαλλεν καὶ τάχα ἠπίστει εἰ ὁ οὕτως
ἔνδοξος καὶ μέχρις ᾅδου καὶ μέχρις τῆς ἀβύσσου ʸ κατελεύ-
σεται · διὰ τοῦτο ἔλεγεν · «Σὺ εἶ ὁ ἐρχόμενος ἢ ἄλλον
75 προσδοκῶμεν ᶻ;»

8   Οὐ παρεξέβην οὐδὲ ἐπελαθόμην τοῦ προκειμένου, ἀλλὰ
τοῦτο θέλομεν κατασκευάσαι ὅτι, εἰ πάντες εἰς ᾅδου
καταβεβήκασι πρὸ τοῦ Χριστοῦ πρόδρομοι Χριστοῦ οἱ
προφῆται Χριστοῦ, οὕτως καὶ Σαμουὴλ ἐκεῖ καταβέβηκεν ·
5 οὐ γὰρ ἁπλῶς, ἀλλ' ὡς ἅγιος. Ὅπου ἐὰν ᾖ ὁ ἅγιος, ἅγιός
ἐστιν. Μήτι Χριστὸς οὐκέτι Χριστός ἐστιν, ἐπεὶ ἐν ᾅδου
ποτὲ ἦν; Οὐκέτι ἦν υἱὸς θεοῦ, ἐπεὶ ἐν τῷ καταχθονίῳ
γεγένηται τόπῳ, «ἵνα πᾶν γόνυ κάμψῃ ἐν τῷ ὀνόματι
Ἰησοῦ Χριστοῦ ἐπουρανίων καὶ ἐπιγείων καὶ καταχθο-
10 νίων ᵃ»; Οὕτως Χριστὸς Χριστὸς ἦν καὶ κάτω ὤν · ἵνα
οὕτως εἴπω, ἐν τῷ κάτω τόπῳ ὤν, τῇ προαιρέσει ἄνω ἦν ·
οὕτως καὶ οἱ προφῆται καὶ Σαμουήλ, κἂν καταβῶσιν ὅπου

72 ἀμφέβαλλεν M : ἀμφέβαλεν T ‖ εἰ ὁ Kl : διὸ TM ‖ 74 μέχρις ² T : μέχρι
M.
8, 5-6 ἅγιός ἐστιν T : ἐστιν ἅγιος M ‖ 11 τῇ Eust. om. M.

v. Matth. 3, 16 ‖ w. Matth. 3, 16 ‖ x. Jn 1, 14 ‖ y. Rom. 10, 7 ‖
z. Lc 7, 20
8. a. Phil. 2, 10

1. La tournure employée montre qu'Origène distinguait entre
«enfer» (Hadès) et «abîme», probablement sous l'influence d'un apo-
cryphe biblique, l'Ascension d'Isaïe, qu'il connaissait (Com. Matt., 10, 18;
Lettre à Africain, 9) et dans lequel cette distinction est bien marquée
(10, 8). S'il tient à nommer ici l'un et l'autre, c'est parce qu'il les trouvait
tous deux mentionnés dans des paroles de l'Écriture concernant le
séjour du Christ parmi les morts : l'«enfer» (Hadès) dans Ps. 15, 10,

grandes choses sur le Christ, il n'a pas voulu accepter ce qui était plus humble à son sujet. Comprends donc que Jean est quelqu'un du même genre. Il était en prison en sachant de grandes choses sur Christ, il savait les *cieux ouverts*[v], il savait l'*Esprit* Saint *descendant du ciel* sur le Sauveur et demeurant *sur lui*[w] : ayant *vu* une si grande *gloire*[x], il doutait et peut-être refusait-il de croire qu'un être aussi glorieux *descendrait* jusqu'à l'enfer et *à l'abîme*[y][1]; c'est pourquoi il disait : « *Es-tu celui qui vient, ou devons-nous en attendre un autre*[z] ? »

De même Samuel est descendu en enfer　Ce n'était pas une digression et je n'ai pas oublié mon propos, mais nous voulons établir que, si tous les prophètes du Christ sont descendus en enfer avant le Christ comme précurseurs du Christ, Samuel y est aussi descendu de cette façon, car il n'y est pas simplement descendu, mais il y est descendu à titre de saint. Où qu'il soit, le saint est saint. Christ n'était-il plus Christ parce qu'il se trouvait une fois en enfer ? N'était-il plus Fils de Dieu parce qu'il était venu dans le lieu *souterrain*, « *pour que tout genou fléchisse au nom de Jésus-Christ parmi les êtres célestes, terrestres et souterrains*[a] ». Ainsi Christ était Christ, même quand il était en bas. Pour ainsi dire[2], tout en étant dans le lieu d'en bas, par l'intention il était en haut. De même, les prophètes et Samuel, même quand ils sont

---

qu'il a cité plus haut (**6**, 22), l'«abîme» dans *Rom.* 10, 7 : «Qui descendra dans l'abîme, entendez : pour faire ressusciter le Christ d'entre les morts?»

2. La restriction «pour ainsi dire» ne porte pas spécialement sur le mot «lieu» comme si Origène éprouvait le besoin de contester l'exactitude de ce terme pour l'enfer (il l'emploie sans réticence en **8**, 7 «le lieu souterrain» et va le reprendre en **8**, 13 «le lieu d'en bas»), mais, placée comme elle est au début de la phrase, elle porte sur la phrase entière. Origène a simplement conscience qu'il peut paraître absurde de dire de quelqu'un que «tout en étant en bas, il était en haut».

αἱ ψυχαὶ αἱ κάτω, ἐν τῷ κάτω μὲν δύνανται εἶναι τόπῳ, οὐ κάτω δέ εἰσιν τῇ προαιρέσει.

15 Πυνθάνομαι δέ · ἐπροφήτευσαν τὰ ὑπερουράνια; Ἐγὼ δὲ οὐ δύναμαι διδόναι δαιμονίῳ τηλικαύτην δύναμιν ἵνα προφητεύῃ περὶ Σαοὺλ καὶ τοῦ λαοῦ τοῦ θεοῦ, καὶ προφητεύῃ περὶ βασιλείας Δαβὶδ ὅτι μέλλει βασιλεύειν. Εἴσονται οἱ ταῦτα λέγοντες τὰ τῆς ἀληθείας τῆς κατὰ τὸν τόπον · οὐχ 20 εὑρήσουσιν παραστῆσαι πῶς ἂν καὶ ἰατρὸς γένοιτο ὑπὲρ σωτηρίας τῶν κακῶς ἐχόντων εἰς τὸν τόπον τῶν κακῶς ἐχόντων. Ἰατροὶ γινέσθωσαν εἰς τοὺς τόπους τῶν καμνόντων στρατιωτῶν καὶ εἰσίτωσαν ὅπου αἱ δυσωδίαι τῶν τραυμάτων αὐτῶν, τοῦτο ὑποβάλλει ἡ ἰατρικὴ 25 φιλανθρωπία · οὕτω τοῦτο ὑποβέβληκεν τῷ σωτῆρι ὁ λόγος καὶ τοῖς προφήταις, καὶ ἐνθάδε ἐλθεῖν καὶ εἰς ᾅδου καταβῆναι.

9 Καὶ τοῦτο δὲ προσθετέον τῷ λόγῳ ὅτι, <εἰ> Σαμουὴλ προφήτης ἦν καὶ ἐξελθόντος ἀπέστη ἀπ' αὐτοῦ τὸ πνεῦμα τὸ ἅγιον καὶ ἀπέστη ἀπ' αὐτοῦ ἡ προφητεία, οὐκ ἄρα ἀληθεύει ὁ λέγων ἀπόστολος · Ἄρτι προφητεύω ἐκ μέρους

13 ἐν τῷ κάτω μὲν Eust : κάτω M ‖ 16 ἵνα προφητεύῃ Eust : ὅτι προφητεύει M ‖ 17 Σαοὺλ Eust : Σαοὺλ Σαμουὴλ M ‖ προφητεύῃ² Eust : προφητεύει M ‖ 20 ἰατρὸς scripsimus : ἅγιος M.
9, 1 εἰ add. Kl.

1. Cf. Hom. Jér., 18, 2 (SC 238, p. 184, 63-64) : «D'autres descendent et ils gardent cependant leur âme en haut.»
2. Allusion à un passage célèbre d'HIPPOCRATE, Flat., I, 569 k, qu'Origène cite encore ailleurs : Hom. Jér., 14, 1 (SC 238, p. 64, 1-11); C. Celse, IV, 15 (SC 136, p. 220, 12).
3. Le problème restait d'expliquer qu'un prophète ait pu obéir à l'ordre d'un démon. C'est apparemment la difficulté qu'Origène tente de résoudre dans ce paragraphe. Il établit d'abord, à l'aide de I Cor. 13, 9-10, que Samuel après sa mort, non seulement n'avait pas perdu la grâce prophétique, mais qu'il l'avait même à la perfection. Puis il affirme que Samuel était dans le même état psychologique qu'un glossolale, état qu'il définit en citant I Cor. 14, 14 : «Mon esprit est en prière, mais mon

descendus là où sont les âmes d'en bas, peuvent être dans le lieu d'en bas sans être en bas par l'intention[1].

Je demande alors : y ont-ils prophétisé les choses célestes ? Pour ma part, je ne peux pas accorder à un petit démon une puissance telle qu'il prophétise au sujet de Saül et du peuple de Dieu, qu'il prophétise sur la royauté de David en annonçant qu'il va régner. Ceux qui prétendent cela vont savoir la vérité sur la question : ils ne trouveront pas le moyen d'expliquer comment un médecin aurait pu venir pour le salut des malades dans le lieu des malades. Il faut que des médecins aillent dans les lieux où souffrent les soldats et qu'ils entrent là où règne la mauvaise odeur de leurs blessures : c'est ce qu'inspire la philanthropie médicale[2] ; de la même façon le Verbe a inspiré au Sauveur et aux prophètes non seulement de venir ici-bas, mais encore de descendre en enfer.

La grâce prophétique n'avait pas quitté Samuel
Il faut ajouter au raisonnement[3] que, si Samuel était prophète et si, quand il est mort, l'Esprit Saint l'a quitté et la prophétie l'a quitté, alors l'Apôtre n'est pas dans la vérité quand il dit : *En ce moment je prophétise partiellement et je*

intelligence est stérile.» Il semble que l'idée d'Origène soit la suivante : la grâce prophétique poussée à la perfection mettait Samuel dans un état d'extase où il n'avait plus conscience de ce qu'il disait ou faisait, en sorte qu'il a pu être évoqué par le démon sans qu'il ait eu à donner son consentement. Une phrase de l'homélie suivante paraît reprendre cette idée (cf. p. 212, 13). Mais, dans l'un et l'autre passage, Origène est très bref et plus allusif que précis, car cette solution semblait contredire la doctrine qui était généralement admise et qu'il enseigne lui-même ailleurs (*C. Celse*, VII, 3-4 ; *Hom. Éz.*, 6, 1), que le prophète inspiré n'est pas hors de lui, mais que son intelligence est rendue au contraire plus clairvoyante. C'est pourquoi Origène prend soin de s'abriter derrière une parole de l'Apôtre parlant d'une autre sorte d'extase où l'intelligence devient stérile.

5 καὶ ἐκ μέρους γινώσκω, «ὅταν δὲ ἔλθῃ τὸ τέλειον, τότε τὸ
ἐκ μέρους καταργηθήσεται[a]». Οὐκοῦν τὸ τέλειον μετὰ τὸν
βίον ἐστιν. Καὶ εἴ τι ἐπροφήτευσεν Ἡσαΐας, ἐκ μέρους
ἐπροφήτευσεν μετὰ πάσης παρρησίας[b]· μεμαρτύρηται δὲ
τὰ ἐνθάδε ὁ Δαβὶδ ἐπὶ «τὸ τέλειον[c]» τῆς προφητείας.

10 Οὐκ ἀπέβαλεν οὖν τὴν χάριν τὴν προφητικὴν Σαμουήλ,
ὅτι δὲ οὐκ ἀπέβαλεν, οὕτως αὐτῇ ἐχρῆτο ὡς οἱ γλώσσαις
λαλοῦντες ὥστε ἂν εἰπεῖν · «Τὸ πνεῦμά μου προσεύχεται, ὁ
δὲ νοῦς μου ἄκαρπός ἐστιν[d].» Καίτοι ἐκκλησίαν οὐκ
οἰκοδομεῖ ὁ γλώσσῃ λαλῶν · καὶ γὰρ λέγει ὁ Παῦλος ὅτι
15 ἐκκλησίαν οἰκοδομεῖ ὁ προφητεύων, αὐταῖς λέξεσι λέγων ·
«Ὁ δὲ προφητεύων ἐκκλησίαν οἰκοδομεῖ[e]». Εἰ δὲ «ὁ
προφητεύων ἐκκλησίαν οἰκοδομεῖ», εἶχεν <δὲ> χάριν
προφητικὴν — οὐ γὰρ ἀπολωλέκει αὐτὴν μὴ ἁμαρτήσας ·
μόνος γὰρ ἀπόλλυσι χάριν προφητικήν, ὃς μετὰ τὸ προφη-
20 τεῦσαι πεποίηκεν ἀνάξια τοῦ πνεύματος τοῦ ἁγίου ὥστ᾽
ἐγκαταλιπεῖν αὐτὸν καὶ φυγεῖν ἀπὸ τοῦ ἡγεμονικοῦ αὐτοῦ,
ὅπερ ἐφοβεῖτο τότε μετὰ τὴν ἁμαρτίαν καὶ ὁ Δαβὶδ καὶ
ἔλεγεν · «Καὶ τὸ πνεῦμα τὸ ἅγιόν σου μὴ ἀντανέλῃς ἀπ᾽
ἐμοῦ[f]» — εἰ τοίνυν τὸ πνεῦμα τὸ ἅγιον προφητεύει καὶ
25 Σαμουὴλ προφήτης ἦν, «ὁ δὲ προφητεύων ἐκκλησίαν οἰκοδομεῖ», τίνα οἰκοδομεῖ; Εἰς οὐρανὸν προφητεύει; Τίνι;
Ἀγγέλοις τοῖς μὴ χρείαν ἔχουσιν; «<Οὐ χρείαν ἔχουσιν>
οἱ ἰσχύοντες ἰατρῶν, ἀλλ᾽ οἱ κακῶς ἔχοντες[g]». Δέονταί
τινες τῆς προφητείας αὐτοῦ · οὐ γὰρ ἀργεῖ χάρις προφη-
30 τική, οὐδὲν χάρισμα ἀργεῖ τῶν ἐν τῷ ἁγίῳ. Τῆς οὖν
χάριτος τῆς προφητικῆς αἱ ψυχαὶ τῶν κοιμωμένων,
<ἵνα> τολμήσω καὶ εἴπω, ἐδέοντο. Ἀλλ᾽ ἐνθάδε μὲν

5 δὲ M, om. T ‖ τότε M, om. T ‖ 7 ἐπροφήτευσεν T : προεφήτευσεν M ‖ 9
ἐπὶ M : ἐπεὶ T ‖ 11 ὅτι Blass : ὅτε M ‖ 13 καίτοι Kl : καὶ ὅτι TM ‖ 17 δὲ add.
Kl ‖ 27 τοῖς Blass : οἷς M ‖ οὐ χρείαν ἔχουσιν add. Blass ‖ 28 δέονται Jahn :
δέχονται M ‖ 32 ἵνα add. Koetschau.

9. a. I Cor. 13, 9-10 ‖ b. Act. 4, 29 ‖ c. I Cor. 13, 9 ‖ d. I Cor. 14, 14 ‖
e. I Cor. 14, 4 ‖ f. Ps. 50, 13 ‖ g. Matth. 9, 12

connais partiellement, « *mais lorsque viendra la perfection, alors le
partiel disparaîtra*[a] ». Donc *la perfection* ne vient qu'après la
vie. Tout ce qu'Isaïe a prophétisé, il l'a, *en toute assurance*[b],
prophétisé *partiellement,* tandis que le témoignage que rend
ici Samuel à David atteint « *la perfection*[c] » dans la prophétie.

Samuel n'a donc pas rejeté la grâce prophétique, et parce
qu'il ne l'a pas rejetée, il s'en servait comme ceux qui
parlent en langues, en sorte qu'il aurait pu dire : « *Mon
esprit est en prière, mais mon intelligence est stérile*[d]. » Toutefois
celui qui parle en langues n'édifie pas l'Église; Paul dit en
effet que celui qui édifie l'Église[1] c'est *celui qui prophétise,* il
le dit en propres termes : « *Celui qui prophétise édifie
l'Église*[e]. » Or si « *celui qui prophétise édifie l'Église* » et si
Samuel avait la grâce prophétique – en effet il ne l'avait pas
perdue, n'ayant pas péché, car seul perd la grâce prophétique celui qui, après avoir prophétisé, a fait des choses
indignes de l'Esprit Saint en sorte que l'Esprit Saint le
délaisse et s'enfuit de sa raison; c'est ce que craignait David
après son péché et il disait : « *N'enlève pas de moi ton Esprit
Saint*[f] » –, si donc l'Esprit Saint prophétise et que Samuel
était prophète et que « *celui qui prophétise édifie l'Église* », qui
est-ce que Samuel *édifie?* Prophétise-t-il en direction du
ciel? Pour qui? Pour les anges? Ils n'en ont pas besoin,
puisque « *ce ne sont pas les bien portants qui ont besoin de
médecins, mais les malades*[g]. » Il y a des gens qui ont besoin de
sa prophétie, car la grâce prophétique n'est pas faite pour
rien, aucun des charismes qui sont dans le saint n'est fait
pour rien. C'étaient donc les âmes des défunts qui avaient,
j'ose dire, besoin de la grâce prophétique. Eh oui! ici-bas

---

1. A peine Origène a-t-il comparé Samuel à un glossolale qu'il
apporte un correctif. A la différence du glossolale, le prophète, dit Paul,
«édifie l'Église». Samuel édifiait les âmes des défunts.

χρείαν εἶχεν τοῦ προφήτου Ἰσραήλ, καὶ ὁ κοιμώμενος δέ, ὁ
ἀπηλλαγμένος τοῦ βίου, χρείαν εἶχεν τῶν προφητῶν, ἵνα
35 πάλιν οἱ προφῆται αὐτῷ κηρύξωσιν τὴν Χριστοῦ ἐπιδημίαν.

Ἄλλως τε καὶ πρὸ τῆς τοῦ κυρίου μου Ἰησοῦ Χριστοῦ
ἐπιδημίας ἀδύνατον ἦν τινα παρελθεῖν ὅπου τὸ ξύλον τῆς
ζωῆς, ἀδύνατον ἦν παρελθεῖν τὰ τεταγμένα φυλάσσειν τὴν
ὁδὸν τοῦ ξύλου τῆς ζωῆς · «Ἔταξεν τὰ χερουβὶμ καὶ τὴν
40 φλογίνην ῥομφαίαν τὴν στρεφομένην φυλάσσειν τὴν ὁδὸν
τοῦ ξύλου τῆς ζωῆς[h]». Τίς ἠδύνατο ὁδοποιῆσαι, τίς
ἠδύνατο τὴν φλογίνην ῥομφαίαν ποιῆσαι διελθεῖν τινα;
Ὥσπερ θάλασσαν οὐκ ἦν <οὐδενὸς> ὁδοποιῆσαι ἢ τοῦ
θεοῦ καὶ τοῦ στύλου τοῦ πυρίνου[i], τοῦ στύλου τοῦ φωτὸς
45 τοῦ ἀπὸ τοῦ θεοῦ, ὥσπερ τὸν Ἰορδάνην οὐκ ἦν οὐδένος
ὁδοποιῆσαι ἢ Ἰησοῦ[j] – τοῦ ἀληθινοῦ Ἰησοῦ τύπος ἦν
ἐκεῖνος ὁ Ἰησοῦς –, οὕτω διὰ τῆς φλογίνης ῥομφαίας
Σαμουὴλ οὐκ ἠδύνατο διελθεῖν, οὐκ Ἀβραάμ. Διὰ τοῦτο
καὶ Ἀβραὰμ βλέπεται ὑπὸ τοῦ κολαζομένου καὶ «ὑπάρχων
50 ἐν βασάνοις ὁ πλούσιος ἐπάρας τοὺς ὀφθαλμοὺς ὁρᾷ
Ἀβραάμ[k]» – εἰ καὶ «ἀπὸ μακρόθεν ὁρᾷ», ἀλλ' ὁρᾷ –
«καὶ τὸν Λάζαρον ἐν τοῖς κόλποις αὐτοῦ.» Περιέμενον οὖν
τὴν τοῦ κυρίου μου Ἰησοῦ Χριστοῦ ἐπιδημίαν καὶ
πατριάρχαι καὶ προφῆται καὶ πάντες, ἵν' οὗτος τὴν ὁδὸν

33 εἶχεν Huet : ἐχετε M ‖ 36 πρὸ τῆς Pearson : προφήτης M ‖ 43 οὐδενὸς
add. Kl, cf. l. 45 ‖ 46 Ἰησοῦ² Kl² : θεοῦ M ‖ 54 οὗτος Kl : οὕτως TM.

h. Gen. 3, 24 ‖ i. Ex. 13, 22; 14, 24 ‖ j. Jos. 3, 11-17 ‖ k. Lc 16, 23

1. Israël avait besoin «du prophète» qu'était Samuel.
2. ὁ κοιμώμενος peut signifier soit «l'Israël défunt», c'est-à-dire les
défunts d'Israël, soit «le défunt» pris comme un collectif; nous
penchons pour la première interprétation à cause de (l. 35) πάλιν, «de
nouveau»; cf., pour l'expression, *Hom. Jer.*, 5, 4, 30.
3. D'après *Ex.* 13, 21, Dieu conduisait les Hébreux «le jour par une
colonne de nuée, la nuit par une colonne de feu». Origène identifiait la
colonne de feu avec le Christ, parce qu'il est la Lumière qui vient

Israël avait besoin du prophète[1], mais l'(Israël) défunt[2] aussi, bien qu'il ait quitté la vie, avait besoin des prophètes pour que de nouveau les prophètes lui annoncent la venue du Christ.

Pourquoi en enfer ? Du reste, avant la venue de mon Seigneur Jésus-Christ il était impossible que quelqu'un arrive là où est l'*arbre de vie*, il était impossible qu'il passe outre les êtres postés pour garder *le chemin de l'arbre de vie* : « *Il a posté les chérubins et l'épée de feu tournoyante pour garder le chemin de l'arbre de vie*[h]. » Qui pouvait frayer *le chemin* ? Qui pouvait faire traverser à quelqu'un *l'épée de feu* ? De même qu'il n'était au pouvoir de personne de frayer un chemin dans la mer sinon au pouvoir de Dieu et de la *colonne de feu*[i], de la colonne de lumière qui vient de Dieu[3], de même qu'il n'était au pouvoir de personne de frayer un chemin dans le Jourdain, sinon au pouvoir de Jésus-Josué[j] – ce Jésus-là était la figure du vrai Jésus –, de même passer à travers *l'épée de feu*, Samuel ne le pouvait pas, Abraham ne le pouvait pas. C'est bien pourquoi Abraham est vu (en enfer)[4] par l'homme châtié : « *Le riche qui était dans les tourments levant les yeux voit Abraham*[k] » – même s'il le voit « *de loin* », du moins le voit-il – « *et Lazare dans son sein.* » Les patriarches, les prophètes et tous, attendaient donc la venue de mon Seigneur Jésus-Christ pour qu'il leur ouvre

d'auprès de Dieu (cf. *Jn* 1, 10-11), et la nuée avec l'Esprit Saint : *Hom. Ex.*, 5, 1 (*GCS Origenes* 6, p. 184, 1); *Hom. Nombr.*, 27, 5 (*GCS Origenes* 7, p. 262, 25). Dans le présent contexte il n'est question que de la colonne de feu, donc du Christ.

4. Origène nomme Abraham à cause de la parabole évangélique du mauvais riche et du pauvre Lazare où il est dit que le riche voyait Abraham. Il en déduit qu'Abraham était alors en enfer comme le mauvais riche, parce que c'était avant la résurrection de Jésus. Depuis lors, les saints sont entrés au Paradis (9, 61-63), situé dans le ciel.

55 ἀνοίξῃ · «Ἐγώ εἰμι ἡ ὁδός¹», «Ἐγώ εἰμι ἡ θύραᵐ».
Ὁδός ἐστιν ἐπὶ τὸ ξύλον τῆς ζωῆς, ἵνα γένηται · «Ἐὰν
διέλθῃς διὰ πυρός, φλὸξ οὐ κατακαύσει σεⁿ», ποίου πυρός;
«Ἔταξεν τὰ χερουβὶμ καὶ τὴν φλογίνην ῥομφαίαν τὴν
στρεφομένην φυλάσσειν τὴν ὁδὸν τοῦ ξύλου τῆς ζωῆςº»,
60 ὥστε διὰ τοῦτο περιέμενον οἱ μακάριοι ἐκεῖ, οἰκονομίαν
ποιοῦντες καὶ μὴ δυνάμενοι ὅπου τὸ ξύλον τῆς ζωῆς, ὅπου
ὁ παράδεισοςᴾ ὁ τοῦ θεοῦ, ὅπου θεὸς γεωργός, ὅπου οἱ
μακάριοι καὶ ἐκλεκτοὶ καὶ ἅγιοι θεοῦ γενέσθαι.

10   Οὐδὲν οὖν πρόσκομμα κατὰ τὸν τόπον ἐστίν, ἀλλὰ πάντα
θαυμασίως γέγραπται καὶ νενόηται οἷς ἂν ὁ θεὸς ἀποκα-
λύψῃª. Περισσὸν δέ τι ἔχομεν ἡμεῖς οἱ ἐπὶ συντελείᾳ τῶν
αἰώνωνᵇ ἐληλυθότες, τί περισσόν; Ἐὰν ἀπαλλαγῶμεν
5 ἐντεῦθεν γενόμενοι καλοὶ καὶ ἀγαθοί, μὴ ἐπαγόμενοι τὰ τῆς
ἁμαρτίας φορτία, διελευσόμεθα καὶ αὐτοὶ τὴν φλογίνην
ῥομφαίαν καὶ οὐ κατελευσόμεθα εἰς τὴν χώραν, ὅπου
περιέμενον τὸν Χριστὸν οἱ πρὸ τῆς παρουσίας αὐτοῦ
κοιμώμενοι, διελευσόμεθα δὲ μηδὲν βλαπτόμενοι ὑπὸ τῆς
10 φλογίνης ῥομφαίας, «ἑκάστου δὲ τὸ ἔργον ὁποῖόν ἐστι, τὸ
πῦρ αὐτὸ δοκιμάσει · εἴ τινος τὸ ἔργον κατακαήσεται,
ζημιωθήσεται, αὐτὸς δὲ σωθήσεται οὕτως ὡς διὰ πυρόςᶜ».
Διελευσόμεθα οὖν, καὶ πλέον ἔχομέν τιᵈ, καὶ οὐχὶ δυνάμεθα
καλῶς βιώσαντες κακῶς ἀπαλλάξαι. Οὐκ ἔλεγον οἱ ἀρχαῖοι
15 οὐδὲ οἱ πατριάρχαι οὐδὲ οἱ προφῆται ὃ δυνάμεθα ἡμεῖς

58 χερουβὶμ M : Χερουβεὶν T ‖ 60 ὥστε M, om. T.
10, 15 ὁ Kl : οὐ M.

l. Jn 14, 6 ‖ m. Jn 10, 9 ‖ n. Is. 43, 2 ‖ o. Gen. 3, 24 ‖ p. Gen. 2, 18
10. a. I Cor. 2, 10; Matth. 11, 25-27 ‖ b. Hébr. 9, 26 ‖ c. I Cor.
3, 13.15 ‖ d. Matth. 20, 1

1. οἰκονομίαν : ce mot à sens multiples a, dans la langue du droit, celui
d'«accommodement», d'«exception». Origène veut dire que la place des
bienheureux est normalement au ciel et que leur séjour en enfer était une
exception provisoire.
2. Allusion à Gen. 2, 8, où l'hébreu porte : «Dieu planta un jardin» :
c'est ce mot qui est traduit dans la Septante par παράδεισος.

le chemin : «*Je suis le chemin*[1]», «*Je suis la porte*[m].» Il est *le chemin* vers *l'arbre de vie,* afin que se réalise la parole : «*Si tu passes à travers le feu, la flamme ne te consumera pas*[n].» A travers quel *feu?* «*Il a posté les chérubins et l'épée de feu tournoyante pour garder le chemin de l'arbre de vie*[o]». C'est donc pour cela que les bienheureux attendaient exceptionnellement[1] là-bas, parce qu'ils ne pouvaient pas aller là où est *l'arbre de vie,* là où il y a le *Paradis*[p] de Dieu, là où il y a un Dieu jardinier[2], là où sont les bienheureux, élus et saints de Dieu.

Conclusion   Il n'y a donc rien de scandaleux dans ce passage, mais tout y est admirablement écrit et compris par *ceux à qui Dieu l'a révélé*[a]. Nous avons quelque chose de plus, nous qui sommes *venus à la fin des siècles*[b]. Quoi de plus? Si nous partons d'ici en étant devenus vertueux et bons, sans porter les fardeaux[3] du péché, nous passerons nous aussi à travers *l'épée flamboyante* et nous ne descendrons pas au lieu où ceux qui étaient morts avant la venue du Christ l'attendaient, mais nous passerons au travers sans que *l'épée flamboyante* nous cause aucun dommage : «*Le feu éprouvera l'œuvre de chacun pour voir ce qu'elle est* [4]*; si l'œuvre de quelqu'un est consumée, il en subira la perte, mais lui sera sauvé comme à travers le feu*[c].» Nous passerons donc au travers, et nous avons ainsi *quelque chose de plus*[d] qu'eux; nous ne pouvons pas, si nous avons vécu bien, partir mal. Les anciens, pas même les patriarches et les prophètes, ne disaient ce que nous

---

3. Car il faut être léger pour monter.

5. L'omission du verset 14 : «si l'œuvre de quelqu'un bâtie sur un fondement demeure, il recevra un salaire», peut être accidentelle, par saut du même au même entre les deux débuts («si l'œuvre de quelqu'un»). Mais ce sont bien les deux versets 13 et 15 qui intéressaient le plus Origène, parce qu'ils parlaient de feu.

εἰπεῖν, ἐὰν καλῶς βιώσωμεν · «Κάλλιον γὰρ ἀναλῦσαι καὶ
σὺν Χριστῷ εἶναι[e].» Διόπερ οὕτως ἔχοντές τι πλέον[d] καὶ
πολὺ «κέρδος[f]» ἐν τῷ ἐπὶ συντελείᾳ τῶν αἰώνων[b] ἐληλυθέναι, πρῶτοι τὸ δηνάριον λαμβάνομεν · ἄκουε γὰρ τῆς
20 παραβολῆς ὅτι «ἀρξάμενος» ἐδίδου τὸ δηνάριον «ἀπὸ τῶν
ἐσχάτων[g]» · οἱ δὲ πρῶτοι ᾤοντο «ὅτι πλεῖόν» τι
«λήψονται[h]». Σὺ οὖν πρῶτος, ὁ ἔσχατος ἐλθών, λαμβάνεις
τοὺς μισθοὺς[g] ἀπὸ τοῦ οἰκοδεσπότου[h] ἐν Χριστῷ Ἰησοῦ
τῷ κυρίῳ ἡμῶν, ᾧ «ἡ δόξα καὶ τὸ κράτος εἰς τοὺς αἰῶνας
25 τῶν αἰώνων. Ἀμήν.[i]».

e. Phil. 1, 23 ‖ f. Phil. 1, 21 ‖ g. Matth. 20, 8 ‖ h. Matth. 20, 10 ‖
i. I Pierre 4, 1.

pouvons dire, nous, si nous avons vécu bien : *« Il vaut mieux se dissoudre et être avec le Christ*[e]. » C'est pourquoi, ayant *quelque chose de plus*[d] qu'eux et un *« gain*[f] *»* considérable à être venus *à la fin des siècles*[b], nous sommes *les premiers* à recevoir *le denier*. Écoute en effet la parabole disant qu'il a donné le denier *« en commençant par les derniers*[g] *»,* alors que *les premiers croyaient « qu'ils recevraient quelque chose de plus*[h] *».* Toi donc qui est venu *le dernier,* tu reçois en *premier* le *salaire*[g] du *maître de maison*[h], en Christ Jésus notre Seigneur, *« à qui sont la gloire et la puissance pour les siècles des siècles. Amen.*[i] *».*

HOMÉLIE VI

EUSTATHIUS, *De engastrimutho contra Origenem*, 26
(éd. Klostermann, p. 57, 11 s.) :

Ἀλλὰ καὶ καθάπερ ἐπαμφοτερίζων εἰρηκὼς ὅτι «τί οὖν ποιεῖ
ἐγγαστρίμυθος ἐνθάδε; τί ποιεῖ ἐγγαστρίμυθος περὶ τὴν ἀναγωγὴν τῆς
ψυχῆς τοῦ δικαίου[a];» λόγου μὲν ἀπορίᾳ μετεώρως ἀπέφυγεν, ἄλλῳ
τοῦτο ἐπιγράφων ὅπερ ἔδρασεν αὐτός· αὐτῇ δὲ τῇ γραφῇ τὸ πᾶν
5 ἀναθείς, ἰσχυρίζεται μὲν ἀνῆχθαι τὸν Σαμουήλ, οὐκέτι δὲ τολμᾷ δευτε-
ρῶσαι τὸ τίς ἀνήγαγεν αὐτόν.

Οἶμαι δὲ ὅτι καὶ μετέπειτα διελεγχόμενος ὑπὸ τῶν ὀρθότατα φρο-
νούντων ἀεί, δευτέρᾳ πάλιν ἀπολογούμενος ἐξηγήσει, τετηρῆσθαι μὲν
ἔφη τὸν τῆς ἐγγαστριμύθου τόπον· εἶτα λέγει·

10 «Καὶ ὅτι μὲν ἡ ἐγγαστρίμυθός τινα ἀνήγαγε γέγραπται,
καὶ ὅτι Σαοὺλ εἶπεν τῷ Σαμουὴλ ἀναγέγραπται.»

a. *Hom.* V, 6, 2

---

1. Les deux thèses : celle selon laquelle Samuel est monté lui-même et
celle selon laquelle un démon est monté à sa place. En disant dans
l'homélie V : «Que vient faire une nécromancienne pour faire monter
l'âme du juste?», Origène paraissait sensible à l'objection déclarant
qu'une nécromancienne ne pouvait évoquer un prophète; il parlait
comme un homme qui hésite entre les deux thèses.

2. Origène, au lieu de répondre à la question qu'il avait posée sur le
rôle de la nécromancienne, l'avait ensuite éludée, faisant ainsi ce qu'il
reprochait à son adversaire : «C'est cela que voulait éviter l'homme qui
soutenait la première thèse» (6, 4).

3. Allusion au passage de l'homélie précédente (4, 8-55) dans lequel
Origène prouvait la réalité de l'évocation de Samuel en citant des
paroles du texte biblique comme «La femme vit Samuel», «Samuel dit»,

HOMÉLIE VI

Après avoir dit comme un homme partagé entre les deux thèses[1] : «*Que vient donc faire ici une nécromancienne? Que fait une nécromancienne quand il s'agit d'évoquer l'âme d'un juste*[a]*?*», il s'est enfui tel un météore devant la difficulté en reportant sur un autre ce qu'il a fait lui-même[2]. Attribuant à l'Écriture elle-même tout ce qui est dit, il soutient que Samuel a été évoqué[3], mais il n'ose plus revenir sur la question de savoir qui l'a fait monter[4].

Ensuite, critiqué je pense par ceux qui restaient toujours pleinement orthodoxes, il a expliqué le passage une deuxième fois pour se défendre. Il affirme, s'en être tenu à ce que l'Écriture dit de la nécromancienne, puis il dit :

«Que la nécromancienne a fait monter quelqu'un, c'est écrit, et que Saül s'est entretenu avec Samuel[5], c'est consigné.»

etc., et en soulignant que le narrateur dans l'Écriture est l'Esprit Saint (4, 9-15.23.43.52).

4. Effectivement, dans l'homélie antérieure, Origène n'avait pas traité expressément la question de savoir si c'était la nécromancienne ou quelqu'un d'autre qui avait fait monter Samuel. Dans sa pensée, c'était bien la nécromancienne, mais il suggérait que le prophète n'avait pas fait pour autant un acte d'obéissance à une femme possédée du démon, car il pouvait être dans un état d'extase semblable à celui des glossolales (*Hom. V*, 9, 10-14).

5. La citation faite par Eustathe porte en réalité : «Que Saül a parlé

Φλυαρίᾳ δὲ πολλῇ τοιαῦτα συχνά τινα ταυτολογήσας, ἐπιφέρει πάλιν ·

« Οὐκ εἴρηκεν δὲ φησὶν εἰ ἑκουσίως ἀναβέβηκεν · οὐ γὰρ
ἔχεις ἔφη κείμενον εἰ ἀνήγαγεν αὐτὸν ἡ ἐγγαστρίμυθος ·
15 ἐπεὶ ἐλεγξάτω μέ τις ἀναγνοὺς τὴν γραφήν. »

Οὐκοῦν ἀντιπροσώπως ἐλεγχόμενος ἠρνήσατο λευκῶς ἅπερ ἀβουλίᾳ
πρόσθεν ἐδόξασεν · ἐκεῖ γὰρ αὐτὴν ὡρίσατο τὴν γραφὴν εἰρηκέναι
μᾶλλον, ἀλλ᾽ οὐ τὴν γυναῖκα, τὸ «τίνα ἀναγάγω σοι[b];» δεῦρο δὲ
καταφανῶς ἁλισκόμενος ἐκφυγεῖν ἐσπούδασε λήθῃ τὴν αἰτίαν.

20 Οὕτως <τῷ> ἑκασταχοῦ μαχομένας ἑαυτῷ δόξας ἐκτιθέναι γυμνῶς,
ὡσπεροῦν ἀμέλει κἀνταῦθα, γνωσιμαχήσας ἑάλω, τὴν ἐγκληματικὴν
ἀποδρᾶναι δίκην ἐπειχθείς. Ἐπεὶ τοίνυν ἄκων ἑλκόμενος ὡμολόγησεν ὡς
οὐκ ἀνήγαγεν ἡ γυνὴ τὴν τοῦ προφήτου ψυχήν, εἰπάτω τίς ὁ ταύτην
ἀναγαγών · ἐνέμεινε γὰρ ἀμεταστάτως ἀνῆχθαι μόνον αὐτὴν
25 ὁρισάμενος.

b. I Sam. 28, 11.

à Samuel, c'est consigné»; mais dans le récit biblique (*I Sam.* 28, 15)
Saül ne parle qu'une seule fois à Samuel et ses paroles sont introduites
par la phrase : «Et Saül dit», qui ne faisait pas mention de Samuel et qui
ne pouvait donc pas servir à prouver que Samuel était réellement
monté; c'est pourquoi, quand Origène avait cité ces paroles de Saül dans
l'homélie V (4, 48-52), il ne les avait accompagnées d'aucun commentaire. En réalité, il fondait son argument sur les paroles de *Samuel* à *Saül,*
parce qu'elles étaient précédées de «Et Samuel dit à Saül» (v. 15) et
«Samuel dit» (v. 16) dont il avait souligné l'importance pour sa thèse.
Aussi croyons-nous que la phrase que nous avons ici doit s'entendre
dans un sens plus large : «Que Saül *s'est entretenu avec* Samuel, c'est
consigné», à moins que les deux mots Σαοὺλ et Σαμουὴλ aient été
confondus par un copiste comme cela s'est produit pour l'homélie V
dans le Papyrus de Toura (ligne 29).

Et après avoir répété plusieurs fois des choses semblables dans son goût pour le bavardage, il ajoute :

« Mais l'Écriture ne dit pas si Samuel est monté volontiers, car tu ne trouves pas écrit dans le texte si la nécromancienne l'a fait monter. Avant de me critiquer, qu'on lise donc l'Écriture ! »

Donc, devant les critiques qui lui étaient lancées au visage, il a clairement nié l'opinion qu'il avait précédemment émise par imprudence : là[1], en effet, il attribuait à l'Écriture elle-même plutôt qu'à la femme les mots : *« Qui ferai-je monter*[b]*? ;* et ici, n'ayant manifestement plus d'échappatoire, il a pris soin d'éviter le débat par l'oubli.

Ainsi, par le fait qu'il soutient partout des opinions qui se retournent contre lui, on l'a surpris à se renier ouvertement[2], comme c'est bien le cas ici encore, contraint qu'il était d'agir ainsi pour éviter d'être mis en accusation et condamné. Puisqu'il a été amené à reconnaître malgré lui que la femme n'a pas évoqué l'âme du prophète[3], qu'il nous dise donc qui a fait monter cette âme ! Car il a persisté jusqu'au bout à affirmer seulement qu'elle est montée.

---

1. « Là » : dans le même passage de l'homélie précédente (*Hom. V,* **4,** 8-18).

2. Eustathe parle ici des autres passages de l'homélie d'Origène qu'il a eu l'occasion de discuter dans les pages précédentes de son ouvrage.

3. Affirmation d'un polémiste qui déforme la pensée de son adversaire. Origène ne reconnaissait pas que « la femme n'a pas évoqué l'âme du prophète », mais il concédait qu'*il n'est pas écrit dans le texte si elle l'a fait monter* (lignes 13-14).

INDEX

INDEX

I. INDEX SCRIPTURAIRE

Les références indiquent indifféremment les citations littérales ou approximatives, les allusions ou même parfois les simples réminiscences d'une formule lue dans l'Écriture.

ANCIEN TESTAMENT

III Rois

Job

Psaumes

Nouveau Testament

II. INDEX DES NOMS

Sont enregistrés tous les noms de personnes, de lieux (avec les adjectifs correspondants) et de livres de l'Écriture ; ils sont rangés dans l'ordre suivant : d'abord les *noms grecs* de l'homélie sur la nécromancienne (auxquels sont joints ceux des fragments des homélies perdues) puis les *noms latins* de l'homélie sur le Cantique d'Anne.

On a conservé aux noms grecs l'accentuation adoptée par Klostermann (Kl¹).

III. INDEX DES MOTS DE L'HOMÉLIE «SUR LA NÉCROMANCIENNE»

Conçu pour faciliter l'étude du vocabulaire d'Origène tout en restant dans des limites raisonnables, cet index a été établi d'après les principes suivants :

1. Il ne contient pas tous les mots de l'homélie, mais *pour chaque mot retenu l'inventaire est complet.*

2. Quant au choix des mots, il convenait de distinguer entre les citations de l'Écriture (mises entre guillemets dans l'édition) et les parties du texte propres à Origène, ces dernières étant les principales pour notre propos. En conséquence :

● *Dans les parties propres à Origène,* nous avons relevé *tous les substantifs, adjectifs et verbes* (à l'exception de εἰμί et φημί) et nous y avons ajouté d'autres mots ou expressions dont il nous a paru intéressant d'observer la présence, la fréquence ou le sens;

● pour tous les mots ainsi choisis, nous indiquons tous les emplois, y compris ceux des citations scripturaires (signalées par un astérisque), puisqu'Origène leur emprunte souvent son vocabulaire; autrement, les citations de l'Écriture ont été laissées de côté. On ne trouvera donc pas dans cet index les mots qui leur sont propres.

ADDENDA ET CORRIGENDA
à l'édition des homélies sur Jérémie
(*SC* 232 et 238)

L'édition d'un texte transmis par un manuscrit unique et assez souvent fautif n'est jamais terminée. Chaque relecture est l'occasion de découvrir des fautes de copistes et de chercher à les corriger. Dans le tome I des *Homélies sur Jérémie,* paru en 1976, aux pages 64-98, j'avais indiqué avec justification à l'appui tous les passages où je m'écartais de l'édition de Klostermann. Cette liste n'est plus complète. De nouvelles corrections ont été faites en 1977 directement dans le texte des homélies XII-XX à l'occasion de la publication du tome II; puis d'autres ont été proposées en 1983 sur l'ensemble des homélies dans la réédition du volume *GCS Origenes 3,* p. 357-364, et quelques autres encore sont à faire aujourd'hui. Il m'a paru utile de récapituler et justifier brièvement toutes ces restitutions supplémentaires dans une liste unique qui complètera celle de 1976. Beaucoup de ces retouches apportées au texte grec de Berlin consistent à revenir au texte manuscrit ou à me rallier à des corrections proposées par d'autres; celles qui me sont propres sont marquées du signe + dans la marge. En même temps je répare les erreurs commises par moi-même ou par l'imprimeur dans le texte et la traduction, puis dans l'introduction[1]. Quelques compléments çà et là.

---

1. Pour des raisons indépendantes de ma volonté, l'impression de ces deux tomes (1976 et 1977) a coïncidé avec celle du tome I de DIDYME l'AVEUGLE, *Sur la Genèse* (1976) et du volume sur *Origène. Sa vie et son œuvre* (1977). L'ultime révision de la dactylographie et la correction des épreuves en ont souffert. Une première liste hâtivement préparée d'*Addenda et corrigenda* a été publiée à la fin du t. II, p. 455-456; celle-ci l'abroge.

TEXTE ET TRADUCTION

I, 2,4 προσέχῃ τῇ ἀναγνώσει est emprunté à *I Tim.* 4, 13.

I, 2,8 traduction (p. 199, 19), au lieu de «cessé de prophétiser», lire : commencé de prophétiser.

+ I, 9,2, οὕτως, «ainsi», ne répond pas au contexte; lire < εἶθ'> οὕτως, «ensuite»; cf. Jérôme : *deinde*.

+ I, 10,18-22, voir le commentaire de *GCS Origenes 3,* 2ᵉ éd., p. 357. En outre, τὸ καὶ de l. 21, qui étonne, peut être une interversion banale de καὶ τό.

I, 13,24, la conjecture ἕνα de Kl est superflue; lire plutôt τὸν suggéré par S et confirmé par Jérôme, qui n'a pas *panem unum*, mais *panem* seul; traduire : le pain du jour.

I, 16,56, le parallèle de *Hom. Sam.* I, 1, 5-6 (ci-dessus, p. 92 : *plantatio dei*) suggère de ponctuer comme ceci : « φυτεία » – « παράδεισος » – θεοῦ, et de traduire : une *plantation* – un *paradis* – de *Dieu*.

IV, 2, traduction (l. 10) : *salut*.

IV, 3,22, note 2 : les «choses extraordinaires et prodigieuses» semblent être plutôt des visions, des faits miraculeux, ou encore des conversions provoquées par le courage des martyrs; cf. *C. Celse,* I, 46; HIPPOLYTE, *Com. Daniel,* II, 38.

IV, 6,23 γράψαι... εἰς τὴν καρδίαν, ajouter à la note un renvoi à *Prov.* 2, 20.

V, 1,21-25 traduction (p. 281, 2-3) : ont été dites... se sont entendu dire... L'Esprit Saint se tourne...

V, 3,3 traduction (l. 6) : mensongères.

+ V, 2,16 : πρόσχες de S est une altération de πρόσσχες, «fais attention», «remarque».

V, 3,29, supprimer < τὰ > (Kl) et la mention correspondante dans l'apparat; cf. Introduction, p. 72.

V, 16,23, ajouter dans l'apparat : 23 τῶν κακῶν ἐπαγομένων scripsi : τῶν ἐπαγομένων κακῶν S Kl, cf. Introduction, p. 73.

VI, 2,9-10, ajouter à la note 1 : L'idée vient de PLATON, *Gorgias,* 479 c : «Celui qui n'est pas puni de ses crimes est condamné par là-même à être le plus malheureux des hommes.»

VI, 2,66, remplacer αὐτῷ par αὐτόν S (cf. Introduction, p. 73) et supprimer la mention correspondante dans l'apparat.

VII, 1,42, ajouter à l'apparat : ἀφεῖται Kl : ἀφεθήσεται S.

X, 1,34 traduction (p. 399, 20-21) : Car *savoir* le péché c'est pécher, tout comme *savoir* la justice c'est pratiquer la justice.

+ X, 3,12, corriger πρόσχες de S Kl en πρόσσχες comme en V, 2,16.

XI, 3,15, la correction τινὲς (Huet Kl) n'est pas nécessaire; rétablir τινὸς de S et supprimer la mention correspondante dans l'apparat. Comme le verbe δοκοῦμεν, «nous semblons», le pronom τινὸς souligne que la place qu'on occupe dans l'Église terrestre et la fonction qu'on y remplit n'ont qu'une valeur apparente et sont de peu d'importance, car, pour Origène, les vrais prêtres et les vrais diacres sont ceux, ordonnés ou non, qui «sont authentiquement voués à la Parole divine ou adonnés au seul service de Dieu» (*Com. Jn,* I, 2,9). Traduire : nous qui semblons avoir la préséance sur vous par quelque fonction.

XI, 3,17 traduction (p. 421, 8), au lieu de «se perdent», écrire : périront.

+ XII, 2,11, au lieu de δι' ἀρέτην S Kl, Origène avait certainement écrit δι<ὰ τὴν> ἀρέτην d'après le parallèle de l. 13 et l'expression antinomique διὰ τὴν κακίαν employée à deux reprises (l. 11 et 12); la faute est due à un saut du même au même entre les deux α.

+ XII, 2,17 : Ἰερεμίᾳ au lieu de Ἰερεμίας S Kl. Si cette phrase est insérée à cet endroit de la citation, c'est bien pour préciser que l'ordre donné dans les paroles précédentes (ταῦτα) s'adressait à Jérémie, tandis que la suite est une prédiction de caractère général.

XII, 3,44-45 : ʽΣιὼν ὄρος... ἐπουράνιος'.

XII, 6,14-15, il ne s'agit pas du châtiment de quelques-uns : ἡ κόλασίς <τινων> Kl, mais du châtiment d'Israël; Origène reprend l'idée de *Rom.* 11, 11. J'ai laissé par mégarde ma première traduction faite sur Kl.; écrire (p. 29, 8 *ab imo*) : ainsi son châtiment servira au salut des autres.

+ XII, 10,3, citation de *Jn* 9, 4 : corriger ὡς en ἕως, car c'est le mot qu'Origène emploie dans les autres occasions qu'il a de citer *Jn* 9, 4; cf. *Com. Jn,* I, 25, § 162; *Sur la Pâque,* 24, 14 et 29, 5. L'ε initial a été confondu avec l'ε final du mot précédent.

XII, 10,17 apparat scripturaire (p. 36, 3 *ab imo*), écrire : c. Is. 26, 20.

XIII, 2,1, la conjecture καίτοιγε de Kl donne un sens meilleur que καὶ τότε de S que j'avais cru pouvoir maintenir.

+ XIII, 2,25, la correction de σου S en σοι m'a été suggérée par la reprise de l. 26 et le parallèle de l. 37 (où S a bien σοι).

XIII, 2,37, σου est un *erratum;* lire σοι conservé dans S.

XIV, 5,21, Wendland propose avec raison de corriger ἐπ' ἄλλῳ S en ἐπ' ἄλλων d'après le parallèle de l. 43.

XV, 2,25, de même convient-il de corriger avec Wendland λέγειν en ἐλέγχειν d'après 2, 10 et 11. Traduire : «à force de dénoncer des gens».

+ XV, 3,11, l'aoriste ἔστη, coordonné avec des verbes au présent, est certainement fautif; plutôt qu'une altération de ἐστι (Wendland), ce doit être le reste de ἔστη < κε >, qui est le terme technique pour «comparaître en justice» et qui a valeur de présent.

+ XV, 3,23, ἀπόλωλεν ἐπιφυλλὶς < ἀντὶ > τοῦ εὑρεῖν βότρυν : la restitution adoptée correspond à la pensée qu'Origène va développer aux lignes 45-48.

XV, 5,8-9, corriger αὐτοῦ en σαυτοῦ, puis πεποιήκασι en πεποίηκας conformément à l'Introduction, t. I, p. 87. Ajouter à l'apparat : 8 σαυτοῦ scripsi : αὐτοῦ S ‖ 9 πεποίηκας Koetschau : πεποιήκασι S.

XVI, 8,10 apparat (p. 149, 3 *ab imo*), écrire : seclusi, cf. Introduction, t. I, p. 91.

+ XVII, 2,10, écrire < ἡ > φωνὴ δὲ, puisque le membre de phrase corrélatif porte ἡ φωνὴ μὲν (l. 8).

+ XVII, 5,31-32, ἐν τούτῳ καυχάσθω ὁ καυχώμενος τοῦ συνιεῖν καὶ γινώσκειν. Les deux infinitifs ne peuvent être, d'après le contexte, qu'une apposition à τούτῳ; corriger τοῦ en τῷ.

XVIII, 7,15-16, ponctuer : ἵνα, ἐὰν πέσῃ,..., et remplacer dans la traduction (p. 205, 4 *ab imo*) : préparés, par : *façonnés*.

+ XVIII, 9,54 : ἐκκλινεῖ. Kl accentue comme un présent, mais Origène ne fait que reprendre le mot de la citation donnée à la ligne précédente et qui est au futur.

XIX, 12,20, ajouter à mon apparat : 20 λόγου Koetschau : λόγον S.

XIX, 15,36, écrire dans le texte : συναισθηθῆναι, et dans l'apparat : 36 συναισθηθῆναι Kl : συνησθῆναι S, cf. *Com. Matth.*, XIV, 9 (p. 97, 10 Kl.).

XIX, 15,46 traduction (p. 243, 7) : des petits enfants.

XX, 1,13, γάρ, supprimé par Kl, doit être conservé, car, pour Origène, si le Verbe est «Dieu», c'est parce qu'il est «auprès de Dieu» et le contemple; cf. *Com. Jn.*, II, 1, § 10; 2, § 17-18.

XX, 2,47 traduction (p. 259, 10) : devait.

XX, 3,75, remplacer le point en haut par un point en bas.

+ XX, 7,15, écrire : εὐρύχωρον <ὁδὸν>. Le substantif est indispensable au sens et figure dans la reprise à la l. 17.

+ XX, 8,24, la correction <Οὐ> μὴ est dictée par les parallèles des l. 21, 26, 36...

XX, 8,27 traduction (p. 287, 6 *ab imo*) : Nom.

XX, 9,23, il n'y a pas de lacune; on a la même expression en *Com. Jn*, XX, 5, § 32. Supprimer les points de suspension dans le texte et la mention correspondante dans l'apparat critique.

INTRODUCTION

p. 21.Sur la date des homélies, on peut consulter mon *Origène*, t. I, Paris 1977, p. 388-409 : elles se placent en 240 ou 241.

p. 24. Sur le *Vaticanus gr. 623*, voir les précisions de P. CANART dans *Mélanges Tisserant,* t. 6 (*Studi e testi* 236), Vatican 1964, p. 184.

p. 27, 12 *ab imo* : *GCS* 6, p. XXIX-XXXIII.

p. 37, 13 : conventum.

p. 65, 12 : I, 6,11.

p. 65, 5 *ab imo* : I, 6,45.

p. 67, 15 *ab imo* : ἐπίσταμαί σε.

p. 69, 17 : II, 1,7 s.

p. 70, 12 *ab imo* : Ἰούδαν.

p. 70, 11 *ab imo* : Ἰούδαν.

p. 75, 5 : VIII, 1,35.

p. 76, 4 : 'σύνδεσμος ἀδικίας'.

p. 77, 11-12 : 'οὐ λιμὸς... κυρίου'.

p. 77, 10 *ab imo* : X, 6,18.

p. 78, 4 : εἰδώς.

p. 79, 10-12, supprimer la phrase commençant par : On peut adopter. Voir ci-dessus, p. 233.

p. 81, 12 *ab imo* : XII, 13,38.

p. 82, 5 *ab imo,* au lieu de XVI, 5,12, lire : XVII, 5,12.

p. 82, 9-10 *ab imo,* remplacer le texte imprimé par le suivant : XIII, 1,45 (103, 6 Kl.) λέγεται reprend λεγέτωσαν de l. 37; lire λέγηται.

p. 83, 11 *ab imo* : XIV, 7,17.

p. 84, 6 *ab imo* : XIV, 14,12.

p. 85, 10 *ab imo* : ἄκουσον τοῦτο.

p. 86, 9 : ἀκούεις.

p. 86, 10 : ἀκούεις.

p. 86, 11-13 *ab imo,* supprimer le paragraphe sur XV, 3,11; voir ci-dessus p. 234.

p. 87, 4 : XV, 4,5.

p. 87, 6, au lieu de XIX, 20,80, écrire : XIX, 15,80.

p. 87, 4 *ab imo* : XVI, 3,1.

p. 91, 15 : οὐχ.

p. 92, 19 : XVIII, 1,33.

p. 92, 3 *ab imo,* au lieu de XVI, 13,10, lire : XIV, 13,10.

p. 94, 11-13, corriger comme suit : Il adopte légitimement la forme συναισθηθῆναι attestée en *Com. Matth.,* XIV, 9 (*GCS Origenes 10,* p. 297, 10). D'autre part Blass et Kl. intervertissent...

p. 95, 1-3, supprimer la phrase commençant par : En tout cas.

p. 97, 17 *ab imo :* l'homme le plus sage.

p. 98, 1 : XX, 3,84.

p. 98, 13 *ab imo :* XX, 7,83.

p. 108, 13, fermez les guillemets après : (*post orationes*)[6].

p. 117, 21 : au lieu de (XVI, 3,2), écrire : (XIV, 3,2).

p. 118, 4 *ab imo :* il se permet de substituer.

p. 133, 14 : rien à indiquer.

p. 142, 5 : leurs deux fils.

p. 142, 17 *ab imo :* des particularités.

p. 150, 10 *ab imo,* au lieu de (XVI, 8), lire : (XVIII, 9,15-17).

p. 160, note 3 : *De princ.,* I, 6,3 ; II, 3,3 (d'après Jérôme) ; III, 5,3 (id.) ; etc.

p. 162, 13 : IV, 2,4.

p. 164, 7 : «minim».

p. 174, 10 : un «feu non sensible».

p. 178, note 1, l. 2 : pécheurs.

p. 190, 15 : Il a un goût plus sûr.

P.N.

TABLE DES MATIÈRES

SOURCES CHRÉTIENNES

Fondateurs : H. de Lubac, s.j.
† J. Daniélou, s.j.
C. Mondésert, s.j.
Directeur : D. Bertrand, s.j.
Directeur-adjoint : J.N. Guinot

Dans la liste qui suit, dite « liste alphabétique », tous les ouvrages sont rangés par nom d'auteur ancien, les numéros précisant pour chacun l'ordre de parution depuis le début de la collection. Pour une information plus complète, on peut se procurer deux autres listes au secrétariat de « Sources Chrétiennes » 29, rue du Plat, 69002 Lyon (France) – Tél. : 78.37.27.08 :

1. la « liste numérique », qui présente les volumes et leurs auteurs actuels d'après les dates de publication; elle indique les réimpressions et les ouvrages momentanément épuisés ou dont la réédition est préparée.
2. la « liste thématique », qui présente les volumes d'après les centres d'intérêt et les genres littéraires : exégèse, dogme, histoire, correspondance, apologétique, etc.

LISTE ALPHABÉTIQUE (1-328)

SOUS PRESSE

ISAAC DE L'ÉTOILE : **Sermons**. Tome III. G. Raciti.

TERTULLIEN : **Des Spectacles**. M. Turcan.

EUSÈBE DE CÉSARÉE : **Préparation évangélique**, Livres XIV-XV. É. des Places.

GRÉGOIRE DE NAZIANZE : **Discours 38-41**. P. Gallay et C. Moreschini.

Les Constitutions apostoliques, tome II. M. Metzger.

PROCHAINES PUBLICATIONS

CÉSAIRE D'ARLES : **Sermons au peuple,** t. III, M.-J. Delage.

JEAN CHRYSOSTOME : **Sur Babylas.** M. Schatkin.

GERTRUDE D'HELFTA : **Œuvres,** tome V. J.-M. Clément, B. de Vregille et les Moniales de Wisques.

PALLADIOS **Vie de S. Jean Chrysostome.** 2 tomes. A.-M. Malingrey.

Conciles mérovingiens VIᵉ-VIIᵉ siècles. J. Gaudemet.

Également aux Éditions du Cerf :

LES ŒUVRES DE PHILON D'ALEXANDRIE
publiées sous la direction de
R. ARNALDEZ, C. MONDÉSERT, J. POUILLOUX.

Texte original et traduction française.